1986

Voces hispanoamericanas

VOCES
HISPANOAMERICANAS

EDITED BY PETER G. EARLE

University of Pennsylvania

UNDER THE GENERAL EDITORSHIP OF

ROBERT G. MEAD, JR.

University of Connecticut

HARCOURT, BRACE & WORLD, INC.

New York • Chicago • Burlingame

ACKNOWLEDGMENTS

The editor wishes to thank the following for kind permission to reprint the material appearing in this volume:

Editorial Losada and Ezequiel Martínez Estrada for "*Los aventureros*," "*Los señores de la nada*," "*El desengaño como estímulo*," "*El tango*," and "*Carnaval y tristeza*" from *Radiografía de la pampa*, Editorial Losada, S.A., Buenos Aires, Argentina, 1933.

Octavio Paz and Fondo de Cultura Económica for "*Dialéctica de la soledad*" from *El laberinto de la soledad*, second edition, Fondo de Cultura Económica, Mexico, D.F., Mexico, 1959.

Carlos Solórzano for *Las manos de Dios*, Editorial B. Costa-Amic, Mexico, D.F., Mexico, 1957.

iv

Jorge Luis Borges and Emecé Editores for *"El asesino desinteresado Bill Harrigan"* from *Historia universal de la infamia*, Emecé Editores, S.A., Buenos Aires, Argentina, 1954, and for *"Las ruinas circulares"* and *"Funes el memorioso"* from *Ficciones*, Emecé Editores, S.A., Buenos Aires, Argentina, 1956.

Eduardo Mallea and Editorial Losada for *"La razón humana"* from *La razón humana*, Editorial Losada, S.A., Buenos Aires, Argentina, 1949.

María Elena Bravo de Quiroga and María Elena Quiroga for Horacio Quiroga's *"La gallina degollada"* from *Cuentos de amor, de locura y de muerte*, Editorial Losada, S.A., Buenos Aires, Argentina, 1964.

Julio Cortázar and Ediciones Minotauro for *"Simulacros,"* *"El canto de los cronopios,"* *"Haga como si estuviera en su casa,"* *"Lo particular y lo universal,"* and *"Educación de príncipe"* from *Historias de cronopios y de famas*, © Ediciones Minotauro, Buenos Aires, Argentina, 1964.

Pablo Neruda and Editorial Losada for *"Establecimientos nocturnos,"* *"Fantasma,"* and *"Oda con un lamento"* from *Residencia en la tierra*, second edition, Editorial Losada, S.A., Buenos Aires, Argentina, 1935, and for *"A mis obligaciones"* and *"Oda al piano"* from *Navegaciones y regresos*, Editorial Losada, S.A., Buenos Aires, Argentina, 1959.

Juan Rulfo and Fondo de Cultura Económica for *"Talpa"* from *El llano en llamas*, Fondo de Cultura Económica, Mexico, D.F., Mexico, 1953.

CONTENTS

PART II   TRADICIÓN Y REBELDÍA

PART III   LA AMÉRICA UNIVERSAL

Voces hispanoamericanas

INTRODUCTION

LIKE RUSSIA, Spain, and certain countries of the Near East, Hispanic America has remained on the periphery of what is commonly considered Western culture. It stands in perennial contrast to the United States because it is the result of a historical development very different from our own. The United States and Canada grew out of a direct transplantation, from one continent to another, of European peoples and their cultures; and, from the time of the foundation of the first English colonies to the present, North America's history has marched in step with that of western Europe.

Hispanic America, on the other hand, is the result not of transplantation but of fusion, of literally a marriage of races and cultures. In its synthesis of European and indigenous heritages Hispanic America has formed a new and unique civilization and culture. During approximately the same period as North America's cultural development, Hispanic America created new traditions, a new literature, new concepts of plastic art, and a new society. Spain conquered and colonized its part of the western hemisphere, it is true, in little more than a half-century after the expeditions of Columbus, but did so not with the purpose of creating a "new world" but rather of extending the Christian faith to unknown peoples and of strengthening, expanding, and enriching an empire that became in the sixteenth century the world's mightiest.

Although Hispanic America in its three-hundred-year colonial phase continued to be part of the Spanish family—until late in the eighteenth century Spain referred to its colonies not as *colonias* but as *provincias de ultramar* (overseas provinces)—it enjoyed an appreciable measure of local independence. While the Spanish language, the Catholic religion, and the rigorous individualism of Spanish personality gave the appearance of cultural similarity to all the regions that were eventually to become countries, great diversity developed among them. Some of the countries (Mexico, most of

Central America, Peru) still preserve strong native heritages dating back many centuries before 1492. In other countries (Argentina, Chile, Costa Rica) evidence remains of little more than tribal or nomadic cultures. Although in the United States it has become fashionable since the 1930s to speak of the Hispanic-American republics as "neighbors," those republics are separated by great distances, both from us and from one another. Cape Horn is farther away from New York than is Moscow. Isolation is further promoted by natural barriers such as impenetrable jungles, high plateaus, and vast reaches of lonely plains.

One might ask why even in the second half of the twentieth century Hispanic America is still often considered a historical and geographical novelty, a mysterious political limbo deserving our attention at times when our own interests suddenly seem to be in jeopardy or when opportunities (invariably commercial) open up like quick-blooming jungle flowers. Besides the cliché of "opportunity" there is that of "concern." They sum up quite well the two basic attitudes in the United States toward Hispanic America, a place that the uninformed seem to feel constitutes nothing more than a nebulous sort of frontier for economic experimentation and a continuing threat of political violence.

Europe has, generally speaking, been able to take a more objective view of Hispanic America and its place in the world. While the majority of educated North Americans are unaware of the existence of a thriving literature coming from Mexico City and Buenos Aires (Hispanic America's two main publishing centers), significant contemporary novels and poetry are being translated and published in France and are winning international prizes. Most important, Hispanic America is no longer dependent on foreign influence and recognition. Since 1900, the year of José Enrique Rodó's essay *Ariel* (a declaration of cultural independence for Hispanic America), writers in the eighteen Spanish-speaking republics have become acutely conscious of the wealth of literary material in their own history and society.

What factors have been most decisive in the enrichment of Hispanic-American literature? They might be summarized as follows.

Regional and traditional values. The heterogeneous racial foundation (indigenous, European, African) of the Americas has sharpened the sense of the particular and the local. The Peruvian critic Luis Alberto Sánchez was not exaggerating when he wrote that a literary formula could be made from the statement *dame una novela y te diré de qué pueblo viene.* History stands behind this formula, and traditionalism, in dynamic relationship with nineteenth- and twentieth-century ideals of progress, is still a central theme, as the selections by Juan Rulfo and Carlos Solórzano testify.

Social independence. An indomitable individualistic and independent spirit is at the heart of Hispanic-American regionalism, in much the same way that it has traditionally been in Spain, and foreign progressive ideology has played an important role in augmenting it. The eighteenth-century European enlightenment, with its exaltation of reason and free unorthodox thought, and the French Revolution quickened movements for independence in México, Venezuela, and Argentina. Rousseau's vigorous defense and idealization of a theoretical "natural man," the 1789 Declaration of the Rights of Man by the French revolutionaries, and the United States Constitution and Bill of Rights (which became a model for numerous constitutions in Hispanic America in the nineteenth century) served to rekindle in the Spanish world a long and impassioned debate that had been instigated in the sixteenth century by the Spanish friar Bartolomé de las Casas about the grievous inequalities of the colonial social system. European romanticism inspired the deeds and rhetoric of Hispanic-American revolutionaries, and in literature the flowering ideals of nationhood led to a high valuation of the concrete, the local, and the regional.

A universal sense of life. In spite of the long heritage of traditionalism and regional pride, the best writers in Hispanic America have always transcended the tentacular limitations of local color. The New World was not destined to remain provincial but to maintain from 1492 to the present a consistent attitude of wonder at the mysteries of its own reality. Thus the surprise, admiration, and uncertainty expressed by Columbus as he first contemplated the golden radiance of the Antilles was to find an echo in the chronicles of other explorers from the Río de la Plata to the Mississippi valley, in

Domingo Faustino Sarmiento's[1] emotive description of nineteenth-century life on the Argentine plains, and in José Eustasio Rivera's *La vorágine*[2] (1924), a novel of delirious jungle adventure in the upper Amazon. Because the Hispanic-American ideal cherished by its intellectual and political leaders has seldom coincided with historical events, the student finds Hispanic America's history a source of both humanitarian exasperation and poetic vitality. Between the moral and the esthetic, between the idea of what is necessary and good on the one hand and the idea of what is beautiful or grotesque on the other, lies the artistic truth of every Hispanic-American writer.

Each of the three parts of *Voces hispanoamericanas* suggests a variety of concept and style within a unity of theme. In the choice of titles for these parts (*Nuestra América*, *Tradición y rebeldía*, *La América universal*) the editor has intended to show what he considers to be a fundamental trait of Hispanic-American literature in general; that is, that in style and thought Hispanic-Americans have traditionally varied a great deal but inevitably agree on what constitutes the fundamental questions or problems of their culture. All are concerned with a definition of "their" America as distinguished from the United States, from the colonial America of the Spanish empire, and from the remote, nearly mythical America of pre-Columbian times.

The most important theme so far as the present and future of Hispanic-American literature is concerned is *La América universal*. Represented under this title are Rubén Darío, the guiding spirit of

1. Domingo Faustino Sarmiento: (1811–88), author, journalist, educator, and President of Argentina from 1868 to 1874. His best known and most unique work was *Civilización y barbarie: Vida de Juan Facundo Quiroga* (1845), a partly historical and partly symbolic essay on the barbaric activities of the gaucho leader Juan Facundo Quiroga, in which Facundo, Juan Manuel de Rosas (a notorious dictator), and the provinces represented barbarism, and Buenos Aires, with its notions of European culture, and the Unitarians, Sarmiento's political party, represented cosmopolitan life and civilization. 2. José Eustasio Rivera: (1888–1928), Colombian novelist and poet. His famous novel is one of the richest in Hispanic letters, combining a recollection of personal experience, poetic intuition, and social protest.

modernism;[3] Jorge Luis Borges, the finest stylist in twentieth-century Hispanic-American literature; Eduardo Mallea, Hispanic America's foremost philosophical novelist; Horacio Quiroga, narrator of adventure and death; Julio Cortázar, a gifted creator of the absurd; Pablo Neruda, the great Chilean poet; and Juan Rulfo, Mexico's most talented prose writer. These authors have all done honor to their national literatures by surpassing the limitations of national circumstances. Their work is contemplative, and their world though diffuse is poignantly real, for never before in America has it been described with such personal intensity.

Tradición y rebeldía are represented by Carlos Solórzano's three-act drama, *Las manos de Dios*, in which the Devil is a tragic spokesman of the oppressed. The play is openly anticlerical, reflecting the problems that have attended the prominent role of the Church in secular as well as spiritual matters in most Hispanic-American countries since the sixteenth century; but its symbolism goes beyond the specific question of clerical domination, touching the larger one of man's struggle for justice and freedom. Tradition and rebellion have constituted in dynamic opposition the synthesis of the Hispanic-American spirit ever since the Spanish conquest.

Each of the writers in the first section expresses an attitude of specific concern about America that is unique. The hope and enthusiasm expressed by the Cuban patriot José Martí, who devised a philosophy of *Nuestra América* based on its historical and natural originality rather than on Greco-Roman tradition, contrasts not only with José Enrique Rodó's ideal of absolute refinement ex-

---

3. Modernism in Hispanic America was a new literary tone, at once revolutionary and aristocratic, that manifested itself between 1880 and 1915. José Martí was of the first generation of modernists; Rubén Darío, who exerted great influence on Spain's Generation of 1898 as well as on all the literary centers of Hispanic America, was its acknowledged god. The modernists rejected conventional realism and considered art as a value in itself, as had Ruskin and Rossetti in England and Gautier, Baudelaire, Verlaine, and Rimbaud in France. Like romanticism, modernism expressed enthusiasm for a mythical past and everything exotic—Chinese lacquers, eighteenth-century rococo architecture, Greek gods and demi-gods—but it placed more emphasis on refinement and esthetic values than did romanticism and generally demonstrated a much greater capacity for self-criticism. Modernism reflects in literature the crisis in the values of Western culture that occurred at the end of the nineteenth century, an age neither of reason nor faith but of radical skepticism.

pressed in Europeanized classicism (Rodó would have liked to revive the Greek ideal of beauty and self-perfection in harmony with his concept of Mediterranean Christianity) but with Ezequiel Martínez Estrada's radical pessimism as expressed in *Radiografía de la pampa:* "*Lo que Sarmiento no vio es que civilización y barbarie eran una misma cosa.*" Octavio Paz considers the ingrained solitude of the Mexican to be representative not only of his own country and the Americas but of contemporary man in general; he seems to feel that solitude contains a spiritual force that unites the Hispanic-American man with men of every continent.

Alfonso Reyes (1889–1959)—Mexican essayist, critic, and poet, and one of the finest personifications of contemporary culture— some years ago made this evaluation of Hispanic-American literature, useful for an understanding of some of the basic differences between the Hispanic-American cultural heritage and our own:

> Our schools and universities are weak; our libraries are chaotic; our publishing resources are primitive; our compensation for works of the spirit is a joke. Nevertheless, the cultural atmosphere that one breathes in our republics is on the whole superior to that of more fortunate countries. Our young graduates abandon their studies for wage-earning because they have no choice in the matter. If they could they would choose a life of pure creativity or of heroic actions. "Lands of poets and generals," said Rubén Darío. . . .
>
> A cumulative heritage, impressed on the layers of our soul, has by force of sensibility alone made illiterates into civilized men. The way an inhabitant of old Castile, an Argentine gaucho, or a Mexican rancher says "good morning," or simply the countenance and inquiring look of our lonely country people who might scarcely know how to spell, are a compendium of several centuries of civilization. The foreigner should be aware of the fact that the Latin American is testing and judging him from the moment he first sets eyes on him.
>
> We have suffered from our lack of what are commonly referred to as techniques. We are the first to admit it and the most eager to correct the deficiencies that fate—and not inferiority—has bequeathed to us. But we can point with pride to the fact that up to now our peoples practiced but one technique: talent.[4]

---

4. "Valor de la literatura hispanoamericana" (1941) in *Obras completas de Alfonso Reyes*, Fondo de Cultura Económica (Mexico, 1960), vol. 11, pp. 132–33.

1

NUESTRA AMÉRICA

JOSÉ MARTÍ

Cuba 1853–95

MARTÍ SPENT virtually all his adult life in exile. Banished from Cuba at the age of seventeen by the Spanish colonial government, he returned but twice: once on a brief visit in 1878, and again in the spring of 1895, to die in revolutionary combat. His death ended fifteen years of organization and fund raising in New York in preparation for the 1895 rebel invasion that was to precede the liberation of his country from Spain.

The Spanish administration of Cuban affairs came to an end in 1898 with that military comedy of errors, the Spanish-American War. But it was not the charge at San Juan Hill or the destruction of the U.S.S. "Maine" and its crew ("Remember the Maine!") that is foremost in the memory of Cubans, but rather the ferocious Ten-Years' War (1868–78)—a decade of violence and mass exile from the island—the cruel repressions of the Spanish army of occupation in the 1890s, and from the early 1880s, the continuously mounting resistance inspired by José Martí.

Martí is the only eminent Hispanic-American man of letters to have established his fame while living and writing in the United States. In the words of Federico de Onís,[1] "Martí's literary life was bounded by the triangle—Spanish America, Spain, the United States—symbolic of the new epoch which began with him, of which he had a clearer awareness than anyone else, and which we can comprehend only through him." In this new epoch, that is, the last quarter of the nineteenth century, Martí saw with singular clarity the underlying characteristics of Spanish, Hispanic-American, and North American life at a historical moment when the energies of the New World had assumed precedence over the traditions of the Old World. These energies, as is evident in the essays of Martí in particular and in Hispanic-American modernism in general, found

1. *The America of José Martí* (New York: Noonday Press, 1953), p. xii.

expression in the spirit of innovation; for Martí innovation meant the sincere and direct revelation of character and sentiment. The distinguishing quality of his heroes—and many of his writings are devoted to heroes—is always this direct revelation in men as diverse as Ralph Waldo Emerson,[2] Ulysses S. Grant,[3] and Simón Bolívar.[4] He also approached and interpreted Walt Whitman[5] more as a great heroic spirit than as a literary giant. Although many of his contributions to Latin-American periodicals and the New York *Sun* could be classified in a formal sense as literary criticism, this was a genre that interested him little. *"Para mí la crítica no ha sido nunca más que el mero ejercicio del criterio,"* he once confessed.

The author of *Versos sencillos* was not a simple man, a fact that becomes immediately apparent when one reads one of his most ambitious essays, *Nuestra América,* included here in its entirety. *Nuestra América* is, in effect, an article of faith in the future of Hispanic America and a defense of native values written at a time when everything European or cosmopolitan carried excessive prestige in the Americas. Equally penetrating is the essay *Coney Island,* in which the Cuban captures the abundance, energy, and superficial grandeur of the United States in the late nineteenth century. Notwithstanding the enormous volume of his essays, letters, and poetry, it is obvious that Martí was a scrupulous stylist. The repetitive rhetorical tone and grandiose, often abstract symbols sometimes conceal the complexity of his sentiments. On the one hand, Martí,

2. Ralph Waldo Emerson: (1803–82), American essayist and poet. His *The American Scholar*, like Martí's *Nuestra América*, called for cultural independence and American intellectual initiative.   3. Ulysses Simpson Grant: (1822–85), eighteenth president of the U.S. (1868–76), commander-in-chief of the Union Army in the American Civil War, interested Martí as an example of notable instinct and will power in a chaotic era of history.   4. Simón Bolívar: (1783–1830), Venezuelan soldier, statesman, and revolutionary leader, known as "the Liberator." He was successively the president of Colombia and of Peru. The republic of Bolivia was named after him for his organizational efforts for the government there.   5. Walt Whitman: (1819–92), American poet, known chiefly for his *Leaves of Grass*, first published in 1855. Martí admired him both as a poet and as the nineteenth century's most eloquent voice of democracy and freedom. Together with Edgar Allan Poe, Whitman has been, to date, the most influential American poet in Hispanic America.

an apostle of democratic freedoms, was the voice of optimism and self-reliance. On the other hand, he often took a somewhat fatalistic view of man's nature and place in history, particularly regarding his own position and purpose in life. Indeed, one of his own rhetorical questions, reflecting the dilemma of a great mind fettered by undesirable circumstances, might well serve as his epitaph: *¿Qué mayor tormento que sentirse capaz de lo grandioso y vivir obligado a lo pueril?*

Coney Island

En los fastos[1] humanos, nada iguala a la prosperidad maravillosa de los Estados Unidos del Norte. Si hay o no en ellos falta de raíces profundas; si son más duraderos en los pueblos los lazos que ata el sacrificio y el dolor común que los que ata el común interés; si esa nación colosal, lleva o no en sus entrañas elementos feroces y tremendos; si la ausencia del espíritu femenil, origen del sentido artístico y complemento del ser nacional, endurece y corrompe el corazón de ese pueblo pasmoso, eso lo dirán los tiempos.

Hoy por hoy,[2] es lo cierto que nunca muchedumbre más feliz, más jocunda, más bien equipada, más compacta, más jovial y frenética ha vivido en tal útil labor en pueblo alguno de la tierra, ni ha originado y gozado más fortuna, ni ha cubierto los ríos y los mares de mayor número de empavesados y alegres vapores,[3] ni se ha extendido con más bullicioso orden e ingenua alegría por blandas costas,[4] gigantescos muelles[5] y paseos brillantes y fantásticos.

Los periódicos norteamericanos vienen llenos de descripciones hiperbólicas de las bellezas originales y singulares atractivos de uno

---

1. **fastos:** annals 2. **Hoy... hoy:** Today, up to now. 3. **empavesados... vapores:** gaily decorated steamers 4. **costas:** beaches 5. **muelles:** piers

de esos lugares de verano, rebosante de gente, sembrado de suntuosos hoteles, cruzado de un ferrocarril aéreo, matizado de jardines, de kioskos, de pequeños teatros, de cervecerías, de circos, de tiendas de campaña, de masas de carruajes, de asambleas pintorescas, de casillas ambulantes, de vendutas, de fuentes.

Los periódicos franceses se hacen ecos de esta fama.

De los lugares más lejanos de la Unión Americana van legiones de intrépidas damas y de galantes campesinos a admirar los paisajes espléndidos, la inejemplar[6] riqueza, la variedad cegadora, el empuje hercúleo, el aspecto sorprendente de Coney Island, esa isla ya famosa, montón de tierra abandonado hace cuatro años,[7] y hoy lugar amplio de reposo, de amparo y de recreo para un centenar de miles de neoyorkinos que acuden a las dichosas playas diariamente.

Son cuatro pueblecitos unidos por vías de carruajes, tranvías y ferrocarriles de vapor. El uno, en el comedor de uno de cuyos hoteles caben holgadamente a un mismo tiempo 4.000 personas, se llama *Manhattan Beach* (Playa de Manhattan); otro que ha surgido, como Minerva,[8] de casco y lanza, armado de vapores, plazas, muelles y orquestas murmurantes, y hoteles que ya no pueblos parecen, sino naciones, se llama *Rockaway;* otro, el menos importante, que toma su nombre de un hotel de capacidad extraordinaria y construcción pesada, se llama *Brighton;* pero el atractivo de la isla no es Rockaway lejano, ni Brighton monótono, ni Manhattan Beach aristocrático y grave: es *Cable*, el riente[9] *Cable*, con su elevador más alto que la torre de la Trinidad[10] de Nueva York —dos veces más alto que la torre de nuestra Catedral[11]— a cuya cima suben los viajeros suspendidos en una diminuta y frágil jaula a una altura que da vértigos; es *Cable*, con sus dos muelles de hierro, que avanzan sobre pilares elegantes un espacio de tres cuadras sobre el mar, con su palacio de *Sea Beach*, que no es más que un hotel ahora, y que fué en la Exposición de Filadelfia el afamado edificio de Agricultura

6. **inejemplar:** unparalleled   7. **hace... años:** i.e., in 1877   8. **Minerva:** goddess of wisdom and war   9. **riente:** gay   10. **Trinidad:** Trinity Church in downtown New York City   11. **nuestra Catedral:** The Cathedral in Havana, built in the early eighteenth century

"Agricultural Building", trasportado a Nueva York y reelevado en su primera forma, sin que le falte una tablilla,[12] en la costa de Coney Island, como por arte de encantamiento; es *Cable*, con sus museos de a 50 céntimos, en que se exhiben monstruos humanos, peces extravagantes, mujeres barbudas, enanos melancólicos, y elefantes raquíticos, de los que dice pomposamente el anuncio que son los elefantes más grandes de la tierra; es *Cable*, con sus cien orquestas, con sus risueños bailes, con sus batallones de carruajes de niños, su vaca gigantesca que ordeñada perpetuamente produce siempre leche, su sidra fresca a 25 céntimos el vaso, sus incontables parejas de peregrinos amadores que hacen brotar a los labios aquellos tiernos versos de García Gutiérrez,[13]

> Aparejadas[14]
> Van por las lomas
> Las cogujadas[15]
> Y las palomas;

es *Cable*, donde las familias acuden a buscar, en vez del aire metífico y nauseabundo de Nueva York, el aire sano y vigorizador de la orilla del mar, donde las madres pobres, —a la par que[16] abren, sobre una de las mesas que en salones espaciosísimos[17] hallan gratis, la caja descomunal[18] en que vienen las provisiones familiares para el *lunch*— aprietan contra su seno a sus desventurados pequeñuelos, que parecen como devorados, como chupados,[19] como roídos, por esa terrible enfermedad de verano que siega niños como la hoz siega la mies, —el *cholera infantum*.— Van y vienen vapores; pitan, humean, salen y entran trenes; vacían sobre la playa su seno de serpiente, henchido de familias; alquilan las mujeres sus trajes de franela azul, y sus sombreros de paja burda que se atan bajo la barba; los hombres en traje mucho más sencillo, llevándolas de la mano, entran al mar; los niños, en tanto con los pies descalzos, esperan en la margen a que la ola mugiente se los moje, y escapan cuando llega, disimulando

---

12. **tablilla:** single board 13. **García Gutiérrez:** Antonio García Gutiérrez (1813–84), Spanish romantic playwright and poet, author of *El trovador* (1836) 14. **Aparejadas:** Two by two 15. **cogujadas:** crested larks 16. **a... que:** while, at the same moment that 17. **espaciosísimos:** enormous, extremely spacious 18. **la... descomunal:** huge basket 19. **chupados:** sucked dry

con carcajadas su terror, y vuelven en bandadas, como para desafiar mejor al enemigo, a un juego de que los inocentes, postrados una hora antes por el recio calor, no se fatigan jamás; o salen y entran, como mariposas marinas, en la fresca rompiente,[20] y como cada uno va provisto de un cubito y una pala, se entretienen en llenarse mutuamente sus cubitos con la arena quemante de la playa; o luego que se han bañado, —imitando en esto la conducta de más graves personas de ambos sexos, que se cuidan poco de las censuras y los asombros de los que piensan como por estas tierras[21] pensamos,— se echan en la arena, y se dejan cubrir, y golpear, y amasar, y envolver con la arena encendida, porque esto es tenido por ejercicio saludable y porque ofrece singulares facilidades para esa intimidad superficial, vulgar y vocinglera a que parecen aquellas prósperas gentes tan aficionadas.

Pero lo que asombra allí no es este modo de bañarse, ni los rostros cadavéricos de las criaturitas, ni los tocados caprichosos y vestidos incomprensibles de aquellas damiselas,[22] notadas por su prodigalidad, su extravagancia, y su exagerada disposición a la alegría; ni los coloquios de enamorados, ni las casillas de baños, ni las óperas cantadas sobre mesas de café,[23] vestidos de Edgardo y de Romeo, y de Lucía y de Julieta;[24] ni las muecas y gritos de los negros *minstrels*, que no deben ser ¡ay! como los *minstrels* de Escocia; ni la playa majestuosa, ni el sol blando y sereno; lo que asombra allí es el tamaño, la cantidad, el resultado súbito de la actividad humana, esa inmensa válvula de placer abierta a un pueblo inmenso, esos comedores que, vistos de lejos, parecen ejércitos en alto, esos caminos que a dos millas de distancia no son caminos, sino largas alfombras de cabezas; ese vertimiento diario[25] de un pueblo portentoso en una playa portentosa; esa movilidad, ese don de avance, ese acometimiento, ese cambio de forma, esa febril rivalidad de la riqueza, ese

20. **fresca rompiente:** surf   21. **por... tierras:** in our lands, i.e., in the Latin-American countries   22. **damiselas:** young ladies   23. **óperas... café:** operas performed by singers standing on café tables   24. **Edgardo... Julieta:** Edgardo and Lucía are the hero and heroine of Donizetti's opera *Lucía di Lammermoor* (1835); Romeo and Julieta are the hero and heroine of Gounod's opera *Roméo et Juliette* (1867)   25. **vertimiento diario:** daily overflow

monumental aspecto del conjunto que hacen digno de competir aquel pueblo de baños con la majestad de la tierra que lo soporta, del mar que lo acaricia y del cielo que lo corona, esa marea creciente, esa expansividad anonadora e incontrastable, firme y frenética, y esa naturalidad en lo maravilloso;[26] eso es lo que asombra allí.

Otros pueblos —y nosotros[27] entre ellos— vivimos devorados por un sublime demonio interior, que nos empuja a la persecución infatigable de un ideal de amor o gloria; y cuando asimos, con el placer con que se ase un águila, el grado de ideal que perseguíamos, nuevo afán nos inquieta, nueva ambición nos espolea,[28] nueva aspiración nos lanza a nuevo vehemente anhelo, y sale del águila presa una rebelde mariposa libre, como desafiándonos a seguirla y encadenándonos a su revuelto vuelo.

No así aquellos espíritus tranquilos, turbados sólo por el ansia de la posesión de una fortuna. Se tienden los ojos por aquellas playas reverberantes; se entra y sale por aquellos corredores,[29] vastos como pampas; se asciende a los picos de aquellas colosales casas, altas como montes; sentados en silla cómoda, al borde de la mar, llenan los paseantes sus pulmones de aquel aire potente y benigno; mas es fama que una melancólica tristeza se apodera de los hombres de nuestros pueblos hispano-americanos que allá viven, que se buscan en vano y no se hallan; que por mucho que las primeras impresiones hayan halagado sus sentidos, enamorado sus ojos, deslumbrado y ofuscado su razón, la angustia de la soledad les posee al fin, la nostalgia de un mundo espiritual superior los invade y aflige; se sienten como corderos sin madre y sin pastor, extraviados de su manada; y, salgan o no a los ojos, rompe el espíritu espantado en raudal amarguísimo de lágrimas, porque aquella gran tierra está vacía de espíritu.

Pero ¡qué ir y venir! ¡qué correr del dinero! ¡qué facilidades para todo goce! ¡qué absoluta ausencia de toda tristeza o pobreza visibles! Todo está al aire libre: los grupos bulliciosos; los vastos comedores; ese original amor de los norte-americanos, en que no entra casi nin-

---

26. **naturalidad... maravilloso:** familiarity with the spectacular   27. **nosotros:** the Latin-American peoples   28. **nos espolea:** incites us   29. **corredores:** galleries

guno de los elementos que constituyen el pudoroso, tierno y elevado amor de nuestras tierras; el teatro, la fotografía, la casilla de baños; todo está al aire libre. Unos se pesan, porque para los norte-americanos es materia de gozo positivo, o de dolor real, pesar libra más o libra menos; otros, a cambio de 50 céntimos, reciben de manos de una alemana fornida un sobre en que está escrita su buena conducta;[30] otros, con incomprensible deleite, beben sendos vasos largos y estrechos como obuses[31] de desagradables aguas minerales.

Montan éstos en amplios carruajes que los llevan a la suave hora del crepúsculo, de Manhattan a Brighton; atraca aquel su bote, donde anduvo remando en compañía de la risueña amiga que, apoyándose con ademán resuelto sobre su hombro, salta, feliz como una niña, a la animada playa; un grupo admira absorto a un artista que recorta en papel negro que estampa luego en cartulina blanca, la silueta del que quiere retratarse de esta manera singular; otro grupo celebra la habilidad de una dama que en un tenduchín[32] que no medirá más de tres cuartos de vara[33] elabora curiosas flores con pieles de pescado; con grandes risas aplauden otros la habilidad del que ha conseguido dar un pelotazo[34] en la nariz a un desventurado hombre de color[35] que, a cambio de un jornal miserable, se está día y noche con la cabeza asomada por un agujero hecho en un lienzo esquivando con movimientos ridículos y extravagantes muestras los golpes de los tiradores; otros barbudos y venerados,[36] se sientan gravemente en un tigre de madera, en un hipógrifo,[37] en una efigie, en el lomo de un constrictor,[38] colocados en círculo, a guisa de caballos, que giran unos cuantos minutos alrededor de un mástil central,[39] en cuyo torno tocan descompuestas sonatas unos cuantos sedicientes músicos. Los menos ricos comen cangrejos y ostras sobre la playa, o pasteles y carnes en aquellas mesas gratis que ofrecen ciertos grandes hoteles para estas comidas; los adinerados dilapidan sumas cuantiosas en infusiones de fuchsina, que les dan por vino;[40]

---

30. **su... conducta:** their fortune   31. **obuses:** gun barrels   32. **tenduchín:** poor little store   33. **vara:** unit of measure, about 33 inches   34. **dar un pelotazo:** in striking with a ball   35. **hombre de color:** Negro   36. **venerados:** venerable   37. **hipógrifo:** winged horse   38. **en el... constrictor:** on the back of a boa constrictor   39. **colocados... central:** Martí is describing in some detail a merry-go-round, then of recent invention and for which he apparently knew no name.   40. **los adinerados... vino:** the wealthy squander their money on gallons of a red chemical that passes for wine

y en macizos y extraños manjares que rechazaría sin duda nuestro
paladar pagado de[41] lo artístico y ligero.

Aquellas gentes comen cantidad; nosotros clase.

Y este dispendio, este bullicio, esta muchedumbre, este hormiguero asombroso, duran desde Junio a Octubre, desde la mañana
hasta la alta noche, sin intervalo, sin interrupción, sin cambio
alguno.

De noche, ¡cuánta hermosura! Es verdad que a un pensador
asombra tanta mujer casada sin marido; tanta madre que con el
pequeñuelo al hombro pasea a la margen húmeda del mar, cuida-
dosa de su placer, y no de que aquel aire demasiado penetrante ha
de herir la flaca naturaleza de la criatura; tanta dama que deja
abandonado en los hoteles a su chicuelo, en brazos de una áspera
irlandesa,[42] y al volver de su largo paseo, ni coje en brazos, ni besa
en los labios, ni satisface el hambre a su lloroso niño.

Mas no hay en ciudad alguna panorama más espléndido que el
de aquella playa de *Cable*, en las horas de noche. ¿Veíanse cabezas
de día? Pues más luces se ven en la noche.[43] Vistas a alguna distancia desde el mar, las cuatro poblaciones, destacándose radiosas
en la sombra, semejan como si en cuatro colosales grupos se hubieran reunido las estrellas que pueblan el cielo y caído de súbito en
los mares.

Las luces eléctricas que inundan de una claridad acariciadora y
mágica las plazuelas[44] de los hoteles, los jardines ingleses, los lugares
de conciertos, la playa misma en que pudieran contarse a aquella
luz vivísima[45] los granos de arena parecen desde lejos como espíritus
superiores inquietos, como espíritus risueños y diabólicos que tra-
veseasen por entre las enfermizas luces de gas, los hilos de faroles
rojos, el globo chino, la lámpara veneciana. Como en día pleno, se
leen por todas partes periódicos, programas, anuncios, cartas. Es un
pueblo de astros; y así las orquestas, los bailes, el vocerío, el ruido
de olas, el ruido de hombres, el coro de risas, los halagos del aire,
los altos pregones, los trenes veloces, los carruajes ligeros, hasta que

---

41. **pagado de:**   accustomed to   42. **áspera irlandesa:**   rough Irish maid
43. **¿Veíanse... noche:**   Were (a multitude of) heads prominent in daylight?
Well, at night one is struck by a still greater number of lights.   44. **plazuelas:**
verandas   45. **a... vivísima:**   by that intense light

llegadas ya las horas de la vuelta, como monstruo que vacíase toda su entraña[46] en las fauces hambrientas[47] de otro monstruo, aquella muchedumbre colosal, estrujada y compacta se agolpa a las entradas de los trenes que repletos de ella, gimen, como cansados de su peso, en su carrera por la soledad que van salvando,[48] y ceden luego su revuelta carga a los vapores gigantescos animados por arpas y violines que llevan a los muelles y riegan a los cansados paseantes, en aquellos mil carros[49] y mil vías que atraviesan, como venas de hierro, la dormida Nueva York.

Nuestra América

CREE EL aldeano vanidoso[1] que el mundo entero es su aldea, y con tal que[2] él quede de alcalde, o le mortifique al rival que le quitó la novia, o le crezcan en la alcancía los ahorros, ya da por bueno el orden universal,[3] sin saber de los gigantes que llevan siete leguas[4] en las botas y le pueden poner la bota encima, ni de la pelea de los cometas en el Cielo, que van por el aire dormido engullendo mundos. Lo que quede de aldea en América ha de despertar. Estos tiempos no son para acostarse con el pañuelo a la cabeza,[5] sino con las armas de almohada,[6] como los varones de Juan de Castellanos:[7] las armas del juicio, que vencen a las otras. Trincheras[8] de ideas valen más que trincheras de piedra.

No hay proa que taje una nube de ideas. Una idea enérgica, flameada a tiempo ante el mundo, pára,[9] como la bandera mística

---

46. **vacíase... entraña:** ejects all its contents 47. **fauces hambrientas:** hungry gullet 48. **en su carrera... salvando:** speeding across the wastelands 49. **carros:** trolley cars NUESTRA AMÉRICA 1. **aldeano vanidoso:** provincial-minded villager 2. **con... que:** provided that 3. **ya... universal:** he concludes that all is right with the world 4. **gigantes... leguas:** giants with seven-league boots (meaning, men with big ideas) 5. **con... cabeza:** in a nightcap 6. **armas de almohada:** weapons as a pillow 7. **Juan de Castellanos:** Spanish historian and poet (1522–1606), author of the extensive *Elegías de varones ilustres de India* 8. **Trincheras:** Entrenchments 9. **pára:** stops

del juicio final, a un escuadrón de acorazados. Los pueblos que no se conocen han de darse prisa para conocerse, como quienes van a pelear juntos. Los que se enseñan los puños,[10] como hermanos celosos, que quieren los dos la misma tierra, o el de casa chica, que le tiene envidia al de casa mejor, han de encajar,[11] de modo que sean una, las dos manos. Los que, al amparo de una tradición criminal, cercenaron, con el sable tinto en la sangre de sus mismas venas, la tierra del hermano vencido, del hermano castigado más allá de sus culpas, si no quieren que les llame el pueblo ladrones, devuélvanle sus tierras al hermano. Las deudas del honor no las cobra el honrado en dinero, a tanto por la bofetada.[12] Ya no podemos ser el pueblo de hojas,[13] que vive en el aire, con la copa cargada de flor, restallando o zumbando, según la acaricie el capricho de la luz, o la tundan y talen las tempestades; ¡los árboles se han de poner en fila,[14] para que no pase el gigante de las siete leguas! Es la hora del recuento,[15] y de la marcha unida, y hemos de andar en cuadro apretado, como la plata[16] en las raíces de los Andes.

A los sietemesinos[17] sólo les faltará el valor. Los que no tienen fe en su tierra son hombres de siete meses. Porque les falta el valor a ellos, se lo niegan a los demás.[18] No les alcanza al árbol difícil el brazo canijo,[19] el brazo de uñas pintadas y pulsera, el brazo de Madrid o de París, y dicen que no se puede alcanzar el árbol. Hay que cargar los barcos de esos insectos dañinos, que le roen el hueso a la patria que le nutre. Si son parisienses o madrileños, vayan al Prado,[20] de faroles, o vayan a Tortoni,[21] de sorbetes. ¡Estos hijos de carpintero, que se avergüenzan de que su padre sea carpintero! ¡Estos nacidos en América, que se avergüenzan, porque llevan delantal indio, de la madre que los crió, y reniegan, ¡bribones[22]!, de

---

10. **se enseñan... puños:** brandish their fists   11. **encajar:** clasp   12. **Las...
bofetadas:** Honorable men do not accept money for debts of honor, at so much the slap.   13. **pueblo de hojas:** nation of leaves (foliage), i.e., an irresolute people   14. **se han... fila:** must close ranks   15. **recuento:** roll call   16. **plata:** silver deposits   17. **sietemesinos:** infants prematurely born   18. **Porque... demás:** Because they themselves lack courage, they deny its existence in others.   19. **canijo:** puny   20. **Prado:** Paseo del Prado, a well-known boulevard in Madrid   21. **Tortoni:** a café and ice cream parlor in Paris   22. **bribones:** scoundrels

la madre enferma, y la dejan sola en el lecho de las enfermedades! Pues, ¿quién es el hombre? ¿el que se queda con la madre, a curarle la enfermedad, o el que la pone a trabajar donde no la vean, y vive de su sustento en las tierras podridas, con el gusano de corbata, maldiciendo del seno que lo cargó, paseando el letrero de traidor en la espalda de la casaca de papel? ¡Estos hijos de nuestra América, que ha de salvarse con sus indios,[23] y va de menos a más; estos desertores que piden fusil[24] en los ejércitos de la América del Norte, que ahoga en sangre a sus indios, y va de más a menos! ¡Estos delicados, que son hombres y no quieren hacer el trabajo de hombres! Pues el Washington que les hizo esta tierra ¿se fué a vivir con los ingleses en los años en que los veía venir contra su tierra propia? ¡Estos "increíbles" del honor,[25] que lo arrastran por el suelo extranjero, como los increíbles de la Revolución francesa, danzando y relamiéndose, arrastraban las erres[26]!

Ni ¿en qué patria puede tener un hombre más orgullo que en nuestras repúblicas dolorosas de América, levantadas entre las masas mudas de indios, al ruido de pelea del libro con el cirial,[27] sobre los brazos sangrientos de un centenar de apóstoles? De factores tan descompuestos, jamás, en menos tiempo histórico, se han creado naciones tan adelantadas y compactas.[28] Cree el soberbio que la tierra fué hecha para servirle de pedestal, porque tiene la pluma fácil o la palabra de colores, y acusa de incapaz e irremediable a su república nativa, porque no le dan sus selvas nuevas[29] modo continuo de ir por el mundo de gamonal[30] famoso, guiando jacas[31] de Persia y derramando champaña. La incapacidad no está en el país naciente, que pide formas que se le acomoden y grandeza útil, sino en los que quieren regir pueblos originales, de composición singular y violenta, con leyes heredadas de cuatro siglos de práctica libre en los Estados Unidos, de diecinueve siglos de monarquía en Francia.

---

23. que ha... indios: that will save itself by its Indians   24. piden fusil: take up arms   25. "increíbles"... honor: disbelievers in honor   26. arrastraban... erres: drawled their r's   27. pelea... cirial: battle between the book and the processional candlestick, i.e., between knowledge and faith   28. naciones... compactas: such advanced and unified nations (as those of Latin America) 29. selvas nuevas: unexplored jungles   30. gamonal: tycoon   31. jacas: ponies

Con un decreto de Hamilton[32] no se le pára la pechada al potro del
llanero.[33] Con una frase de Sieyés[34] no se desestanca[35] la sangre cua-
jada de la raza india. A lo que es, allí donde se gobierna, hay que
atender para gobernar bien; y el buen gobernante en América no
es el que sabe cómo se gobierna el alemán o el francés, sino el que
sabe con qué elementos está hecho su país, y cómo puede ir guián-
dolos en junto, para llegar, por métodos e instituciones nacidas del
país mismo, a aquel estado apetecible donde cada hombre se conoce
y ejerce, y disfrutan todos de la abundancia que la Naturaleza puso
para todos en el pueblo que fecundan con su trabajo y defienden
con sus vidas. El gobierno ha de nacer del país. El espíritu del
gobierno ha de ser del país. La forma del gobierno ha de avenirse
a la constitución propia del país. El gobierno no es más que el equilibrio de los elementos naturales del país.

Por eso el libro importado ha sido vencido en América por el
hombre natural. Los hombres naturales han vencido a los letrados
artificiales. El mestizo autóctono ha vencido al criollo exótico.[36] No
hay batalle entre la civilización y la barbarie, sino entre la falsa
erudición y la naturaleza. El hombre natural es bueno, y acata[37] y
premia la inteligencia superior, mientras ésta no se vale de su sumisión para dañarle, o le ofende prescindiendo de él, que es cosa
que no perdona el hombre natural, dispuesto a recobrar por la
fuerza el respeto de quien le hiere la susceptibilidad[38] o le perjudica
el interés. Por esta conformidad con los elementos naturales desdeñados han subido los tiranos de América al poder; y han caído en
cuanto[39] les hicieron traición. Las repúblicas han purgado en las
tiranías su incapacidad para conocer los elementos verdaderos del
país, derivar de ellos la forma de gobierno y gobernar con ellos.
Gobernante, en un pueblo nuevo, quiere decir creador.

En pueblos compuestos de elementos cultos e incultos, los incultos

---

32. **Hamilton**:   Alexander Hamilton (1755–1804) chief founder of the Federal-
ist Party in the United States and Secretary of the Treasury under George
Washington   33. **pechada... llanero**:   the charge of the plainsman's horse
34. **Sieyés**:   Emmanuel Joseph Sieyés (1748–1836), French statesman and
propagandist, author of the revolutionary tract *Qu'est-ce que le tiers état?* (1789)
35. **no se desestanca**:   is not stimulated   36. **criollo exótico**:   exotic Creole,
i.e., a Spanish-American of European extraction and ideas   37. **acata**:   es-
teems   38. **quien... susceptibilidad**:   whoever offends his personal dignity
39. **en cuanto**:   as soon as

gobernarán, por su hábito de agredir y resolver las dudas con su mano, allí donde los cultos no aprendan el arte del gobierno. La masa inculta es perezosa, y tímida en las cosas de la inteligencia, y quiere que la gobiernen bien; pero si el gobierno le lastima, se lo sacude y gobierna ella. ¿Cómo han de salir de las universidades los gobernantes, si no hay universidad en América donde se enseñe lo rudimentario del arte del gobierno, que es el análisis de los elementos peculiares de los pueblos de América? A adivinar salen los jóvenes al mundo, con antiparras[40] *yankees* o francesas, y aspiran a dirigir un pueblo que no conocen. En la carrera de la política habría de negarse la entrada a los que desconocen los rudimentos de la política. El premio de los certámenes[41] no ha de ser para la mejor oda, sino para el mejor estudio de los factores del país en que se vive. En el periódico, en la cátedra,[42] en la academia, debe llevarse adelante el estudio de los factores reales del país. Conocerlos basta, sin vendas ni ambajes;[43] porque el que pone de lado, por voluntad u olvido, una parte de la verdad, cae a la larga[44] por la verdad que le faltó,[45] que crece en la negligencia, y derriba lo que se levanta sin ella. Resolver el problema después de conocer sus elementos, es más fácil que resolver el problema sin conocerlos. Viene el hombre natural, indignado y fuerte, y derriba la justicia acumulada de los libros, porque no se la administra en acuerdo con las necesidades patentes del país. Conocer es resolver. Conocer el país y gobernarlo conforme al conocimiento, es el único modo de librarlo de tiranías. La universidad europea ha de ceder a la universidad americana. La historia de América, de los incas a acá,[46] ha de enseñarse al dedillo,[47] aunque no se enseñe la de los arcontes[48] de Grecia. Nuestra Grecia es preferible a la Grecia que no es nuestra. Nos es más necesaria. Los políticos nacionales han de reemplazar a los políticos exóticos. Injértese en nuestras repúblicas el mundo; pero el tronco ha de ser el de nuestras repúblicas. Y calle el pedante vencido; que no hay patria en que pueda tener el hombre más orgullo que en nuestras dolorosas repúblicas americanas.

---

40. **antiparras:** spectacles 41. **certámenes:** literary contests 42. **cátedra:** professorial chair 43. **sin... ambajes:** without mincing words 44. **a la larga:** eventually 45. **que le faltó:** which he lacked 46. **de los... acá:** from the time of the Incas up to now 47. **al dedillo:** to perfection 48. **arcontes:** archons, the highest magistrates in Athens until the end of the 6th century B.C.

Con los pies en el rosario, la cabeza blanca y el cuerpo pinto de indio y criollo,[49] vinimos, denodados,[50] al mundo de las naciones. Con el estandarte de la Virgen salimos a la conquista de la libertad.[51] Un cura,[52] unos cuantos tenientes y una mujer alzan en México la república, en hombros de los indios.[53] Un canónigo español,[54] a la sombra de su capa, instruye en la libertad francesa a unos cuantos bachilleres magníficos, que ponen de jefe de Centro América contra España al general[55] de España. Con los hábitos monárquicos, y el Sol por pecho, se echaron a levantar pueblos[56] los venezolanos por el Norte y los argentinos por el Sur. Cuando los dos héroes chocaron, y el continente iba a temblar, uno, que no fué el menos grande, volvió riendas.[57] Y como el heroísmo en la paz es más escaso, porque es menos glorioso que el de la guerra; como al hombre le es más fácil morir con honra que pensar con orden; como gobernar con los sentimientos exaltados y unánimes es más hacedero[58] que dirigir, después de la pelea, los pensamientos diversos, arrogantes, exóticos o ambiciosos; como los poderes arrollados[59] en la remetida épica[60] zapaban, con la cautela felina de la especie y el peso de lo real, el edificio que había izado;[61] en las comarcas burdas y singulares de

---

49. **Con... criollo:** With the rosary (i.e., the Catholic faith) to guide us, our head white and our body of both Indian and Creole hue   50. **denodados:** intrepidly   51. **Con... libertad:** Martí alludes to the significant contribution of religious leaders to the independence movements in Mexico and Central America.   52. **cura:** Miguel Hidalgo y Castilla (1753–1811), priest and revolutionary leader who proclaimed Mexico's independence from Spain on September 16, 1810. Hidalgo was later captured by the Spanish colonial government and executed by a firing squad on July 30, 1811.   53. **indios:** The majority of Hidalgo's followers were Indians and mestizos.   54. **Un... español:** José Matías Delgado (1768–1883), Salvadorian priest and political leader who headed the 1811 uprising against the Spaniards   55. **general:** possibly a reference to Captain General José Bustamente, who assumed his post in 1811   56. **a levantar pueblos:** to lead nations in rebellion   57. **Cuando... riendas:** The reference is to José de San Martín (1778–1850) and Simón Bolívar (1783–1830), Argentine and Venezuelan liberators, respectively. As the independence movement progressed each grew stronger: and a personal power struggle seemed imminent. But a private meeting between the two Generals in July 1822, eliminated the last possibilities of friction, and by September of that year San Martín had resigned his military command and returned to private life.   58. **hacedero:** feasible   59. **los poderes arrollados:** the defeated Spanish royalist forces   60. **remetida épica:** epic conflict, i.e., the wars of independence   61. **el edificio... izado:** the structure (i.e.: system) that had been raised

nuestra América mestiza, en los pueblos de pierna desnuda y casaca de París, la bandera de los pueblos[62] nutridos de savia gobernante en la práctica continua de la razón y de la libertad; como la constitución jerárquica de las colonias resistía la organización democrática de la República, o las capitales de corbatín dejaban en el zaguán al campo de bota-de-potro,[63] o los redentores bibliógenos[64] no entendieron que la revolución que triunfó con el alma de la tierra, desatada a la voz del salvador,[65] con el alma de la tierra había de gobernar, y no contra ella ni sin ella, entró a padecer América, y padece, de la fatiga de acomodación entre los elementos discordantes y hostiles que heredó de un colonizador despótico y avieso,[66] y las ideas y formas importadas que han venido retardando, por su falta de realidad local, el gobierno lógico.[67] El continente descoyuntado durante tres siglos por un mando[68] que negaba el derecho del hombre al ejercicio de su razón, entró, desatendiendo o desoyendo a los ignorantes que lo[69] habían ayudado a redimirse, en un gobierno que tenía por base la razón; la razón de todos en las cosas de todos, y no la razón universitaria de uno sobre la razón campestre de otros. El problema de la independencia no era el cambio de formas, sino el cambio de espíritu.

Con los oprimidos había que hacer causa común, para afianzar el sistema opuesto a los intereses[70] y hábitos de mando de los opresores. El tigre, espantado del fogonazo, vuelve de noche al lugar de la presa. Muere echando llamas por los ojos y con las zarpas al aire.[71] No se le oye venir, sino que viene con zarpas de terciopelo. Cuando la presa despierta, tiene al tigre encima. La colonia continuó viviendo en la república; y nuestra América se está salvando de sus grandes yerros —de la soberbia de las ciudades capitales, del

---

62. **comarcas... pueblos:** rustic and unique backlands of our mestizo America, in our cities where men wore silk hose and Parisian frock coats, the flag of nations 63. **capitales... bota-de-potro:** cravat-adorned (colonial) capitals kept the country people in horsehide boots waiting in the vestibule 64. **redentores bibliógenos:** intellectual leaders 65. **desatada... salvador:** the savior's voice set free, i.e., once the revolution of the independence movement was in operation 66. **avieso:** perverse 67. **gobierno lógico:** form of government best suited to the special needs of the Hispanic-American countries 68. **mando:** regime 69. **lo:** referring to *continente* at the beginning of the sentence 70. **para... intereses:** to strengthen the (new) system against the interests 71. **con... aire:** clawing the air

triunfo ciego de los campesinos desdeñados, de la importación excesiva de las ideas y fórmulas ajenas, del desdén inicuo e impolítico de la raza aborigen,— por la virtud superior, abonada con sangre necesaria,[72] de la república que lucha contra la colonia. El tigre espera, detrás de cada árbol, acurrucado en cada esquina. Morirá, con las zarpas al aire, echando llamas por los ojos.

Pero "estos países se salvarán", como anunció Rivadavia[73] el argentino, el que pecó de finura en tiempos crudos;[74] al machete no le va vaina de seda, ni en el país que se ganó con lanzón[75] se puede echar el lanzón atrás, porque se enoja, y se pone en la puerta del Congreso de Iturbide[76] "a que le hagan emperador al rubio". Estos países se salvarán, porque, con el genio de la moderación que parece imperar, por la armonía serena de la Naturaleza, en el continente de la luz,[77] y por el influjo de la lectura crítica que ha sucedido en Europa a la lectura de tanteo y falansterio[78] en que se empapó la generación anterior, le está naciendo a América, en estos tiempos reales, el hombre real.

Éramos una visión, con el pecho de atleta, las manos de petimetre[79] y la frente de niño. Éramos una máscara, con los calzones de Inglaterra, el chaleco parisiense, el chaquetón de Norte América y la montera[80] de España. El indio, mudo, nos daba vueltas alrededor, y se iba al monte, a la cumbre del monte, a bautizar sus hijos. El negro, oteado,[81] cantaba en la noche la música de su corazón, solo y desconocido, entre las olas y las fieras. El campesino, el creador, se revolvía, ciego de indignación, contra la ciudad desdeñosa,

---

72. **abonada... necesaria:** strengthened by adequate conviction   73. **Rivadavia:** Bernardino Rivadavia (1780–1845), President of Argentina and leader of the centralist Unitarian party, forced to resign in 1827 because of growing separatist opposition in the provinces   74. **el que... crudos:** Rivadavia tried to put into effect agricultural and commercial reforms that conflicted with the personal interests of powerful cattle raisers in the Argentine provinces.   75. **lanzón:** lance, i.e., the armed forces   76. **Iturbide:** Agustín de Iturbide (1783–1824), Mexican political leader of Spanish royalist sympathies, joined the independence movement in 1820. With Vicente Guerrero he issued the *Plan de Iguala* in February 1821, uniting all independent factions. After getting himself proclaimed Emperor of Mexico as Augustín I in 1822, he proved to be arbitrary and unscrupulous. He was executed after a year of exile.   77. **continente... luz:** Europe   78. **tanteo y falansterio:** trial-and-error and provincialism   79. **petimetre:** dandy, fop   80. **montera:** cloth cap   81. **oteado:** pursued

contra su criatura. Éramos charreteras y togas,[82] en países que venían al mundo con la alpargata[83] en los pies y la vincha[84] en la cabeza. El genio hubiera estado en hermanar, con la caridad del corazón y con el atrevimiento de los fundadores, la vincha y la toga; en desestancar al indio; en ir haciendo lado al negro suficiente;[85] en ajustar la libertad al cuerpo de los que se alzaron y vencieron por ella. Nos quedó el oidor,[86] y el general, y el letrado, y el prebendado.[87] La juventud angélica, como de los brazos de un pulpo, echaba al Cielo, para caer con gloria estéril, la cabeza, coronada de nubes.[88] El pueblo natural,[89] con el empuje del instinto, arrollaba, ciego del triunfo, los bastones de oro.[90] Ni el libro europeo, ni el libro *yankee*, daban la clave del enigma hispanoamericano. Se probó el odio, y los países venían cada año a menos.[91] Cansados del odio inútil, de la resistencia del libro contra la lanza, de la razón contra el cirial, de la ciudad contra el campo, del imperio imposible de las castas urbanas divididas sobre la nación natural, tempestuosa o inerte, se empieza, como sin saberlo, a probar el amor. Se ponen en pie los pueblos, y se saludan. "¿Cómo somos?" se preguntan; y unos a otros se van diciendo cómo son. Cuando aparece en Cojímar[92] un problema, no va a buscar la solución a Dantzig. Las levitas son todavía de Francia, pero el pensamiento empieza a ser de América. Los jóvenes de América se ponen la camisa al codo, hunden las manos en la masa, y la levantan con la levadura de su sudor. Entienden que se imita demasiado, y que la salvación está en crear. Crear es la palabra de pase de esta generación. El vino, de plátano; y si sale agrio, ¡es nuestro vino! Se entiende que las formas de gobierno de un país han de acomodarse a sus elementos naturales; que las ideas absolutas, para no caer por un yerro de forma, han de ponerse en formas relativas; que la libertad, para ser viable, tiene que ser sincera y plena; que si la república no abre los brazos a todos

---

82. **charreteras y togas:** epaulets and tunics 83. **alpargata:** sandals 84. **vincha:** headband 85. **haciendo... suficiente:** making a place for the capable Negro 86. **oídor:** judge in colonial times 87. **prebendado:** ecclesiastical privilege 88. **La juventud... nubes:** The educated youth as if trapped in the tentacles of an octopus thrust their heads toward heaven, only to fall back, crowned with clouds, in sterile glory. 89. **pueblo natural:** people at large 90. **bastones de oro:** golden staffs, i.e., the authority of state 91. **venían... menos:** weakened year by year 92. **Cojímar:** a small Cuban town near Havana

y adelanta con todos, muere la república.[93] El tigre de adentro se entra por la hendija, y el tigre de afuera. El general sujeta en la marcha la caballería al paso de los infantes. O si deja a la zaga[94] a los infantes,[95] le envuelve el enemigo la caballería. Estrategia es política. Los pueblos han de vivir criticándose, porque la crítica es la salud; pero con un solo pecho y una sola mente. ¡Bajarse hasta los infelices[96] y alzarlos en los brazos! ¡Con el fuego del corazón deshelar la América coagulada! ¡Echar, bullendo y rebotando, por las venas, la sangre natural del país! En pie, con los ojos alegres de los trabajadores, se saludan, de un pueblo a otro, los hombres nuevos americanos. Surgen los estadistas naturales del estudio directo de la Naturaleza. Leen para aplicar, pero no para copiar. Los economistas estudian la dificultad en sus orígenes. Los oradores empiezan a ser sobrios. Los dramaturgos traen los caracteres nativos a la escena. Las academias discuten temas viables. La poesía se corta la melena zorrillesca[97] y cuelga del árbol glorioso el chaleco colorado. La prosa, centelleante y cernida, va cargada de idea. Los gobernadores, en las repúblicas de indios, aprenden indio.

De todos sus peligros se va salvando América. Sobre algunas repúblicas está durmiendo el pulpo.[98] Otras, por la ley del equilibrio, se echan a pie a la mar, a recobrar, con prisa loca y sublime, los siglos perdidos. Otras, olvidando que Juárez[99] paseaba en un coche de mulas, ponen coche de viento[100] y de cochero a una bomba[101] de jabón; el lujo venenoso, enemigo de la libertad, pudre al hombre liviano y abre la puerta al extranjero. Otras acendran,[102] con el

---

93. **Se entiende... república:** This sentence is a concise expression of Martí's ideal of "natural" government. In his formulation of this ideal Martí appears to have been influenced by Montesquieu's *L'Esprit des lois* (1748).   94. **a la zaga:** behind   95. **infantes:** soldiers of the infantry   96. **infelices:** underprivileged   97. **melena zorrillesca:** romantic locks. The allusion is to the poetic style of the Spanish poet and dramatist José Zorrilla (1817–93), author of *Don Juan Tenorio* (1844).   98. **pulpo:** octopus (of oppression)   99. **Juárez:** Benito Juárez (1806–72), born a full-blooded Indian, was author of the liberal Reform Laws of 1859, and was constitutionally elected President of Mexico in 1861. He led the resistance against the French invaders and government of occupation of Emperor Maximilian. Juárez regained control of Mexico, with U.S. support, in 1867.   100. **ponen... viento:** hitch their carriages to the wind, i.e., are unaware of reality   101. **bomba:** variation of *pompa*, bubble   102. **acendran:** purify

espíritu épico de la independencia amenazada, el carácter viril.
Otras crían, en la guerra rapaz contra el vecino, la soldadesca[103]
que puede devorarlas. Pero otro peligro corre, acaso, nuestra
América, que no le viene de sí, sino de la diferencia de orígenes,
métodos e intereses entre los dos factores continentales,[104] y es la
hora próxima en que se le acerque, demandando relaciones íntimas,
un pueblo emprendedor y pujante que la desconoce y la desdeña.
Y como los pueblos viriles, que se han hecho de sí propios, con la
escopeta y la ley, aman, y sólo aman, a los pueblos viriles; como
la hora del desenfreno y la ambición, de que acaso se libre, por el
predominio de lo más puro de su sangre, la América del Norte, o
en que pudieran lanzarla sus masas vengativas y sórdidas, la tradición de conquista y el interés de un caudillo hábil, no está tan cer-
cana aún a los ojos del más espantadizo, que no dé tiempo a la
prueba de altivez, continua y discreta, con que se la pudiera encarar y desviarla; como su decoro de república pone a la América
del Norte, ante los pueblos atentos del Universo, un freno que no
le ha de quitar la provocación pueril o la arrogancia ostentosa, o la
discordia parricida de nuestra América, el deber urgente de nuestra
América es enseñarse como es, una en alma e intento, vencedora
veloz de un pasado sofocante, manchada sólo con la sangre de abono
que arranca a las manos la pelea con las ruinas, y la de las venas
que nos dejaron picadas nuestros dueños. El desdén del vecino[105]
formidable, que no la conoce, es el peligro mayor de nuestra
América; y urge, porque el día de la visita está próximo, que el
vecino la conozca, la conozca pronto, para que no la desdeñe. Por
ignorancia llegaría, tal vez, a poner en ella la codicia. Por el respeto, luego que la conociese, sacaría de ella las manos. Se ha de
tener fe en lo mejor del hombre y desconfiar de lo peor de él. Hay
que dar ocasión a lo mejor para que se revele y prevalezca sobre
lo peor. Si no, lo peor prevalece. Los pueblos han de tener una
picota para quien les azuza a odios inútiles; y otra para quien no
les dice a tiempo la verdad.

No hay odio de razas, porque no hay razas. Los pensadores
canijos, los pensadores de lámpara,[106] enhebran y recalientan las

---

103. **soldadesca:**   undisciplined troops   104. **dos... continentales:**   two halves
of the continent   105. **vecino:**   the U.S.   106. **pensadores de lámpara:**
superficial theorists

razas de librería,[107] que el viajero justo y el observador cordial buscan en vano en la justicia de la Naturaleza, donde resalta, en el amor victorioso y el apetito turbulento, la identidad universal del hombre. El alma emana, igual y eterna, de los cuerpos diversos en forma y en color. Peca contra la Humanidad el que fomente y propague la oposición y el odio de las razas. Pero en el amasijo[108] de los pueblos se condensan, en la cercanía de otros pueblos diversos, caracteres peculiares y activos, de ideas y de hábitos, de ensanche y adquisición, de vanidad y de avaricia, que del estado latente de preocupaciones nacionales pudieran, en un período de desorden interno o de precipitación del carácter acumulado del país, trocarse en amenaza grave para las tierras vecinas, aisladas y débiles, que el país fuerte declara perecederas e inferiores. Pensar es servir. Ni ha de suponerse, por antipatía de aldea, una maldad ingénita y fatal al pueblo rubio del continente,[109] porque no habla nuestro idioma, ni ve la casa como nosotros la vemos, ni se nos parece en sus lacras políticas, que son diferentes de las nuestras; ni tiene en mucho a los hombres biliosos y trigueños,[110] ni mira caritativo, desde su eminencia aún mal segura, a los que, con menos favor de la Historia, suben a tramos heroicos la vía de las repúblicas; ni se han de esconder los datos patentes del problema que puede resolverse, para la paz de los siglos, con el estudio oportuno y la unión tácita y urgente del alma continental. ¡Porque ya suena el himno unánime; la generación actual[111] lleva a cuestas, por el camino abonado por los padres sublimes, la América trabajadora; del Bravo a Magallanes,[112] sentado en el lomo del cóndor, regó el Gran Semí, por las naciones románticas del continente y por las islas dolorosas del mar, la semilla de la América nueva!

---

107. **razas de librería:**   racial groups on paper   108. **amasijo:**   kneading board   109. **pueblo... continente:**   the U.S.   110. **hombres... trigueños:** temperamental, dark-skinned people of Latin America   111. **generación actual:** present generation   112. **del... Magallanes:**   from the Río Grande to the Strait of Magellan

CUESTIONARIO

Coney Island

1. ¿Qué descripciones hiperbólicas se encuentran en los periódicos norteamericanos?
2. ¿Cuántos miles de neoyorkinos acudían diariamente a las playas en 1881?
3. ¿Qué se exhibe en los museos de Cable Beach?
4. ¿Por qué se dejan los norteamericanos cubrir, golpear, y amasar con la arena?
5. ¿Qué es lo único que parece turbar a los espíritus tranquilos de los norteamericanos?
6. ¿Con qué material elabora una dama las flores que vende?
7. ¿Qué diferencia ve Martí entre lo que los norteamericanos y los hispanoamericanos comen y beben?
8. ¿En qué meses del año va la gente a Coney Island?
9. ¿Había luz eléctrica en la época en que Martí visitó Coney Island? ¿Qué impresión expresa él de la iluminación de la playa?
10. Después de pasar el día en Coney Island, ¿cómo vuelven las familias a la ciudad?

Nuestra América

1. ¿Reconoce "el aldeano vanidoso" el valor de las ideas? ¿Por qué?
2. ¿De qué se avergüenzan los nacidos en América?
3. ¿Qué piensa Martí de los que piden fusil en los ejércitos de Norteamérica? ¿A quiénes se refiere?
4. Según Martí, ¿cómo debería ser el gobierno de un país?
5. ¿Es bueno o malo el "hombre natural" presentado por Martí?
6. ¿Qué hace falta enseñar en las universidades de América?
7. ¿Por qué ha de ceder la universidad europea a la americana?
8. ¿Con qué estandarte salieron los americanos a la conquista de la libertad?
9. ¿Qué representa el tigre de que habla el autor?

10. Según Martí, ¿en qué consiste la salvación de América?
11. ¿Por qué hay que aceptar el vino de plátano, aunque salga agrio?
12. ¿Por qué han de vivir criticándose los pueblos?
13. ¿Cuáles son algunos peligros que corren las repúblicas de América?
14. ¿Cuál es el deber urgente de "nuestra América"?
15. ¿Por qué razón dice Martí que no hay odio de razas?

PREGUNTA GENERAL

Dentro de su entusiasmo por el aspecto visual de las escenas de Coney Island, ¿qué interés expresa Martí en el carácter de la sociedad norteamericana?

Nuestra América es a la vez un análisis social y una declaración de independencia cultural de un hispanoamericano representativo. En vista de las circunstancias que menciona Martí —la vida colonial, las guerras de independencia, etc.— ¿cuál debería ser el lugar de Hispanoamérica en la historia política y la cultura del mundo?

JOSÉ ENRIQUE RODÓ

Uruguay 1871–1917

THE SENTIMENT of revolt that pervades Martí's *Nuestra América* is much less noticeable in Rodó's *Ariel* (1900), yet it does exist in a more subtle form. In many senses Rodó complements Martí: Rodó is the other half of the modernist ideal of cultural independence for Hispanic America. Whereas the Cuban, exalting the *hombre natural* and the peculiar characteristics of American history and society, spoke in behalf of an entirely original culture created in conformity with native qualities and aspirations, the Uruguayan Rodó sought rather to adapt to his own notion of a future America the cosmopolitan spirit of nineteenth-century Europe and the classical spirit of ancient Greece.

His emphasis was on youth, and as a writer he wanted to maintain a relation to his reader analogous to that of Socrates to his disciples. Hispanic Americans, Rodó thought, did not need to imitate in every way the youthful Greeks or the refined French, but they could profitably utilize the energy of the Greeks and practice the good taste of the French.

Most of all, Rodó rebelled against the utilitarian spirit that he thought the United States of the late 1890s embodied. Fine art, political and social virtue, and sincere manifestations of the Christian spirit are good not because they are "useful" to mankind or because of what they contribute to human harmony and well-being, but rather because they are valuable and beautiful in themselves. In a word, Rodó attempted to establish an *esthetic* of moral conduct in which Ariel was the guardian angel and Caliban (the "symbol of sensuality and stupidity") was the omnipresent demon.

Rodó's message is esthetically inspiring if overly idealistic. The literary critic Arturo Torres-Ríoseco has effectively described the Uruguayan's historical shortsightedness:

He praises the noble idealism of the Greek people, but he heeds not the tortured cry of their slaves. He is ecstatic confronting the gentle fields of Galilee, but he casts not a single glance upon the multitude of lepers and the lame; he assigns marvels to intellectual France, without remarking the slow degeneration of a noble people.[1]

Rodó's lofty idealism was, at the moment at which he conceived it, a necessary inspiration to Hispanic-American intellectuals. There was inspiration to be obtained from the Christian, Greek, and Hispanic traditions by the peoples of America in 1900, then still in the adolescence of their cultural independence. And the image of Don Quijote suggested values that Rodó felt constituted a necessary opposition of Hispanic America to North America: faith free of obsessive puritanism, adventure for its own sake, the appeal of a mythical Golden Age, and a heroic imagination.

In presenting the discovery of America and the creation of *Don Quijote* as the two high points of the Spanish Renaissance, he was also expressing his disapproval and attempting to prevent a possible glorification of less attractive Spanish heroes ("*los Cortés,*[2] *Pizarros*[3] *y Balboas*[4]" of the Conquest), the monarchs of Spain from the sixteenth to the nineteenth centuries "*porque representan la autoridad de que nos emancipamos,*" and the pipe-dream knights of chivalry (*los Amadises y Esplandianes*[5]) concocted and revered by an idle aristocracy.

Rodó felt that the critical sense and intellectual discretion of Cervantes[6] was an essential part of Spain's cultural legacy to the

1. "José Enrique Rodó," *New World Literature* (Berkeley: Univ. of California Press, 1949), p. 149. 2. *Cortés:* Hernán Cortés (1485–1547), Spanish conqueror of México 3. *Pizarros:* Francisco Pizarro (1470?–1541), Spanish conqueror of Perú 4. *Balboas:* Vasco Nuñez de Balboa (1475–1517), Spanish explorer, discoveror of the Pacific Ocean 5. *Amadises y Esplandianes:* Amadís and Esplandián were fictional knights-errant and protagonists of, respectively, *Los cuatro libros del virtuoso caballero Amadís de Gaula* (1508) and the sequel about Amadís' son, *Las sergas de Esplandián.* These romances of chivalry are usually attributed to the Spanish author Garci Ordóñez de Montalvo (dates unknown). 6. *Miguel de Cervantes Saavedra:* (1547–1616), the greatest figure in Spanish letters, he followed literary fashion in his pastoral novel *La Galatea* (1585), in his long allegorical poem *Viaje del Parnaso* (1614), and in several plays of minor importance. His creative genius, irony, and comprehension of human character are best exemplified in the brief *Novelas ejemplares* (1613), the poetic novel of love and adventure *Persiles y Segismunda* (published posthumously), and, especially *El ingenioso hidalgo Don Quijote de la Mancha* (1605–15).

New World, a legacy that Rodó cherished not only as a Uruguayan but as a continental American. In 1916 he took the occasion of the 300th anniversary of Cervantes' death to affirm that the creation of *Don Quijote* in literature and of the New World in historical reality were the supreme achievements of Spain in the Golden Age of its civilization.

La filosofía del Quijote
y el descubrimiento de América

ESPAÑA SE dispone a celebrar, dentro de pocos meses, el centenario de la muerte de Miguel Cervantes.[1] Un centenario más, como el de Calderón[2] y el de Velázquez[3] —ocasiones, no muy lejanas, de fiestas semejantes—, no importaría gran cosa. Las solemnidades de la pompa oficial, las declamaciones[4] de la vanidad oratoria, los rebuscos[5] de la erudición pedantesca, bastarían para mantener el consecuente ritual de conmemoraciones de esa especie. Pero debe fiarse[6] en que la sugestión y el estímulo de la oportunidad enciendan[7] en el alma de la juventud española —donde hay prometedoras potencias de meditación y poesía—, la inspiración que concrete[8] en estudio, poema u obra de arte, la grande ofrenda[9] que aún debe España a su más alto representante espiritual, que fué a la vez el mayor prosista del Renacimiento, y el más maravilloso creador de

---

1. **centenario... Cervantes:** Cervantes died on April 23, 1616.   2. **Calderón:** Pedro Calderón de la Barca (1600–81), last great dramatist of the Spanish Golden Age, author of *La vida es sueño, El alcalde de Zalamea*, and a number of important theological dramas. Some of his protagonists are the most forceful and vital of the Spanish theater.   3. **Velázquez:** Diego Velázquez de Silva (1599–1660), one of the world's finest realistic painters. His best paintings (*Las meninas, Las lanzas de Breda, Los borrachos*, and others are in the Del Prado Museum in Madrid.   4. **declamaciones:** harangues   5. **rebuscos:** gleanings   6. **fiarse:** confide, or trust   7. **enciendan:** will ignite, or incite   8. **inspiración... concrete:** inspiration that will take form   9. **ofrenda:** gift

caracteres humanos que pueda oponer el genio latino al excelso nombre de Shakespeare.

La ocasión obliga con igual imperio,[10] a esta América nuestra. El sentimiento del pasado original, el sentimiento de la raza y de la filiación[11] histórica, nunca se representarían mejor para la América de habla castellana que en la figura de Cervantes. Cualesquiera[12] que sean las modificaciones profundas que al núcleo de civilización heredado ha impuesto nuestra fuerza de asimilación y de progreso; cualesquiera que hayan de ser en el porvenir los desenvolvimientos originales[13] de nuestra cultura, es indudable que nunca podríamos dejar de reconocer y confesar nuestra vinculación[14] con aquel núcleo primero sin perder la conciencia de una continuidad histórica y de un abolengo[15] que nos da solar y linaje[16] conocido en las tradiciones de la humanidad civilizada. Y esa persistente herencia no tiene manifestación más representativa y cabal[17] que la del idioma, donde ella se resume toda entera y aparece adaptando a sus medios connaturales[18] de expresión las adquisiciones y evoluciones sucesivas. Confirmar[19] la fidelidad a esa forma espiritual que es el idioma y glorificarla en el recuerdo de su escritor-arquetipo, es, pues, el modo más adecuado y más sincero con que América puede mostrar el género[20] de solidaridad que reconoce con la obra de sus descubridores y civilizadores.

No hay otra estatua que la de Cervantes para simbolizar en América la España del pasado común, la España del sol sin poniente.[21] Los reyes que la abarcaron con su cetro,[22] aun cuando mereciesen alguna vez mármol o bronce, no podrían encarnar[23] jamás en mármol ni bronce americano, porque representan la autoridad de que nos emancipamos y las instituciones que sustituímos.[24] Sólo la augusta imagen de Isabel la Católica[25] dominaría sin incongruencia en suelo de América, rescatando[26] en gloria perenne las

---

10. **imperio:** command 11. **filiación:** relationship 12. **Cualesquiera:** Whatever 13. **desenvolvimientos originales:** authentic results 14. **vinculación:** connection 15. **abolengo:** ancestry 16. **Solar y linaje:** place (lit., mansion) and heritage 17. **cabal:** complete 18. **connaturales:** inherent 19. **Confirmar:** To strengthen 20. **género:** type or quality 21. **sol... poniente:** sun that never sets 22. **la abarcaron... cetro:** reign over it with their scepters 23. **encarnar:** come to life 24. **sustituímos:** we replaced 25. **Isabel la Católica:** Isabella I (1451–1504), Queen of Castile (1475–1504) and wife of Ferdinand of Castile and Aragon 26. **rescatando:** redeeming

joyas que costearon la aventura sublime,[27] y figurando como numen[28] maternal de nuestra civilización. Pero el símbolo requiere en este caso formas más recias y viriles que esa suave fisonomía de mujer.[29] Los portentosos capitanes de la Conquista,[30] los legendarios sojuzgadores[31] de mares y de tierras, tienen un carácter que excluye la plena apoteosis[32] americana, como personificaciones de la ejecución brutal, consumada con sacrificio del indio,[33] que también es carne y alma de América. Los colonizadores, gobernantes o misioneros, en quienes se apacigua y endulza la empresa civilizadora, proporcionan[34] más de una figura capaz de ser glorificada en la parte del Continente a que se contrajo su influencia; pero ninguna de magnitud continental. En cuanto al Descubridor,[35] a España pertenece su gloria, sin duda, pero no su persona; y las estatuas que reproducirán infinitamente su imagen del uno al otro extremo del mundo concedido a su fe,[36] no son las aptas para significar el genio original y propio de la civilización transplantada.

Sólo queda buscar el símbolo personal en el mundo del espíritu, donde esa civilización forja[37] sus normas ideales y sus medios de expresión, y escogerlo en quien tiene dentro de ella personalidad más característica y más alta. Hay, además, entre el genio de Cervantes y la aparición de América en el orbe,[38] profunda correlación histórica. El descubrimiento, la conquista de América, son la obra magna del Renacimiento español, y el verbo[39] de este Renacimiento es la novela de Cervantes. La ironía de esta maravillosa creación, abatiendo un ideal caduco,[40] afima y exalta de rechazo[41] un ideal nuevo y potente, que es el que determina el sentido de la vida en aquel triunfal despertar de todas las energías humanas con que se abre en Europa el pórtico de la edad moderna.

---

27. **joyas... sublime:** Rodó refers to the royal jewels that Queen Isabella reputedly contributed to Columbus' first expedition in 1492. 28. **numen:** inspirations 29. **suave... mujer:** soft features of a woman, i.e., of Queen Isabella 30. **Conquista:** conquest of America by the Spaniards in the sixteenth century 31. **sojuzgadores:** conquerors 32. **apoteosis:** glorification 33. **indio:** the natives of America who were oppressed by the Spanish conquerors 34. **proporcionan:** provide 35. **Descubridor:** discoverer, i.e., Christopher Columbus 36. **concedido... fe:** entrusted to him 37. **forja:** forges, i.e., develops 38. **orbe:** Earth 39. **verbo:** word, i.e., the highest expression 40. **caduco:** worn out 41. **de rechazo:** on the rebound

A un objetivo de alucinaciones y quimeras,[42] como el que perseguía el agotado[43] ideal caballeresco, sucede el firme objetivo de la realidad, abierta a los fines racionales y a la perseverante energía de los hombres. El mundo imaginario que había dado teatro a las hazañas de los Amadises y Esplandianes se desvanece como las nieblas heridas por el sol, y lo sustituye el mundo de la naturaleza, redondeado y conquistado por el esfuerzo humano; la América vasta y hermosa sobre todas las ficciones, que con su descubrimiento completa la noción del mundo físico, y con el incentivo de su posesión ofrece el escenario de proezas[44] más inauditas y asombrosas que las aventuras baldías[45] de los caballeros andantes.[46]

La filosofía del *Quijote* es, pues, la filosofía de la conquista de América. La radical transformación de sentimientos, de ideas, de costumbres, para la que el hallazgo[47] del hemisferio ignorado[48] fué causa concurrente, es la que adquiere forma poética imperecedera en esta epopeya[49] de la burla,[50] donde el jovial espíritu del Renacimiento dirige sobre los últimos vestigios de un ideal moribundo, las mortales saetas[51] de la ironía. América nació para que muriese Quijote; o mejor, para hacerle renacer[52] entero de razón y de fuerzas, incorporando a su valor magnánimo y a su imaginación heroica, el objetivo real, la aptitud de la acción conjunta[53] y solitaria y el dominio de los medios proporcionados a sus fines.

Mientras muere vencido el Ingenioso Hidalgo y perece[54] con él el tipo de héroes de las fábulas de caballerías,[55] melancólicos como Tristán,[56] vagos e inconsistentes como Lanzarote,[57] inmaculados[58] como Amadís, se consagra en las tremendas lides de América el nuevo tipo heroico, rudo y sanguíneo, de los Cortés, Pizarros y Balboas, perseguidores[59] de realidades positivas; apasionados, tanto

---

42. **quimeras:** imaginary monsters 43. **agotado:** exhausted 44. **proezas:** feats 45. **baldías:** vagabond 46. **caballeros andantes:** knights errant 47. **hallazgo:** discovery 48. **ignorado:** unknown 49. **epopeya:** epic poem 50. **burla:** mockery 51. **saetas:** darts 52. **hacerle renacer:** make him live again 53. **conjunta:** cooperative 54. **perece:** perishes 55. **fábulas de caballerías:** tales of chivalry 56. **Tristán:** hero of the medieval legendary romance and Wagnerian opera *Tristan und Isolde* and the subject of novels of chivalry 57. **Lanzarote:** Lancelot, one of the knights of King Arthur's Round Table 58. **inmaculados:** pure 59. **perseguidores:** pursuers

como de la gloria, del oro y del poder. Mientras la armadura herrumbrosa[60] y la adarga[61] antigua y el simulacro de celada[62] del iluso caballero, se deshacen en rincón obscuro, resplandecen al sol de América las vibrantes espadas, las firmes corazas de Toledo.[63] Mientras Rocinante,[64] escuálido[65] e inútil, fallece de vejez y de hambre, se desparraman por las pampas, los montes y los valles del Nuevo Mundo los briosos potros andaluces,[66] los heroicos caballos del conquistador, progenitores[67] de aquellos que un día habrán de formar, con el "gaucho" y el "llanero"[68] el organismo del centauro americano.[69] Mientras se disipan en el aire los mentidos tesoros de la cueva de Montesinos,[70] fulguran con deslumbradora realidad la plata de Potosí,[71] el oro de Méjico, los diamantes y esmeraldas del Brasil. Mientras fracasa entre risas burladoras el mezquino[72] gobierno de la Ínsula Barataria,[73] se ganan de este lado del mar imperios colosales y se fundan virreinatos y gobernaciones con que se conceden más pingües[74] recompensas que las que rey alguno de los tiempos de caballería[75] pudo soñar para sus vasallos.

Así el sentido crítico del *Quijote* tiene por complemento afirmativo la grande empresa de España, que es la conquista de América.

---

60. **herrumbrosa:** rusted 61. **adarga:** leather shield 62. **simulacro de celada:** semblance of an armored helmet, referring to the fact that Don Quijote fashioned the visor of his helmet from cardboard 63. **firmes... Toledo:** A *coraza* is a breast plate. Toledo, in Spain, is still famous for the high quality of its steel and the craftsmen who fashion it. 64. **Rocinante:** Don Quijote's horse 65. **escuálido:** skinny or emaciated 66. **potros andaluces:** Andalusian stallions 67. **progenitores:** ancestors 68. **"gaucho"... "llanero":** cattlemen who roamed the vast plains of Argentina and Uruguay (*gauchos*) and Venezuela (*llaneros*) 69. **centauro americano:** Because of their constant use of horses, Rodó figuratively portrays the Spanish-American plainsmen as centaurs—half man, half horse. 70. **mentidos... Montesinos:** the imaginary treasures of the Cave of Montesinos, referring to Chapter 22 of the Second Part of *Don Quijote*, in which Don Quijote descends into the Cave of Montesinos and has a strange nightmare 71. **Potosí:** during the colonial period and nineteenth century, a rich silver-mining town in what is now Bolivia 72. **mezquino:** meager 73. **Ínsula Barataria:** Don Quijote at the beginning of his adventures promises his squire, Sancho Panza, the governorship of an imaginary island called Barataria. Toward the end of the novel, the rich duke at whose palace Don Quijote and Sancho are guests actually arranges for Sancho to govern an island that is part of the duke's estate. 74. **pingües:** abundant 75. **caballería:** knighthood

Así, al figurar una viva oposición de ideales, dejó escrita ese libro la epopeya de la civilización española, deteniendo, como hechizada,[76] en el vuelo del tiempo, la hora culminante en que aquella civilización llega a su plenitud y da de sí nuevas tierras y nuevos pueblos. Y así el nombre de Miguel de Cervantes, no sólo por la suprema representación de la lengua, sino también por el carácter de su obra y el significado ideal que hay en ella, puede servir de vínculo imperecedero[77] que recuerde a América y España la unidad de su historia y la fraternidad de sus destinos.

CUESTIONARIO

1. ¿Qué se disponía a celebrar España dentro de pocos meses?
2. ¿Qué simboliza en América el recuerdo de Cervantes?
3. ¿Qué relación tuvo Isabel la Católica con el descubrimiento de América?
4. ¿Cuál es la obra magna del Renacimiento español?
5. ¿Con qué compara el autor a Rocinante?
6. ¿En qué sentido puede Cervantes servir de vínculo entre América y España?

PREGUNTA GENERAL

¿Cuáles son los nombres ilustres del Renacimiento español relacionados con la historia de América, y por qué prefiere Rodó a Cervantes sobre todos ellos?

76. **hechizada:**   bewitched   77. **imperecedero:**   permanent, or undying

EZEQUIEL MARTÍNEZ
ESTRADA

Argentina 1895–1964

THE BLEAK panorama of life in Martínez Estrada's *Radiografía de la pampa* interests us more because of its symbolism than because of its realism. The Argentina of lonely spaces and the Buenos Aires of bizarre amusements that he describes become devices for the revelation of hidden human realities. The Argentina and Buenos Aires Martínez Estrada writes about are specters, but as such they faithfully reflect the Argentine spirit. Like many other sensitive interpreters of the twentieth century, Martínez Estrada, in *Radiografía*, is predisposed to a sense of the tragic that borders on morbidity.

For Aristotle tragedy was complete unto itself. If according to his precepts tragedy brought about catharsis or a purging of pity and fear, it was due to the completeness, including final and absolute disaster, that we find in work such as Sophocles' *Oedipus Rex*. In contrast to Aristotle's writing, both the romantic literature of the nineteenth century and the symbolic and existential literature that grew out of it have imbued tragedy with a sense of endlessness and of much more varied, if less spectacular, forms of suffering. Thus the pessimism of *Radiografía* converts the everyday details of Argentine existence into the symbols of human futility. By no means does the author give us the whole truth of Argentine life; there is much in the traditions and attitudes he condemns that for others is a source of cultural satisfaction.

But Martínez Estrada is aware that the process of myth, like the course of verifiable events, is self-perpetuating. The gaucho tradition, the strange nocturnal gaiety of Buenos Aires, the persistence of the grand illusions of the early explorers, and an adherence to social values that he is convinced are little more than barbarity in disguise are the objects of his relentless attention.

The word *radiografía* (X ray) is our first key to the nature of Martínez Estrada's thought. The X ray does two things. It reaches beyond the limits of human vision, and it produces a "shadow picture" of its subject. Martínez Estrada's technique is an extremely subjective adaptation of the X-ray process. In penetrating beneath the figurative prairie land of Argentina's historical existence, he first describes silhouettes and then fills them in as his ideas and poetic sensibility demand. This filling-in does not distort reality. The abundant major and minor symbols (*Trapalanda* or "Imaginary Land," the tango, the gaucho's dagger, *La Gran Aldea* or Buenos Aires, the winds of the Andes, carnival masks, etc.) combine to form a spectral world of surprising dynamism. All in all the result is an authentic, intuitive, and representative view of Argentine character. It is reality seen from within rather than from without.

Radiografía de la pampa was first published in 1933; by 1961 it had gone through six editions. It is extensive and is divided into six sections: *Trapalanda, Soledad, Fuerzas primitivas, Buenos Aires, Miedo*, and *Seudoestructuras*. Included here are the first three essays of the book, which deal with the dreams and disillusions of the conquerors and early settlers, and commentaries on two traditions of twentieth-century Buenos Aires—the tango and the carnival.

The symbolic quality of Martínez Estrada's writing in general is suggested by the titles of some of his other works: *Oro y piedra* (1918) and *Títeres de pies ligeros* (1929), two collections of verse; *La cabeza de Goliat* (1940), a group of essays on Buenos Aires; and the two-volume critical essay, *Muerte y transfiguración de Martín Fierro* (1948), the finest work to date on the spirit and heritage of gaucho literature.

Los aventureros

EL NUEVO mundo, recién descubierto, no estaba localizado aún en el planeta,[1] ni tenía forma ninguna. Era una caprichosa extensión

---

1. **planeta:** earth

de tierra poblada de imágenes. Había nacido de un error, y las rutas que a él conducían eran como los caminos del agua y del viento. Los que se embarcaban[2] venían soñando; quedaban soñando quienes los despedían. Unos y otros tenían América en la imaginación y por fuerza este mundo, aparecido de pronto en los primeros pasos de un pueblo que se despertaba libre, había de tener las formas de ambición y soberbia de un despertar victorioso. Es muy difícil reproducir ahora la visión de ese mundo en las pequeñas cabezas de aquellos hombres brutales, que a la sazón estaban desembarazándose de los árabes y de lo arábigo.[3] ¿Qué cateos imaginativos realizaban el hidalgo empobrecido, el artesano sin pan, el soldado sin contrata, el pordiosero y el párroco de una tierra sin milagros, al escuchar fabulosas noticias de América? Mentían sin quererlo hasta los que escuchaban. Un léxico pobre y una inteligencia torpe habían de enriquecer la aventura narrándola. Los mapas antiguos no pueden darnos idea aproximada de esos otros mapas absurdos de marchas, peligros y tesoros dibujados de la boca al oído.[4] Volvían pocos porque el hambre y la peste los malgastaban; mas el supérstite fingía para librarse del ludibrio, y así hacía prosélitos. Embarcarse era, en primer término, huir de la realidad; con lo que ya se trabajaba para el reino de Dios, haciéndose a la mar. En segundo término, la travesía del océano deslastraba[5] de su némesis de raza aislada, espuria, y de familia sin lastre y sin dineros, al que volvía la espalda a la Península[6] y abría los ojos al azar. Este mundo era para él la contraverdad del otro; el otro mundo. Ningún propósito tranquilo, que exigiera la gestación de un embarazo; ningún proyecto de largas vistas, que exigiese moderación, respeto, pensar y esperar. Navegando tantos días y tantas noches, con un rumbo que los vientos obligaban a rectificar, llegaban prevenidos contra la muy simple y pobre realidad de América. Ya la traían poblada de monstruos, de dificultades y de riquezas. América era, al desembarco, una desilusión de golpe; un contraste que enardecía el cálculo frustrado y que

2. **Los... embarcaban:** Those who set out to sea, i.e., the first explorers 3. **aquellos... arábigo:** The author refers to the early Spanish adventurers and colonizers, unsophisticated men who only recently (1492) had completed the Reconquest of Spain against the Moors. 4. **esos... oído:** the tall stories of the adventurers 5. **deslastraba:** relieved, or exonerated 6. **Península:** Spain

inclinaba a recuperar la merma de la ilusión mediante la sublimación del bien obtenido. Otra vez la llanura era el mar, sin caminos. América no era América;[7] tenía que forjársela y que superponérsele la realidad del ensueño en bruto. Sobre una tierra inmensa, que era la realidad imposible de modificar, se alzarían las obras precarias de los hombres. De una a otra expedición se hallaban escombros y de nuevo la realidad del suelo cubriendo la realidad de la utopía. Nada de lo que se había edificado, implantado, hecho y fundado tenía la segura existencia de la tierra. La propiedad sobre las cosas, la autoridad sobre los hombres, las relaciones entre los habitantes, el tráfico de las mercaderías, la familia, estaban sujetas a imprevistos cambios, como plantas recién transplantadas que podían prender o morir.

Había que abrirse una senda en la soledad y que llenar con algo esa llanura destructora de ilusiones.[8] Lo que coincidía con la previa estructura de este mundo, prosperaba; lo que se alzaba con arreglo a la voluntad del hombre, caía cuando moría él. ¿Qué, si no la tierra, podía ansiar poseer el que llegaba a estas regiones aisladas sin seguridad para la vida, sin otra posibilidad que lo que se le arrancara con violencia? El ideal del recién llegado no era colonizar ni poblar. Pensar entonces en ello equivaldría a concebir una maquinaria complicada en presencia de la rueca. Faltaban al medio los caracteres y los incentivos que suscitan la necesidad de poblar y de colonizar. En ningún orden de las actividades humanas podía aspirar —ni era capaz— a formarse una posición decorosa. Ponía en juego sus fuerzas primitivas y así iban rebotando los hechos entre sus manos ineptas y la realidad sin forma. El indígena había vivido en relación con este mundo, hasta que se sometió a sus exigencias. Pero lo que también pudiera realizar el indígena, era tabú;[9] lo que estaba al alcance de quienquiera: sembrar, construir, resignarse y aguardar, resultaba deprimente y fuera de la tabla de los valores de conquista y domi-

---

7. **América... América:** America did not seem to exist yet. 8. **Había... ilusiones:** In this paragraph Martínez Estrada skillfully presents his idea of the historical interaction between Hispanic character and temperament and the American wilderness. His view of resultant circumstances is clearly pessimistic. 9. **Pero... tabú:** But that which the native could also achieve (i.e., in addition to adapting himself to his world) was out of the question (for the Spanish settler).

nio. Trabajar, ceder un poco a las exigencias de la naturaleza era ser vencido, barbarizarse. Así nació una escala de valores falsos y los hombres y las cosas marcharon por caminos distintos. Mediante esa clasificación de las tareas en serviles y liberales se reinició el viejo proceso de las jerarquías de tener o de no tener; culminaba sobre todas, la posesión de la tierra, es decir, la sumisión redonda a lo que era más fácil de adquirir y a lo que exigía menor inteligencia para conservar.

Sobre ese plano fundamental se trazaron las rutas a emprender, y desde entonces el patrón de medir serían la hectárea y la fanega. Aquellos que ya no necesitaban "vender tras el mostrador", consideraban a los comerciantes minoristas como dependientes a sueldo. Se distinguía entre el comerciante que se ocupaba personalmente de su negocio, excluído de funciones y cargos electivos, y el que dirigía de lejos el establecimiento, apto para esos cargos y funciones. Otra vez la distancia[10] era un valor. Capitanear una gavilla de contrabandistas y traficar con esclavos era más honroso que alzar un muro; vender telas considerábase mucho más honroso que expender artículos ultramarinos; robar era mejor que trabajar. Ni siquiera se juzgaba sobre la cantidad del haber, como más tarde; se establecían dos categorías: el empresario y el asalariado. Los puestos de jerarquía quedaban reservados para los que tuvieran dinero suficiente para comprarlos; y así en la infinita escala de las autoridades. La Administración pública era España y dentro de su jurisdicción se honraba el ciudadano. Ese camino estaba vedado al común de los hombres.[11] Los cargos judiciales y docentes recaían en rábulas y sacerdotes,[12] que formaban la clase intelectual, sin que la inteligencia hallara camino libre para manifestarse. Se trajeron las formas huecas de instituciones desprestigiadas y se vació en ellas la mente y la conducta de los jóvenes. Se perseguía y despreciaba lo que crecía en su propio clima según sus propias leyes de desarrollo,

---

10. **distancia:** distance or distinction, i.e., between those who governed and commanded and those who had to work for a living. As the author states a few sentences later, colonial society was built on the pattern of an *infinita escala de las autoridades*. 11. **vedado... hombres:** closed (i.e., forbidden) to the majority of men 12. **Los... sacerdotes:** Judiciary and teaching positions fell to charlatan lawyers and priests.

hasta que el trazado de esas ficciones de cultura y de riqueza no coincidían casi con el trazado auténtico de la realidad americana. Era ése un mundo simplísimo en los hechos y las cosas, aunque de protocolo de escribanía muy complicado. Había que poner un vestido legal de difícil comprensión a esta desnudez de un trozo de planeta olvidado. Lo complicado estaba, pues, en el mecanismo y el procedimiento, en el pudor con que se cubría el desencanto; es decir, en la contraverdad. Sobre un mundo sin complicaciones se dibujaba un mundo de complicaciones. El recién llegado potenciaba el valor de la única cosa fija[13] en ese torbellino de formas dialécticas; en aquello que sólo el gobierno, que se arrogaba el derecho de ejercer el bandolerismo y el despojo en gran escala, podía quitarle. Para congraciárselo[14] contaba con otra complicadísima red de intereses y de influencias. De donde la seguridad inconmovible de ese único bien estático, firme, tenía igualmente su aventura. Los campos se medían en la escritura, la autoridad se afirmaba en las cédulas reales, la excelencia se adquiría en los capítulos eclesiásticos.[15]

Los señores de la nada

La amplitud del horizonte, que parece siempre el mismo cuando avanzamos, o el desplazamiento de toda la llanura acompañándonos, da la impresión de algo ilusorio en esta ruda realidad del campo. Aquí el campo es extensión y la extensión no parece ser otra cosa que el desdoblamiento de un infinito interior, el coloquio con Dios del viajero. Sólo la conciencia de que se anda,[1] la fatiga y el deseo de llegar, dan la medida de esta latitud que parece

---

13. **El... fija:** The newcomer took advantage of the only dependable thing 14. **Para congraciárselo:** To remain in its (i.e., the government's) good graces 15. **capítulos eclesiásticos:** meetings of religious prelates LOS SEÑORES DE LA NADA 1. **Sólo... anda:** Only the awareness that one is moving

no tenerla.[2] Es la pampa; es la tierra en que el hombre está sólo como un ser abstracto que hubiera de recomenzar la historia de la especie —o de concluirla.

Falta el paisaje y falta el hombre; hacia el pretérito y el futuro se abren simas sin fondo; el pensamiento improvisa arias en torno de los temas conocidos, creando a su albedrío, libre, suelto. El cuerpo es un milagro y por los sentidos penetran los hálitos de una novedad[3] que bien pronto se abaten sin voluntad, en un cansancio cósmico que cae con todo el peso del cielo.

El paisaje del llano, si lo es, toma la forma de nuestros propios sueños, la forma de una quimera; y se esteriliza cuando el sueño es ruin.

Avanzamos y nuestros proyectos para el porvenir —eternos—, proyectos de dominio sin obstáculos pero que no tienen finalidad, crecen desmesuradamente. El hombre no opone resistencias a la naturaleza, ha renunciado a la lucha y se ha entregado. La pampa es una ilusión; es la tierra de las aventuras desordenadas en la fantasía del hombre sin profundidad. Todo se desliza, animado de un movimiento ilusorio en que sólo cambia el centro de esa grandiosa circunferencia.[4] Ahí el hombre grosero empieza de nuevo; el hombre culto concluye. Fué el quimérico territorio de Trapalanda, de la que decía el P. Guevara[5] "Cuyo descubrimiento nunca efectuado, fué polilla que consumió buenos caudales sin ningún fruto", la ciudad imaginaria de oro macizo[6] que casi hace fracasar las expediciones de Francisco de Aguirre[7] y de Diego Abreu;[8] la que hizo que se fundaran La Rioja y Jujuy[9] para ponerle sitio y arrebatársela al

<hr />

2. **medida... tenerla:**   measure of this expanse which seems not to have any (measure or the possibility of any) 3. **hálitos... novedad:** the breath of novelty, i.e., hope 4. **esa... circunferencia:** i.e., the pampa 5. **P. Guevara:** Fray Antonio de Guevara y de Noroña (1480?–1545), Franciscan monk, preacher, and historiographer in the court of Charles V, and author of *Relox de príncipes* 6. **ciudad... macizo:** mythical city and country called *El Dorado* and sought by adventurers in North and South America during the sixteenth century 7. **Francisco de Aguirre:** (1500–80), Spanish captain and conquistador in Chile under Pedro de Valdivia 8. **Diego Abreu:** (1500–00), self-appointed governor, in Domingo Martínez de Irala's absence, of Asunción, Paraguay. Abreu was eventually murdered at the order of Martínez de Irala. 9. **La... Jujuy:**   two provinces in northwestern Argentina

autóctono. El buen Quijano[10] también fué víctima de la llanura;
la esterilidad de la Mancha[11] fructificó en sus sesos las Sergas[12] de
sus lecturas solitarias. Dentro de esos círculos de la propia persona,[13]
es natural que el Conquistador no concibiera ideales de permanencia, de fijación, de espera. El hijo como perpetuación del abolengo,
la casa como solar, la familia y las faenas según las épocas del año,
no eran posibles. Imperaba la proeza del individuo como hecho
histórico universal; la biografía era la historia y lo que no existía
había sido sepultado, escondido. En sus cerebros limitados esta
ilimitación de la tierra plana o la inacabable monotonía de la
montaña árida, prometía como en el desierto de los ascetas, la
aparición de santos o de ciudades maravillosas de opulencia y de
felicidad. Se esperaba hallar de pronto los tesoros acumulados en
algún lugar insospechable, prontos para el transporte. El reino de
Dios tampoco se veía que existiera y, no obstante, existía cierta-
mente. Lo más lógico era el absurdo. No se puede esperar nada de
lo que la tierra suele dar cuando el hombre la puebla y establece
en ella su vida, cuando las cosas ya hechas comienzan a andar y el
hombre las sigue. Todavía el dragón es el animal natural de la
llanura, donde pastó el milodonte.[14] El recién venido no encontraba
en ninguna parte indicios que le ayudaran a concebir el mundo
como un sistema racional y continuo. El continente aparecía a sus
ojos como un mundo mágico salido de un cubilete, a pesar de que
era racional y continuo.

---

10. **El... Quijano:**   Don Quijote; from Part II, Chapter 74, of *Don Quijote:*
"*...fuí don Quijote de la Mancha, y soy agora, como he dicho, Alonso Quijano el Bueno*"
11. **Mancha:**   extensive barren plateau in central Spain, the home of Don
Quijote   12. **Sergas:** heroic deeds (about which Don Quijote read, to the
extent of going mad)   13. **Dentro... persona:**   Within the limits of the individual. Martínez Estrada is referring to the quixotic temperament and self-
obsession of many of the early settlers of America.   14. **milodonte:**   extinct
mammal

El desengaño como estímulo

Ante el vacío inexpresivo, era inútil pensar en pueblos que conviven una vida de trabajo, en animales domesticados, en huertos, en mercados. Lo natural era Trapalanda, con la ciudad en que los Césares[1] indígenas almacenaban metales y piedras preciosas, elixires de eterna juventud, mujeres hermosas, cualquier otra cosa oculta que pudiera surgir al conjuro de una palabra cabalística; no lo que se mostraba a los ojos del buscador de irrealidades. Vino a eso; y su designio, llevar la guerra a Tierra Santa con los tesoros hallados,[2] le obstinaba en la creencia de que en alguna parte estaba lo que ansiaba; iba así cerrando los ojos a la realidad.

Había tomado posesión de todas las tierras; era el Conquistador un héroe sobre un país vencido, donde sólo tenía que pedir a su capricho. No había venido a poblar, ni a quedarse, ni a esperar; vino a exigir, a llevar, a que lo obedecieran. Así perdió toda idea de medida, de orden, de tiempo. Lo enorme, lo inmensurable, lo eterno en lo presente, llenan la imaginación.[3] Millares de leguas, centenares de miles de vacas. El Monarca[4] repartía el continente en varios trozos: a Pizarro 270 leguas al sur del Río Santiago; a

1. **Césares:** caesars (such as Julius Caesar) 2. **llevar... hallados:** From about 1535 until the Battle of Lepanto in 1571, Spain sustained sporadic warfare with the Moslems, the Turkish Ottoman Empire, and the Barbary pirates who frequently pillaged the coasts of the Iberian Peninsula; *Tierra Santa*, the Holy Land or Jerusalem, was only a symbolic goal in these struggles. What gold and silver the Spaniards could find in America was destined in large part to the cause of these and other wars under Charles V and Philip II. In the Argentine region they of course found nothing. 3. **imaginación:** "*Te denuestan, pueblo mío, porque dicen que fuiste a imponer tu fe y a tajo y mandoble, y lo triste es que no fué del todo así, sino que ibas también y muy principalmente a arrancar oro a los que lo acumularon; ibas a robar.*" (Original footnote supplied by Martínez Estrada, from Miguel de Unamuno, *Vida de Don Quijote y Sancho Panza*, 1905.) 4. **El Monarca:** Charles I of Spain from 1516 to 1555 (b. 1500, d. 1558), also known as Charles V of the Holy Roman Empire (1519–56)

Almagro[5] 200 leguas del país; a Mendoza[6] 200 leguas desde la concesión de Almagro; a Alcazaba[7] 200 leguas de las más cercanas a los límites de la gobernación encomendada a Mendoza. Azara[8] calculó que habría en estos campos alrededor de cuarenta millones de cabezas de ganado. Los animales no necesitan tantos meses para la gestación, tantos para la cría; se multiplican como los números en la mente; el mineral no necesita extraerse con laboriosos métodos, porque está a flor de tierra, apilado, en barras, amonedado, hecho crucifijos y espadas. Lo ilusorio reemplazó a lo verdadero. La verdad, la tierra ilimitada y vacía, la soledad, eso no se advierte, pues forma como la carne y los huesos del que va andando: materia inadvertida en que bulle un sueño derramado por los bordes de lo que contiene la realidad, del horizonte para afuera.

Cuando comenzaron a poblarse estas comarcas, el sueño no se achicó; pasó como todos los sueños malogrados de la ambición y el anhelo del hombre inculto, a llenar los intersticios de la realidad, a ceder ante lo que la realidad tenía de materialmente cierto. Pero a deformarla en un símbolo en aquello que tenía de equívoco.

Esta tierra,[9] que no contenía metales a flor de suelo ni viejas civilizaciones que destruir, que no poseía ciudades fabulosas, sino puñados de salvajes desnudos, siguió siendo un bien metafísico en la cabeza del hijo del Conquistador.[10] Constituyó un bien de poder, de dominio, de jerarquía. Poseer tierra era poseer ciudades que se edificarían en lo futuro, dominar gentes que las poblarían en lo futuro, haciendas que se multiplicarían fantásticamente en lo futuro. Lo demás no tenía valor. La tierra fué bono de crédito[11] para

---

5. **Almagro:**   Diego de Almagro (1475?–1538), Spanish conquistador, leader of the expedition to Chile in 1535. He was executed within a year of his return to Peru from Chile, where he had made no significant discoveries.   6. **Mendoza:** Pedro de Mendoza (1487?–1537), Spanish soldier and explorer, founder of Buenos Aires in 1536, which he named *Puerto de Nuestra Señora del Buen Aire* 7. **Alcazaba:**   José Alcazaba (1494?–1549?), Spanish conquistador, went to Argentina with Mendoza 8. **Azara:**   Félix de Azara (1746–1811), Spanish naturalist, member of a royal expedition sent to survey land and resources of Spanish and Portuguese possessions in America   9. **Esta tierra:**   The author is referring to the plains regions of South America, principally present-day Argentina and Uruguay.   10. **hijo... Conquistador:**   the colonists and settlers who followed the conquistadors   11. **bono de crédito:**   down payment or security

la esperanza; ésta, su hipoteca. No se buscó en ella lo que podía producir de inmediato, sino lo que era susceptible de producir cualquier día, inclusive las ciudades y los tesoros, objeto de las expediciones. No los hubo, pero por eso mismo los habría. Sólo que ciudades y tesoros, declinando hacia formas de mayor sensatez, muy poco a poco, eran más bien posibilidades de riqueza que oro en barras. Este porvenir ya preformado en ese presente de resentimiento, de rencor, ha ocasionado el delirante sueño de grandezas que tanto indignaba al idealista Alberdi.[12] Vivimos con aquellas minas de Trapalanda en el alma. El antiguo Conquistador se yergue todavía en su tumba, y dentro de nosotros, mira, muerto, a través de sus sueños frustrados, esa inmensidad promisoria aún, y se le humedecen de emoción nuestros ojos. Somos su tumba y a la vez la piedra de su honda.[13] Poseer tierra era para ellos como poseer un feudo, una ínsula, un honor. En Europa, ligarse a la tierra por la propiedad, es emparentar con la historia, soldar un eslabón genealógico, entrar al dominio del pasado. Pero en América, en la del Sur, que no tiene pasado y que por eso se cree que tendrá porvenir, es por una parte la venganza y por otra la codicia; se entra por ella al dominio del futuro y la hipoteca es el medio bancario de traerlo hasta el presente. Se comenzó poseyendo como botín; la tierra que iba dejando el salvaje al huir quedaba como único botín que más tarde podría ostentarse en calidad de trofeo. Ese despojo llegó a ser el premio del combate; esa extensión afirmó la resistencia y el poder del triunfador.

Sobre la posesión se construían nuevas tablas de valores basados en el precio; fué el plano de un reino inexistente fuera del plano: ferroprusiato[14] en que todavía el matrimonio pobre tiene su casa propia, sin padres y sin hijos. Así esta tierra adquirió un supervalor, una plusvalía psicológica por el trabajo de la imaginación: el valor ficticio de lo que podría llegar a ser con arreglo a la ambición. Esta

---

12. **Alberdi:** Juan Bautista Alberdi (1810–84), author of *Las bases para la organización política de la Confederación Argentina* and other essays. Said Alberdi, "*En América gobernar es poblar.*"   13. **Somos... honda:** We are his sepulcher and at the same time the stone in his sling. That is to say, Argentines of the twentieth century preserve the illusory ambitions of the conquistador.   14. **ferroprusiato:** ferrocyanide, a chemical compound symbolizing here the unproductive nature of South American civilization after the Conquest

tierra de ganados cerriles era "una sementera e una mina de oro",
al decir de Valdivia,[15] este otro geómano. Oro que seguiría acen-
drándose y aquilatándose con los años. También era poderío, pero
de un orden subalterno. El Conquistador que no conquistó nada,
avanzando al sur desde las mesetas norteñas perdía de vista la veta
de las minas; el navegante, atraído por la fábula, que se encontraba
con el indio misérrimo, en su abstinencia sexual y en su ocio mental
veía en la pampa la última aventura propicia para no declararse
vencido. Conquistaba extensión y la extensión era poder; dominaba
millares de leguas cruzadas de salvajes fugitivos y contaba la cantidad de baldíos como onzas. Tantos miles de kilómetros cuadrados,
desde el océano hasta los puntos más altos de los Andes, en el
virreinato del Río de la Plata, que no poseía este metal. Pero no
contaba onzas, sino sus propios dedos. Ese dominio era el dominio
de su orgullo sobre su propia ignorancia. Estaba vencido. No tenía
que conquistar sino que poblar; no tenía que recoger sino que sembrar; no iba a entrar al gobierno de su ínsula[16] sino a trabajar y a
padecer. Tomó posesión de este baldío en nombre de Dios y del
rey; pero en el fondo de su conciencia estaba desengañado. Había
de mentir sobre el valor positivo de sus sueños, como en los nombres
irrisorios que daba a las regiones donde no hallaba lo que esperaba.
Así clavó la cruz y el rollo[17] y desafiaba a la voz de su conciencia,
cuando, armado, blandía la espada y retaba al condómino ausente.
Porque no había quien reclamase la posesión de la nada sino nadie.
Y ese nadie, que sólo existía dentro del dominador,[18] era la voz de
su fracaso.

15. **Valdivia:**   Pedro de Valdivia (1500?–53), served under Pizarro in 1535,
conqueror and lieutenant general of Chile (1540), founded the cities of Santiago
de Chile (1540) and Concepción (1550)   16. **entrar... ínsula:**   When Sancho
Panza's dream came true—the government of a fictitious island as his reward
for faithful service—he, like the early settlers in America, was disappointed with
what he found.   17. **la cruz... rollo:**   the cross (symbol of evangelization) and
the column (symbol of legal jurisdiction over landed property)   18. **dentro...
dominador:**   in the imagination of the dominator

El tango

Es el baile de la cadera a los pies.[1] De la cintura a la cabeza, el cuerpo no baila; está rígido, como si las piernas, despiertas, llevaran dos cuerpos dormidos en un abrazo. Su mérito, como el del matrimonio, está en lo cotidiano, en lo usual, sin sobresaltos.

Baile sin expresión, monótono, con el ritmo estilizado del ayuntamiento. No tiene, a diferencia de las demás danzas, un significado que hable a los sentidos, con su lenguaje plástico, tan sugestivo, o que suscite movimientos afines en el espíritu del espectador, por la alegría, el entusiasmo, la admiración o el deseo. Es un baile sin alma, para autómatas, para personas que han renunciado a las complicaciones de la vida mental y se acogen al nirvana.[2] Es deslizarse.[3] Baile del pesimismo, de la pena de todos los miembros; baile de las grandes llanuras siempre iguales y de una raza agobiada, subyugada, que las anda sin un fin, sin un destino, en la eternidad de su presente que se repite. La melancolía proviene de esa repetición, del contraste que resulta de ver dos cuerpos organizados para los movimientos libres sometidos a la fatídica marcha mecánica del animal mayor.[4] Pena que da el ver a los caballos jóvenes en el malacate.[5]

Anteriormente, cuando sólo se lo cultivaba en el suburbio y, por tanto, no había experimentado la alisadura, el planchado de la urbe, tuvo algunas figuras en que el bailarín lucía algo de su habilidad; en que ponía algo que iba improvisando. El movimiento de la pierna y de la cadera, algún taconeo, corridas de costado,[6] cortes,[7] que-

---

1. **Es... pies:** That is, all the movement is below the hips.   2. **nirvana:** annihilation (Sanskrit), the blissful state of the soul that is the ultimate goal of believers in the Buddhist and Hindu religions   3. **deslizarse:**   slip or glide, in this context escape   4. **animal mayor:**   male partner   5. **malacate:**   horse-powered hoisting machine   6. **corridas de costado:**   a dance step in which the partners, side by side, move swiftly forward (see footnote 9)   7. **cortes:** *Darse corte*, according to Buenos Aires underworld slang, means *lucirse*, to "show off" or strut proudly (see footnote 9).

bradas,[8] medias lunas[9] y ese ardid con que el muslo de la mujer, sutilmente engañada, pegaba en toda su longitud con el del hombre, firme, rígido.

Por entonces tenía su prestigio en las casas de lenocinio. Era música solamente; una música lasciva que llevaba implícita la letra que aparecería años después, cuando la masa popular que lo gustaba hubiera formado su poeta. Oíanse los acordes a la noche,[10] en las afueras de los pueblos, escapando como vaho, del lupanar, por las celosías siempre cerradas; e iba a perderse en el campo o a destrozarse en las calles desiertas. Llevaba un hálito tibio de pecado, resonancias de un mundo prohibido, de extramuros. Después echó a rodar calles en el organito del pordiosero, para adquirir ciudadanía.[11] Se infiltraba clandestinamente en un mundo que le negaba acceso. Así, a semejanza de la tragedia en la carreta,[12] llegó a las ciudades hasta que entró victoriosamente en los salones y en los hogares, bajo disfraz. Venía del suburbio, y al suburbio llegaba del prostíbulo, donde vivió su vida natural en toda la gloria de sus filigranas; donde las síncopas significaban algo infame; donde las notas, prolongadas en las gargantas del órgano, estremecían un desfallecimiento erótico. Diluíase en la atmósfera con el perfume barato, el calor de las carnes fatigadas y las evaporaciones del alcohol.

En el baile de "candil",[13] untuoso, lúbrico, bailado con la ornamentación de cortes, corridas y quebradas, ponía en el ambiente familiar cierto interés de "clandestino". Todo eso era lo que le daba personería,[14] carácter propio, y se perdió; pero en cambio

---

8. **quebradas:** a tango step (see footnote 9)   9. **medias lunas:** another tango step. For a more complete description, see Ernesto Sábato, *Tango, discusión y clave* (Buenos Aires: Editorial Losada, 1963), pp. 153–66.   10. **Oíanse... noche:** The melodies (of the tango) could be heard at night   11. **para... cuidadanía:** to acquire national acceptance   12. **tragedia... carreta:** traveling theater companies of lowly origin that later developed into respectable groups performing in established theaters   13. **baile de "candil":** A *candil* is a crude type of oil lamp used in kitchens and stables. The phrase suggests to the author the lowly social origin of the tango.   14. **personería:** personality

apareció el verso para recoger, como el drama satírico tras la tragedia, el elemento fálico, ritual. Aun hoy la letra dice bien claro de su estirpe.[15] En ella está la mujer de mala vida; se habla de la canallada, del adulterio, de la fuga, del concubinato, de la prostitución sentimental; del canfinflero que plañe. La joven más pura tiene en su atril ese harapo que antes fué vestido de un cuerpo venal. La boca inocente canta ese lamento de la mujer infame y no la redime, aunque ignore lo que expresa su palabra. Suena en su voz la humillación de la mujer.

Pero ahora es cuando el tango ha logrado su cabal expresión: la falta de expresión. Lento, con los pies arrastrados, con el andar del buey que pace. Parecería que la sensualidad le ha quitado la gracia de los movimientos; tiene la seriedad del ser humano cuando procrea. El tango ha fijado esa seriedad de la cópula, porque parece engendrar sin placer. En ese sentido es el baile ulterior a todos los demás, el baile que consuma; como los otros son los bailes premonitorios. Todo él de la cintura para abajo, del dominio del alma vegetativa. En algún momento una pierna queda fija y la otra simula el paso hacia adelante y atrás. Es un instante en que la pareja queda dudando, como la vaca contempla a uno y otro lado, o hacia atrás, suspensas sus elementales facultades de pensar y de querer. Y de ahí el tango prosigue otra vez lo mismo, lento, cansado, su propia marcha.

Así está estilizado,[16] reducido a la simplicidad del treno, que consiste en modular una sola nota que se afina o engruesa bajo la presión de un dedo deslizado en una cuerda. Tiene algo del quejido apagado y angustioso del espasmo. No busquemos música ni danza; aquí son dos simulacros. No tiene las alternativas, la excitación por el movimiento gimnástico de otros bailes; no excita por el contacto casual de los cuerpos. Son cuerpos unidos, que están, como en el acoplamiento de los insectos, fijos, adheridos. Pero las carnes así

---

15. **la letra... estirpe:** the words (i.e., the lyrics) clearly express its evolution (*lit.*, lineage) 16. **Así... estilizado:** In characterizing the tango as a fixed ritual (in contrast to other dances that more typically express the dramatic elements of passion, courtship, surprise, feminine innocence, etc.) Martínez Estrada gives great emphasis to its absolute monotony and its studied exclusion of sentiment and vitality.

unidas, se embotan en su enardecimiento después de algunos compases; no hay roce, no hay rubor, no hay lo inesperado en el contacto. Es el contacto convenido, pactado de antemano, en la convención del tango. No es lo que precede a la posesión con resistencias, con dudas y reticencias; es lo que precede a la posesión concertada y pagada, con la seguridad de un acto legal. Más bien que el noviazgo es el concubinato que no violenta las normas sociales.

No tiene ninguna de las exquisiteces que están implícitas en la estructura de otras danzas, con su cortesía. No son hombre y mujer, según se destacaban en las danzas antiguas, donde cada cual, él y ella, conservaban lo peculiar de su carácter, además de cierta elástica distancia. En el tango es la igualdad del sexo; es lo ya conocido, sin sorpresas posibles, sin la curiosidad de los primeros encuentros; es la antigua posesión.

El baile en parejas puede ser incitante, sensual, una "transferencia" freudiana;[17] el tango en particular es el acto mismo sin ficción, sin inocencia, sin neurosis. Es, hasta si se quiere, un acto solitario. Tiene algo de la rumia su música lamentable en el bandoneón,[18] como hay algo del mugido en éste, su instrumento propicio. La segunda fase de la estilización del tango, para reducirlo a su puro esquema, a su sentido escueto, está en el hallazgo del instrumento adecuado: el bandoneón, sucedáneo portátil del aristón y el órgano.[19]

Desde otro punto de vista, es el baile humillante para la mujer, a quien se ve entregada a un hombre que no la dirige, que no la obliga a estar atenta a sus veleidades, a ceder a su voluntad. Es humillante por eso: porque el hombre es tan pasivo como ella y parece obligado a su vez. En casi todos los otros, es el hombre quien indica el movimiento y hasta se tiene la impresión de que, en momentos, la mujer es soliviada, invitada a volar. Tiene la posibilidad de una fuga. Aquí él y ella gravitan igualmente y ambos se mueven con una sola voluntad, como si esa voluntad fuera la mitad de una entera en cada uno, falta de iniciativa, de inteligencia, cediendo al movimiento mecánico de andar y respirar. Tiene, en verdad, de la isocronía[20]

---

17. **"transferencia" freudiana:** sublimation of sexual energy 18. **bandoneón:** small accordion 19. **sucedáneo... órgano:** portable substitute for the hand organ and the pipe organ 20. **Tiene... isocronía:** *Tiene, en verdad, algo de la isocronía*

de la circulación, del acto mecánico por excelencia. Es un baile sin voluntad, sin deseo, sin azar, sin ímpetus. La mujer parecería cumplir un acto que le es enojoso o que para ella carece de sentido, en el que no encuentra placer. Nada en ella dice de la gracia, de la fragilidad, de la veleidad, de la timidez. Es la carne apenas viva, que no siente, que no teme. Segura, sumisa, pesada, a paso de mula, con una sola dirección, recta, como la ruta del animal cargado. No se teme por ella; no se ve que su capricho sea dominado a cada paso por una decisión que la gobierna imperativamente. Cede consciente, está conforme. Por eso no incita, al que la ve bailar, a quitársela a quien la lleva; no se la desea y su cuerpo está muy lejos del nuestro cuando baila, por lo mismo que está anastomosado al del compañero. Se pertenecen y son un solo ser. No asumimos, por lo tanto, ni el papel del compañero. Desearla sería cometer adulterio. Está cumpliendo un rito penoso y sin valor estético, un acto de la vida conyugal, que es entregarse, y otro de la vida diaria, que es andar.

Por otra parte, se advierte que forma una sola pieza con su compañero, y que de arrebatársela, algo de él quedaría en ella, como queda del marido en la esposa que se rapta. Son un solo cuerpo con cuatro piernas lo único que acciona, en la inmovilidad de los torsos, con una voluntad. Un cuerpo que no piensa en nada, abandonado al compás de la música, que suena, gutural y lejana, como el instinto de la orientación y de la querencia. Ese vago instinto, en la música, los lleva tirando de ellos.

Quizá ninguna música se preste como el tango a la ensoñación. Entra y se posesiona de todo el ser como un narcótico. Es posible, a su compás, detener el pensamiento y dejar flotar el alma en el cuerpo, como la niebla en la llanura. Los movimientos no requieren ser producidos, nacen automáticos de esa música, que ya se lleva en lo interior. La voluntad, como la figura de los objetos, queda desvanecida en esa niebla, y el alma es una llanura en paz. Muy vagamente, la mujer acompaña al bailarín en un deslizamiento casi inarticulado. Es el encanto de ese baile, en su sentido sentimental: la obliteración de la voluntad, un estado en que sólo quedan despiertos los sentidos profundos de la vida vegetativa y sensitiva. Propicio al estado de ánimo del crepúsculo en los prados, a la vaga tristeza que se presume en los ojos del animal satisfecho.

Terminado el baile, no es posible olvidar en la mujer ese acto frío, en que ha sido poseída como un molusco,[21] en ayuntamiento recíproco. Queda flotando sobre su cuerpo un vaho de pesadumbre, de pecado; algo pegajoso y viscoso, como el eco de sus movimientos y de su entrega en un sueño trivial. Porque no ha sido poseída por un íncubo[22] sino por su propia soltería.

Carnaval y tristeza

PARA ESTUDIAR lo que se ha llamado la tristeza criolla,[1] que es un estado de ánimo muy complejo y que indiscutiblemente tiene de la tristeza como epizootia e indiscutiblemente también de la verdadera tristeza humana; para estudiarla hay que comprender primero el carnaval. El carnaval es la fiesta de nuestra tristeza.

El centro psicológico no está situado en la tristeza, y sí[2] más aproximadamente en la necesidad de alegría. Es tan sombrío, desde los colores del traje y los sabores de la existencia, todo lo que debemos al pasado, y se ha construído lo nuevo tan por encima de esos escombros aún en pie, que la sed de gozo es un movimiento potencial, pronto a dispararse contra algo en las circunstancias propicias. Puede decirse ley universal, la propensión de las almas sombrías a las explosiones del gozo, como en los perros encadenados que se sueltan al atardecer. Esa necesidad última de soltarse del dogal gris y taciturno de un mundo opresivo por el que circulan corrientes magnéticas de indiferencia y desconfianza, pone a los ciudadanos, particularmente, en trance de saltar jubilosos al atardecer. Se busca un motivo de fiesta, un pretexto para reír; y de ahí la guarangada,[3]

---

21. **mujer... molusco:** Her sexual act has been like that of a shell fish, cold and with an aura of sinfulness. 22. **incubo:** incubus, a spirit or demon thought in medieval times to seek sexual intercourse with sleeping women. In *Diccionario de la Real Academia Española; Dícese del demonio que, según la opinión vulgar, tiene comercio carnal con una mujer, bajo la apariencia de varón.* CARNAVAL Y TRISTEZA 1. **tristeza criolla:** *tristeza típicamente argentina* 2. **y sí:** *sino* 3. **guarangada:** ill manners, vulgarity

el temor al ridículo, manifestaciones con carteles y vítores, cualquiera que sea el pretexto. Y, lo más corriente, el aspecto carnavalesco que adquiere en las muchedumbres cualquier celebración popular. Alegría que no es entera, gozo que no quiere mostrarse desnudo, sentimientos propios de un pueblo que no ha entrado en relaciones sexuales francas con la mujer, que no sabe hacer partícipe de su placer[4] —y por eso se asocia en la algazara[5]—; ése es el verdadero núcleo de la tristeza, lo que en el calendario se llama carnaval y que es un tratamiento psicoanalítico.

La alegría que se desata en ocasiones tan diversas es cruel, desesperada, hostil. No tiene el carnaval cortesía ni canciones; requiere la calle, la multitud, la ebriedad de las vendimias urbanas; porque el resto del año es triste y servil. Concentrada la orgánica necesidad de reír y gozar una existencia enclaustrada en problemas demasiado serios para nuestro verdadero estado social, entristecida por un peso de fórmulas que no podemos llevar sobre los hombros, se inflama en una represalia bulliciosa contra la seriedad contranatural de la vida cotidiana. La tristeza argentina, que desde los filósofos hasta los botarates han descrito, rodea al hombre, es lo que come. La alegría argentina, ésa es la que hay que estudiar, porque guarda la clave del humor sombrío, con sus corsos, sus festivales patrióticos, políticos y deportivos, sus picnics, y su teatro de agresión despiadada y sin ternura. El carnaval, como fiesta de la impersonalidad y del anonimato, de oprimidos y descontentos, es el estado alotrópico[6] de la tristeza, su contracara, su antifaz.

En el interior[7] hace muchísimos años lo[8] adoptó de grado el indio, el hombre desnudo. De inmediato gustó del vestido que contenía en potencia el carnaval de los colores, de los ornamentos y de los ruidos; el vestido loco del blanco, del hombre vestido. Primero adoptó de las gentes venidas de fuera, el indumento vistoso (armas, ropas polímitas, cuentas, penachos); a ello unió sus plumas y el alcohol, levantando al plano de la ficción descabellada la realidad humillante y ruda. Encerrábanse como en cápsulas, las verdades amargas; alcohol y color fueron lujuria y alegría; contrarrealidad.

---

4. **que no sabe... placer:**   with whom they (i.e., Argentines in general) are incapable of sharing their pleasure   5. **se... algazara:**   the uproar of the crowd is their form of association   6. **alotrópico:**   variable   7. **En el interior:**   *En el interior del país*   8. **lo:**   *el carnaval*

No cambió en lo sucesivo lo sustancial. El catolicismo unió Carnestolendas[9] a Semana Santa,[10] como Dionisos[11] la tragedia a la comedia. Liturgia y teatro.

Cuenta Lugones[12] un carnaval en La Rioja. Nueve personas a lomo de burro, van por los pueblos, disfrazadas. Cantan; y con vejigas[13] producen ruidos inefables. Corazones llenos de sangre se emplean como bombas de agua arrojadizas. Todo esto era poco después de que el farmacéutico Cranwell fabricara en Buenos Aires los primeros pomos de agua perfumada.

Carnaval y teatro fueron una misma cosa y recomenzarán cada vez que se olviden, como contraformas de trabajo, cálculo, lógica, honradez. Hace triunfar estas fuerzas sometidas: ocio, locura, regocijo, disparate, sensualidad. El teatro, por otra parte, monta su utilería con lo que imaginamos que hubiera debido ser y que no pudo. Como la venganza de otra norma que para siempre se perdió al encauzarse la vida por otros caminos. Lo que resta invicto en el hombre de sus ideales, de su comprensión profunda del destino, de su emoción por la virtud, la belleza y el dolor, ahí están representados, reducidos a un juego que desbaratan las manos en el simulacro prohibido de lo que pudo ser y no fué. El teatro es la función triunfante de lo que la vida malogra, la resurrección de lo que ha muerto definitivamente en el alma, la revancha de lo absurdo que tenía su pizca de razón y esa manumisión[14] por pocos días que permitía al esclavo de Horacio[15] decirle verdades calladas mucho tiempo. Como el sueño, es el teatro de los hechos reprimidos, a lo largo de las luchas en que los más poderosos marcaron la pauta a los más débiles.

Un pueblo de esencial teatralidad, un pueblo descontento con su destino, un pueblo que sueña desaforadamente con el heroísmo, la santidad y la salud, es un pueblo teatral cuya impronta doliente deja en todas sus fiestas. El carnaval es la fiesta tipo[16] de los pueblos

---

9. **Carnestolendas:** carnival days, the three days (Shrovetide) preceding Ash Wednesday 10. **Semana Santa:** Holy Week 11. **Dionisos:** Dionysus, in ancient Greek religion the Olympian god of wine worshiped with orgiastic rites 12. **Lugones:** Leopoldo Lugones (1874–1938), one of the greatest Argentinean poets of the early twentieth century 13. **vejigas:** primitive bagpipes 14. **manumisión:** liberation from slavery 15. **Horacio:** Horace (Quintus Horatius Flaccus, 65–8 B.C.), the celebrated Roman poet 16. **tipo:** *típica*

latinos, una variedad mendeliana[17] por injerto de cabra y vid.[18] El fenómeno sexual sofocado suministra materiales primos a esa combustión; el orgullo vencido, la aspiración limitada por la propia ignorancia y por su misma impracticabilidad; la bacanal de los heridos y de los esclavos; vida, teatro y carnaval se continúan y mezclan indiferenciados. Nuestro teatro, como escenario de esa vida crepuscular de lo que se es en secreto, es carnavalesco, trágico. Recoge del carnaval temas y tipos; otras veces los suministra. Pero carnaval y teatro conciertan con la vida real, seria, de días hábiles, y por eso las carnestolendas son la fiesta nacional y el teatro un espectáculo de público en proscenio para actores sin contrata en la platea.[19] Al reflejar esos tipos caricaturescos, dionisíacos, refleja la verdad: un sainete[20] transformándose en juicio oral donde la realidad se metamorfosea en ofensa, sin dejar de ser lo que es. Atenas[21] podía estudiarse en *Los Caballeros*[22] y la vida argentina puede estudiarse en los sainetes que copian todo un sector de la realidad: el despreciado y que no se puede burlar en casa.[23] Falta averiguar hasta dónde, por inversión o transfusión, la vida de la calle no se desarrolla en función de la vida del escenario, hasta dónde no se vive parodiando la escena. El teatro es más carnaval que la vida y el carnaval más vida que el teatro; pero a través de estas tres etapas una misma alma tétrica, descontenta de su destino, incapaz de franqueza, confunde lo que es de las fiestas anuales y hebdomadarias con la comedia de los días de labor. Una alegría intensa, una situación inusitada en la que están en juego intereses

---

17. **variedad mendeliana:** Gregor Johann Mendel (1822–84), Austrian botanist and monk, formulated the laws of genetics named after him that state that physical characteristics depend on genes acting independently of one another and that subsequent generations of crossbreeds exhibit those characteristics in many different combinations. 18. **injerto... vid:** grafting of goat and grapevine, i.e., of the bacchanalian element in national life 19. **actores... platea:** the populace in general, who participate in the festivals as amateur actors without pay or contract 20. **sainete:** a type of humorous one-act play that has been very popular in Spain and Hispanic America since the eighteenth century 21. **Atenas:** Athens 22. *Los Caballeros:* *The Knights*, one of the eleven extant plays by Aristophanes (450–380? B.C.), one of the greatest satirists of Athenian society and culture 23. **que no... casa:** that one cannot be deceived about at home, i.e., one cannot be deceived about one's own characteristics that everybody knows

graves, pone a nuestro hombre en trance teatral. Buenos Aires tiene
sólo una cara para todas las fiestas populares; la misma que pone
en las revoluciones y al regreso de los asuetos campestres. Tampoco
la municipalidad tiene más que una manera de iluminar la Avenida
y la Plaza de Mayo,[24] que es su tinglado; cuelga sus luces y en-
maraña un techo de candilejas. Le basta cambiar las caras grotescas
por los nombres próceres; el armazón, el marco de las fiestas es el
mismo y únicamente faltan las serpentinas. El viandante[25] va a los
mítines, al corso y a las procesiones religiosas y del 9 de Julio[26] en
el estado de alma de quien quiere divertirse sin tener la experiencia
y el entrenamiento de la alegría. Gasta en las tres solemnidades una
misma clase de júbilo sediento como gasta un mismo traje en su
casa, en la oficina y en el café. Cambian las fechas y no las almas.
Aún en los entierros hay algo de lo insobornablemente teatral y lo
cómico puede ser lo inesperado de la parte lúgubre del subcons-
ciente; la risa es un percance en los momentos patéticos. Ese sentido
del ridículo, tan agudizado y extendido, puede ser el sentido vigilante de un acto que se mira vivir. Todo lo que pueda parecer tendencia al humorismo, suspicacia de crítico a la expectativa, es unicidad de postura ante situaciones que requieren distinta impostación.

La misma técnica del chiste y de la gracia, la técnica de nuestro
gracioso ignorante, que es el guarango,[27] es torpeza de *troupe* de
barrio en que todos imitan al primer actor. Las frases ingeniosas de
los corsos circulan a veces durante años. Los latinos heredaron de
la farsa, los eslavos y germanos del teatro de ideas; y lo cómico en
nuestro pueblo es una tragedia tan seria, tan natural, tan transpa-
rente al sino de la raza[28] como la careta de tul sobre el rostro.

Pero ese carnaval de todos los días, que estalla en sus fiestas propicias, es sombrío, agresivo, de día de trabajo. Son fuerzas con-
tenidas que se difluyen; no una disposición casual, sino un carácter.

---

24. **Avenida... Mayo:** In Buenos Aires the Avenida de Mayo extends east-
ward from a park in front of the capitol building to the Plaza de Mayo, site of
La Casa Rosada (the presidential palace).   25. **viandante:** vagabond   26.
procesiones... Julio: annual celebration of the declaration of Argentine
independence from Spain on July 9, 1816   27. **guarango:** uncivil or ill-bred
28. **Los latinos... raza:** The Latin peoples' tradition of farce and comedy has
revealed (like a transparent mask) the tragedy of their fate (*sino*), i.e., their
ideological poverty in contrast to the German and Slavic cultures.

Somos teatrales por temperamento y no podemos jugar con la burla, como no podemos jugar con el amor. Nuestro carnaval es siempre contra algo. Sarmiento cuenta que una pobre máscara[29] en provincia, fué quemada viva prendiéndosele fuego al disfraz. Lo quemaron en un alboroto. Luego lo enterraron sin que el pulpero[30] pudiese delatar el crimen. Hace más o menos veinte años, en la calle Defensa, un ciudadano de humor sombrío, que volvía a su casa sin llamar la atención, decidió divertirse divirtiendo. Se disfrazó de serpentinas; se cubrió de serpentinas simplemente. Entonces le tiraron un fósforo encendido y ardió y echó a correr hasta que murió carbonizado. Es el mismo juego de hace cien años, en la ciudad, como antes en provincias.

La parte sensual toma también caracteres de violencia y de exhibición. No es la oscura necesidad de amar lo que lleva a las máscaras al chiste obsceno, al roce pelviano, al gozo de la sensualidad; en ello, como en el piropo y la frase ingeniosa, está el odio que arrastra por debajo de la cortesía la intención de herir.

Nuestro carnaval no tiene canciones, tiene insultos. No se juega ya con pomos perfumados ni con flores; no salen las rondallas[31] ni se conciertan bodas en los bailes; la serpentina que se tira lleva, en su oferta risueña, la puntería de la pedrada. Es grotesco y serio, ofensivo y lúbrico con toda la tristeza de lo que se quiso y no se pudo tener.

CUESTIONARIO

Los aventureros, Los señores de la nada, El desengaño como estímulo

1. ¿Cómo nació América?
2. El autor habla de dos clases de mapas en la época de la Conquista. ¿Cuáles son?
3. ¿Por qué resultaba ser América, al desembarco, "una desilusión de golpe"?

---

29. **una pobre máscara:** *un pobre hombre enmascarado* 30. **pulpero:** owner or employee of a *pulpería*, a combination bar and general store prevalent in the provinces of Argentina 31. **rondallas:** groups of young men who serenade

4. ¿En qué se diferenciaban el comerciante que atendía personalmente su negocio y el que dirigía de lejos?
5. ¿Qué efecto tiene, según Martínez Estrada, la pampa en el hombre?
6. ¿Qué famoso personaje literario fue también "víctima de la llanura"?
7. ¿Con qué motivo vino el conquistador al Nuevo Mundo?
8. ¿Cuál era, en términos ideológicos, la importancia de poseer tierra?
9. ¿Qué fábula o mito atraía al conquistador de Suramérica?

El tango, Carnaval y tristeza

1. ¿Qué parte del cuerpo es activa en el tango?
2. ¿Tenía el tango, originalmente, letra?
3. ¿Es el tango de inspiración popular o aristocrática?
4. ¿En qué se distingue el tango de casi todos los demás bailes?
5. ¿Cuál parece ser la actitud de la mujer mientras baila el tango?
6. ¿Qué paradoja percibe Martínez Estrada en la tradición del carnaval?
7. ¿En qué época del año se hace el carnaval?
8. Según el autor, ¿cuáles son los rasgos esenciales del carnaval y del teatro en Argentina?
9. ¿Qué es un sainete?
10. ¿Qué historia cuenta Sarmiento acerca de un carnaval?

PREGUNTA GENERAL

¿Qué efecto permanente tuvo la Conquista en la mentalidad argentina e hispanoamericana? ¿A qué conclusiones llega Martínez Estrada acerca del carácter argentino reflejado en el tango y en el carnaval?

OCTAVIO PAZ

LIKE MARTÍNEZ ESTRADA, Octavio Paz enhances the essay with
the intuition and style of a poet. Indeed, for Paz essay writing is an
adjunct of poetry and an elaboration in prose of what he considers
contemporary poetry's central theme—solitude. In *El verbo descarnado*, a chapter of Paz's finest volume of critical essays, *El arco y la
lira* (1956), he writes: "*Condenado a vivir en el subsuelo de la historia,
la soledad define al poeta moderno. Aunque ningún decreto lo obligue a dejar
su tierra, es un desterrado.*" The implicit message of everything Paz
has written is a "defense of poetry" for the twentieth century. In
an age of linguistic, scientific, and political ambiguities it is the
poet's mission to restore "*la palabra original, desviada por los sacerdotes
y los filósofos.*"

El laberinto de la soledad, of which *La dialéctica de la soledad* is the
concluding part, has since 1950 gone through three editions. It is
a subjective but incisive analysis of Mexican character in the context of history, a "phenomenology" of the Mexican's social and
cultural existence from the age of Hernán Cortés and the Conquest
to the present. Some of the symbols of that character enumerated
by Paz are: Mexican "masks," a defensive badge of personality
indicative of a general inclination to conceal individual sentiment;
Mexican ritual or the *fiesta* in its many forms—the Day of the Dead,
local and religious festivals and celebrations in memory of Doña
Marina (*la Malinche*, the native interpreter, mistress of Cortés), and
the fervent worship of the Virgin of Guadalupe (these latter two
being incarnations of maternal sacrifice); the Mexican Revolution;
and the idiosyncrasies of the Mexican Spanish language.

Paz has repeatedly suggested in poetry and prose that ritual is
the structure and essence of Mexican life. All nations have their
distinctive rituals, but few have achieved such close harmony between the old and the new—tradition and revolution, continuity

and change—as has Mexico. In *El laberinto de la soledad* Paz reminds us that the Mexican Revolution of 1910 was in many senses a return to the past as well as a struggle for radical change; that is, its leaders and participants were stimulated by the idea of recovering lost values, partly real and partly mythical. Associated with the demand of lower classes for "bread and land" was the largely mythical notion that freedom and abundance were indigenous to México before the Spanish Conquest. In a sense the spiritual leaders of the Revolution were evoking a Golden Age, and in so doing they seemed to be filling a collective psychological need.

Octavio Paz is Mexico's ritual poet. The final and perhaps best poem of the collection *Estación violenta* (1958) is *Piedra de Sol,* a composition of 584 lines corresponding to the 584 days between two successive conjunctions of the planet Venus (a symbol of love) with the Earth and the sun. It is the poet's function, he feels, to re-encounter universal love; the lamentable presence of violence and totalitarianism in our civilization is proof of a contemporary trend towards masochism. Paz has defined the theme of *La estación violenta* as: "*la palabra poética conseguida para nombrar y consagrar ciertos momentos históricos, personales, sociales; pero no es un libro personal, sino comunal. El poeta habla por todos, no por sí mismo.*"[1]

The poet who speaks for every man is the greatest kind of poet, for it is he rather than the esoteric thinker or the exquisite craftsman who communicates most deeply with his reader and who offers the richest variety of subject matter. Octavio Paz's faithfulness to this ideal of speaking in behalf of all men and his acute historical and national consciousness have made him the most important Mexican poet of this century. It has also made him one of contemporary literature's finest essayists.

Paz is a man of cosmopolitan experience who has never lost the vision of his homeland or familiarity with its problems. He has served his country and the United Nations in several diplomatic posts and is now the Mexican ambassador to India.

1. From Alberto Ramírez de Aguilar, "*Octavio Paz: Poesía y posición,*" in *Diorama de la cultura, Excelsior,* Mexico, D.F., August 24, 1958.

La dialéctica de la soledad

LA SOLEDAD, el sentirse y el saberse solo, desprendido del mundo y ajeno a sí mismo, separado de sí, no es característica exclusiva del mexicano. Todos los hombres, en algún momento de su vida, se sienten solos; y más: todos los hombres están solos. Vivir, es separarnos del que fuimos para internarnos en el que vamos a ser, futuro extraño siempre. La soledad es el fondo último de la condición humana. El hombre es el único ser que se siente solo y el único que es búsqueda de otro. Su naturaleza —si se puede hablar de naturaleza al referirse al hombre, el ser que, precisamente, se ha inventado a sí mismo al decirle[1] "no" a la naturaleza— consiste en un aspirar a realizarse en otro. El hombre es nostalgia y búsqueda de comunión. Por eso cada vez que se siente a sí mismo se siente como carencia de otro, como soledad.

Uno con el mundo que lo rodea, el feto es vida pura y en bruto, fluir ignorante de sí. Al nacer, rompemos los lazos que nos unen a la vida ciega que vivimos en el vientre materno, en donde no hay pausa entre deseo y satisfacción. Nuestra sensación de vivir se expresa como separación y ruptura, desamparo, caída[2] en un ámbito hostil o extraño. A medida que crecemos esa primitiva sensación se transforma en sentimiento de soledad. Y más tarde, en conciencia: estamos condenados a vivir solos, pero también lo estamos[3] a traspasar nuestra soledad y a rehacer los lazos que en un pasado paradisíaco nos unían a la vida. Todos nuestros esfuerzos tienden a abolir la soledad. Así, sentirse solos posee un doble significado: por una parte consiste en tener conciencia de sí; por la otra, en un deseo de salir de sí. La soledad, que es la condición misma de nuestra vida, se nos aparece como una prueba y una purgación, a cuyo término[4] angustia e inestabilidad desaparecerán. La plenitud, la reunión, que es reposo y dicha, concordancia con el mundo, nos esperan al fin del laberinto de la soledad.

---

1. **a sí... decirle:**   himself (i.e., man as a new species) by saying no   2. **caída:** fall, i.e., displacement   3. **lo estamos:**   *estamos condenados*   4. **a cuyo término:** at the conclusion of which

El lenguaje popular refleja esta dualidad al identificar a la soledad con la pena. Las penas de amor son penas de soledad. Comunión y soledad, deseo de amor, se oponen y complementan. Y el poder redentor de la soledad transparenta una oscura, pero viva, noción de culpa: el hombre solo "está dejado de la mano Dios[5]". La soledad es una pena, esto es, una condena y una expiación. Es un castigo, pero también una promesa del fin de nuestro exilio. Toda vida está habitada por esta dialéctica.

Nacer y morir son experiencias de soledad. Nacemos solos y morimos solos. Nada tan grave como esa primera inmersión en la soledad que es el nacer, si no es esa otra caída en lo desconocido que es el morir. La vivencia de la muerte[6] se transforma pronto en conciencia del morir. Los niños y los hombres primitivos no creen en la muerte; mejor dicho, no saben que la muerte existe, aunque ella trabaje secretamente en su interior. Su descubrimiento nunca es tardío para el hombre civilizado, pues todo nos avisa y previene que hemos de morir. Nuestras vidas son un diario aprendizaje de la muerte. Más que a vivir se nos enseña a morir. Y se nos enseña mal.

Entre nacer y morir transcurre nuestra vida. Expulsados del claustro materno, iniciamos un angustioso salto de veras mortal, que no termina sino hasta que caemos en la muerte. ¿Morir será volver allá, a la vida de antes de la vida? ¿Será vivir de nuevo esa vida prenatal en que reposo y movimiento, día y noche, tiempo y eternidad, dejan de oponerse? ¿Morir será dejar de ser y, definitivamente, estar? ¿Quizá la muerte sea la vida verdadera? ¿Quizá nacer sea morir y morir, nacer? Nada sabemos. Mas aunque nada sabemos, todo nuestro ser aspira a escapar de estos contrarios que nos desgarran. Pues si todo (conciencia de sí, tiempo, razón, costumbres, hábitos) tiende a hacer de nosotros los expulsados[7] de la vida, todo también nos empuja a volver, a descender al seno creador de donde fuimos arrancados. Y le pedimos al amor —que, siendo deseo, es hambre de comunión, hambre de caer y morir tanto como de renacer— que nos dé un pedazo de vida verdadera, de muerte verdadera. No le pedimos la felicidad, ni el reposo, sino un instante, sólo un instante, de vida plena, en la que se fundan los contrarios y

---

5. **dejado... Dios:** abandoned by God   6. **vivencia... muerte:** experience (or presentiment) of death   7. **expulsados:** *echados fuera*

vida y muerte, tiempo y eternidad, pacten. Oscuramente sabemos que vida y muerte no son sino dos movimientos, antagónicos pero complementarios, de una misma realidad. Creación y destrucción se funden en el acto amoroso; y durante una fracción de segundo el hombre entrevé un estado más perfecto.

En nuestro mundo el amor es una experiencia casi inaccesible. Todo se opone a él: moral, clases, leyes, razas y los mismos enamorados. La mujer siempre ha sido para el hombre "lo otro", su contrario y complemento. Si una parte de nuestro ser anhela fundirse a ella, otra, no menos imperiosamente, la aparta y excluye. La mujer es un objeto, alternativamente precioso o nocivo, mas siempre diferente. Al convertirla en objeto, en ser aparte y al someterla a todas las deformaciones que su interés, su vanidad, su angustia y su mismo amor le dictan, el hombre la convierte en instrumento. Medio para obtener el conocimiento y el placer, vía para alcanzar la supervivencia, la mujer es ídolo, diosa, madre, hechicera o musa, según muestra Simone de Beauvoir,[8] pero jamás puede ser ella misma. De ahí que nuestras relaciones eróticas estén viciadas en su origen, manchadas en su raíz. Entre la mujer y nosotros se interpone un fantasma: el de su imagen, el de la imagen que nosotros nos hacemos de ella y con la que ella se reviste. Ni siquiera podemos tocarla como carne que se ignora a sí misma,[9] pues entre nosotros y ella se desliza esa visión dócil y servil de un cuerpo que se entrega. Y a la mujer le ocurre lo mismo: no se siente ni se concibe sino como objeto, como "otro". Nunca es dueña de sí. Su ser se escinde entre lo que es realmente y la imagen que ella se hace de sí. Una imagen que le ha sido dictada por familia, clase, escuela, amigas, religión y amante. Su feminidad jamás se expresa, porque se manifiesta a través de formas inventadas por el hombre. El amor no es un acto natural. Es algo humano y, por definición, *lo más humano*, es decir, una creación, algo que nosotros hemos hecho y que no se da en la naturaleza. Algo que hemos hecho, que hacemos todos los días y que todos los días deshacemos.

No son éstos los únicos obstáculos que se interponen entre el amor

8. **Simone de Beauvoir:**   (b. 1908), French novelist and essayist, contemplative and existentialist in style. Her best known work, *Les Mandarins* (1949), is concerned with contemporary women as intellectuals.   9. **carne... misma:** innocent flesh (i.e., uncorrupted womanhood or virginity)

y nosotros. El amor es elección. Libre elección, acaso, de nuestra fatalidad, súbito descubrimiento de la parte más secreta y fatal de nuestro ser. Pero la elección amorosa es imposible en nuestra sociedad. Ya Breton decía en uno de sus libros más hermosos —*El loco amor*[10]— que dos prohibiciones impedían, desde su nacimiento, la elección amorosa: la interdicción[11] social y la idea cristiana del pecado. Para realizarse, el amor necesita quebrantar la ley del mundo. En nuestro tiempo el amor es escándalo y desorden, transgresión: el de dos astros que rompen la fatalidad de sus órbitas y se encuentran en la mitad del espacio. La concepción romántica del amor, que implica ruptura y catástrofe, es la única que conocemos porque todo en la sociedad impide que el amor sea libre elección.

La mujer vive presa en la imagen que la sociedad masculina le impone; por lo tanto, sólo puede elegir rompiendo consigo misma. "El amor la ha transformado, la ha hecho otra persona", suelen decir de las enamoradas. Y es verdad: el amor hace otra a la mujer, pues si se atreve a amar, a elegir, si se atreve a ser ella misma, debe romper esa imagen con que el mundo encarcela su ser.

El hombre tampoco puede elegir. El círculo de sus posibilidades es muy reducido. Niño, descubre la feminidad en la madre o en las hermanas. Y desde entonces el amor se identifica con lo prohibido. Nuestro erotismo está condicionado por el horror y la atracción del incesto. Por otra parte, la vida moderna estimula innecesariamente nuestra sensualidad, al mismo tiempo que la inhibe con toda clase de interdicciones —de clase, de moral y hasta de higiene—. La culpa es la espuela y el freno del deseo. Todo limita nuestra elección. Estamos constreñidos a someter nuestras aficiones profundas a la imagen femenina que nuestro círculo social nos impone. Es difícil amar a personas de otra raza, de otra lengua o de otra clase, a pesar de que no sea imposible que el rubio prefiera a las negras y éstas a los chinos, ni que el señor se enamore de su criada o a la inversa. Semejantes posibilidades nos hacen enrojecer. Incapaces de elegir, seleccionamos a nuestra esposa entre las mujeres que nos "convienen". Jamás confesaremos que nos hemos unido —a veces para siempre— con una mujer que acaso no amamos y que, aunque nos ame, es incapaz de salir de sí misma y mostrarse tal cual es. La

10. **El... amor:** André Breton's *El loco amor* (*L'Amour fou*) was published in 1937. 11. **interdicción:** *prohibición*

frase de Swan:[12] "Y pensar que he perdido los mejores años de mi vida con una mujer que no era mi tipo", la pueden repetir, a la hora de su muerte, la mayor parte de los hombres modernos. Y las mujeres.

La sociedad concibe el amor, contra la naturaleza de este sentimiento, como una unión estable y destinada a crear hijos. Lo identifica con el matrimonio. Toda transgresión a esta regla se castiga con una sanción cuya severidad varía de acuerdo con tiempo y espacio. (Entre nosotros la sanción es mortal muchas veces —si es mujer el infractor— pues en México, como en todos los países hispánicos, funcionan con general aplauso dos morales, la de los señores y la de los otros: pobres, mujeres, niños.) la protección impartida al matrimonio podría justificarse si la sociedad permitiese de verdad la elección. Puesto que no lo hace, debe aceptarse que el matrimonio no constituye la más alta realización del amor, sino que es una forma jurídica, social y económica que posee fines diversos a los del amor. La estabilidad de la familia reposa en el matrimonio, que se convierte en una mera proyección de la sociedad, sin otro objeto que la recreación[13] de esa misma sociedad. De ahí la naturaleza profundamente conservadora del matrimonio. Atacarlo, es disolver las bases mismas de la sociedad. Y de ahí también que el amor sea, sin proponérselo, un acto antisocial, pues cada vez que logra realizarse, quebranta el matrimonio y lo transforma en lo que la sociedad no quiere que sea: la revelación de dos soledades que crean por sí mismas un mundo que rompe la mentira social, suprime tiempo y trabajo y se declara autosuficiente.[14] No es extraño, así, que la sociedad persiga con el mismo encono al amor y a la poesía, su testimonio, y los arroje a la clandestinidad, a las afueras, al mundo turbio y confuso de lo prohibido, lo ridículo y lo anormal. Y tampoco es extraño que amor y poesía estallen en formas extrañas y puras: un escándalo, un crimen, un poema.

La protección al matrimonio implica la persecución del amor y la tolerancia de la prostitución, cuando no su cultivo oficial. Y no deja de ser reveladora la ambigüedad de la prostituta: ser sagrado

---

12. **Swan:**   protagonist of *Du côté de chez Swan* (1913) the first part of Marcel Proust's (1871–1922) "continuous novel" *A La Recherche du temps perdu* (published in sixteen volumes from 1913 to 1927)   13. **recreación:**   *nueva creación*   14. **autosuficiente:**   self-sufficient

para algunos pueblos, para nosotros es alternativamente un ser despreciable y deseable. Caricatura del amor, víctima del amor, la prostituta es símbolo de los poderes que humilla nuestro mundo. Pero no nos basta con esa mentira de amor que entraña la existencia de la prostitución; en algunos círculos se aflojan los lazos que hacen intocable al matrimonio y reina la promiscuidad. Ir de cama en cama no es ya, ni siquiera, libertinaje. El seductor, el hombre que no puede salir de sí porque la mujer es siempre instrumento de su vanidad o de su angustia, se ha convertido en una figura del pasado, como el caballero andante. Ya no se puede seducir a nadie, del mismo modo que no hay doncellas que amparar o entuertos que deshacer.[15] El erotismo moderno tiene un sentido distinto al de un Sade,[16] por ejemplo. Sade era un temperamento trágico, poseído de absoluto; su obra es una revelación explosiva de la condición humana. Nada más desesperado que un héroe de Sade. El erotismo moderno casi siempre es una retórica, un ejercicio literario y una complacencia. No es una revelación del hombre sino un documento más sobre una sociedad que estimula el crimen y condena al amor. ¿Libertad de la pasión? El divorcio ha dejado de ser una conquista. No se trata tanto de facilitar la anulación de los lazos ya establecidos, sino de permitir que hombres y mujeres puedan escoger libremente. En una sociedad ideal, la única causa de divorcio sería la desaparición del amor o la aparición de uno nuevo. En una sociedad en que todos pudieran elegir, el divorcio sería un anacronismo o una singularidad, como la prostitución, la promiscuidad o el adulterio.

La sociedad se finge una totalidad que vive por sí y para sí. Pero si la sociedad se concibe como unidad indivisible, en su interior está escindida por un dualismo que acaso tiene su origen en el momento en que el hombre se desprende del mundo animal y, al servirse de sus manos, se inventa a sí mismo e inventa conciencia y moral. La sociedad es un organismo que padece la extraña necesidad de justificar sus fines y apetitos. A veces los fines de la sociedad, enmasca-

---

15. **doncellas... deshacer:** maidens to protect or wrongs to set right. Don Quijote frequently expresses these and other purposes as the substance of his mission as a knight errant. 16. **Sade:** Comte Donatien Alphonse François de Sade (1740–1814), popularly known as the Marquis de Sade; French author of erotic works who acquired notoriety for his scandalous social conduct; the word sadism (a manifestation of sexual perversion through cruelty and torture) derives from his name.

rados por los preceptos de la moral dominante, coinciden con los deseos y necesidades de los hombres que la componen. Otras, contradicen las aspiraciones de fragmentos o clases importantes. Y no es raro que nieguen los instintos más profundos del hombre. Cuando esto último ocurre, la sociedad vive una época de crisis: estalla o se estanca. Sus componentes dejan de ser hombres y se convierten en simples instrumentos desalmados.[17]

El dualismo inherente a toda sociedad, y que toda sociedad aspira a resolver transformándose en comunidad, se expresa en nuestro tiempo de muchas maneras: lo bueno y lo malo, lo permitido y lo prohibido; lo ideal y lo real, lo racional y lo irracional; lo bello y lo feo; el sueño y la vigilia, los pobres y los ricos, los burgueses y los proletarios; la inocencia y la conciencia, la imaginación y el pensamiento. Por un movimiento irresistible de su propio ser, la sociedad tiende a superar este dualismo y a transformar el conjunto de solitarias enemistades que la componen en un orden armonioso. Pero la sociedad moderna pretende resolver su dualismo mediante la supresión de esa dialéctica de la soledad que hace posible el amor. Las sociedades industriales —independientemente de sus diferencias "ideológicas", políticas o económicas— se empeñan en transformar las diferencias cualitativas, es decir: humanas, en uniformidades cuantitativas. Los métodos de la producción en masa se aplican también a la moral, al arte y a los sentimientos. Abolición de las contradicciones y de las excepciones... Se cierran así las vías de acceso a la experiencia más honda que la vida ofrece al hombre y que consiste en penetrar la realidad como una totalidad en la que los contrarios pactan.[18] Los nuevos poderes abolen la soledad por decreto. Y con ella al amor, forma clandestina y heroica de la comunión. Defender el amor ha sido siempre una actividad antisocial y peligrosa. Y ahora empieza a ser de verdad revolucionaria. La situación del amor en nuestro tiempo revela cómo la dialéctica de la soledad, en su más profunda manifestación, tiende a frustrarse por obra de la misma sociedad. Nuestra vida social niega casi siempre toda posibilidad de auténtica comunión erótica.

El amor es uno de los más claros ejemplos de ese doble instinto que nos lleva a cavar y ahondar en nosotros mismos y, simultánea-

17. **desalmados:** *sin almas* 18. **contrarios pactan:** opposites are harmonized

mente, a salir de nosotros y realizarnos en otro:[19] muerte y recreación, soledad y comunión. Pero no es el único. Hay en la vida de
cada hombre una serie de períodos que son también rupturas y
reuniones, separaciones y reconciliaciones. Cada una de estas etapas
es una tentativa por trascender nuestra soledad, seguida por in-
mersiones en ambientes extraños.

El niño se enfrenta a una realidad irreductible a su ser[20] y a cuyos
estímulos no responde al principio sino con llanto o silencio. Roto
el cordón que lo unía a la vida,[21] trata de recrearlo por medio de
la afectividad y el juego. Inicia así un diálogo que no terminará
sino hasta que recite el monólogo de su muerte. Pero sus relaciones
con el exterior no son ya pasivas, como en la vida prenatal, pues
el mundo le exige una respuesta. La realidad debe ser poblada por
sus actos. Gracias al juego y a la imaginación, la naturaleza inerte
de los adultos —una silla, un libro, un objeto cualquiera— adquiere
de pronto vida propia. Por la virtud mágica del lenguaje o del gesto,
del símbolo o del acto, el niño crea un mundo viviente, en el que
los objetos son capaces de responder a sus preguntas. El lenguaje,[22]
desnudo de sus significaciones intelectuales, deja de ser un conjunto
de signos y vuelve a ser un delicado organismo de imantación
mágica. No hay distancia entre el nombre y la cosa y pronunciar
una palabra es poner en movimiento a la realidad que designa. La
representación equivale a una verdadera reproducción del objeto,
del mismo modo que para el primitivo la escultura no es una representación sino un doble del objeto representado. Hablar vuelve a
ser una actividad creadora de realidades, esto es, una actividad
poética. El niño, por virtud de la magia, crea un mundo a su imagen
y resuelve así su soledad. Vuelve a ser uno con su ambiente. El
conflicto renace cuando el niño deja de creer en el poder de sus
palabras o de sus gestos. La conciencia principia como desconfianza
en la eficacia mágica de nuestros instrumentos.

La adolescencia es ruptura con el mundo infantil y momento de
pausa ante el universo de los adultos. Spranger[23] señala a la soledad

19. **realizarnos en otro:**   fulfill ourselves through someone else   20. **a su ser:**
to his own level of comprehension   21. **cordón... vida:**   umbilical cord   22.
lenguaje: language of the child   23. **Spranger:**   Eduard Spranger (b. 1882)
German philosopher and psychologist. His books include *Psychology of Youth*
(1924), *People, State, and Education* (1932), and *Goethe's Philosophy of Life* (1933).

como nota distintiva de la adolescencia. Narciso,[24] el solitario, es la imagen misma del adolescente. En este período el hombre adquiere por primera vez conciencia de su singularidad. Pero la dialéctica de los sentimientos interviene nuevamente: en tanto que extrema conciencia de sí, la adolescencia no puede ser superada sino como olvido de sí, como entrega. Por eso la adolescencia no es sólo la edad de la soledad, sino también la época de los grandes amores, del heroísmo y del sacrificio. Con razón el pueblo imagina al héroe y al amante como figuras adolescentes. La visión del adolescente como un solitario, encerrado en sí mismo, devorado por el deseo o la timidez, se resuelve casi siempre en la bandada de jóvenes que bailan, cantan o marchan en grupo. O en la pareja paseando bajo el arco de verdor de la calzada. El adolescente se abre al mundo: al amor, a la acción, a la amistad, al deporte, al heroísmo. La literatura de los pueblos modernos —con la significativa excepción de la española, en donde no aparecen sino como pícaros o huérfanos— está poblada de adolescentes, solitarios en busca de la comunión: del anillo, de la espada, de la Visión. La adolescencia es una vela de armas de la que se sale al mundo de los hechos.

La madurez no es etapa de soledad. El hombre, en lucha con los hombres o con las cosas, se olvida de sí en el trabajo, en la creación o en la construcción de objetos, ideas e instituciones. Su conciencia personal se une a otras: el tiempo adquiere sentido y fin, es historia, relación viviente y significativa con un pasado y un futuro. En verdad, nuestra singularidad —que brota de nuestra temporalidad,[25] de nuestra fatal inserción en un tiempo que es nosotros mismos y que al alimentarnos nos devora— no queda abolida, pero sí atenuada y, en cierto modo, "redimida". Nuestra existencia particular se inserta en la historia y ésta se convierte, para emplear la expresión de Eliot,[26] en "a pattern of timeless moments". Así, el hombre maduro atacado del mal de soledad constituye en épocas fecundas una anomalía. La frecuencia con que ahora se encuentra a esta clase de

24. **Narciso:**   Narcissus, in Greek mythology a handsome youth who fell in love with his own reflection in a pool and died of loneliness and of love for himself, turning then into a narcissus   25. **nuestra temporalidad:**   our situation in time   26. **Eliot:**   T. S. Eliot (1888–1965), American-born English poet, critic, and dramatist; author of *The Waste Land* (a poem, 1922), *Four Quartets* (a poem, 1934), *Murder in the Cathedral* (a verse play, 1935), etc.

solitarios indica la gravedad de nuestros males. En la época del trabajo en común, de los cantos en común, de los placeres en común, el hombre está más solo que nunca. El hombre moderno no se entrega a nada de lo que hace. Siempre una parte de sí, la más profunda, permanece intacta y alerta. En el siglo de la acción, el hombre se espía. El trabajo, único dios moderno, ha cesado de ser creador. El trabajo sin fin, infinito, corresponde a la vida sin finalidad de la sociedad moderna. Y la soledad que engendra, soledad promiscua de los hoteles, de las oficinas, de los talleres y de los cines, no es una prueba que afine el alma, un necesario purgatorio. Es una condenación total, espejo de un mundo sin salida.

El doble significado de la soledad —ruptura con un mundo y tentativa por crear otro— se manifiesta en nuestra concepción de héroes, santos y redentores. El mito, la biografía, la historia y el poema registran un período de soledad y de retiro, situado casi siempre en la primera juventud, que precede a la vuelta al mundo y a la acción entre los hombres. Años de preparación y de estudio, pero sobre todo años de sacrificio y penitencia, de examen, de expiación y de purificación. La soledad es ruptura con un mundo caduco y preparación para el regreso y la lucha final. Arnold Toynbee[27] ilustra esta idea con numerosos ejemplos: el mito de la cueva de Platón,[28] las vidas de San Pablo,[29] Buda,[30] Mahoma,[31] Maquiavelo,[32] Dante.[33] Y todos, en nuestra propia vida y dentro

27. **Arnold Toynbee:** (b. 1889), English historian, author of the twelve-volume *A Study of History* (1934–61). His emphasis on the role of psychic forces in the evolution of history has been influential in contemporary thought in Mexico. 28. **el... Platón:** Book VII of Plato's *Republic* is an allegorical presentation of his theory of the relation of man to knowledge and reality, by means of the description of an imaginary cave and the people living in it. 29. **San Pablo:** Saint Paul, originally a Jew of Tarsus named Saul, after a vision was converted to Christianity and became a missionary, martyred in Rome c. 67 A.D. 30. **Buda:** Gautama Buddha (563?–483? B.C.), Indian philosopher of noble birth, wandered through northern India, and, after his historic Enlightenment, became a great religious teacher, founding the faith known as Buddhism 31. **Mahoma:** Mohammed (570–632), Arabian prophet and founder of the Mohammedan religion 32. **Maquiavelo:** Niccolò Machiavelli (1469–1527), Florentine statesman and political theorist, commonly associated with political expediency and amorality. 33. **Dante:** Dante Alighieri (1265–1321), Italian poet well-known for *La vita nuova*, and *The Divine Comedy*, a long poem recounting an imaginary journey through hell, purgatory, and paradise

de las limitaciones de nuestra pequeñez, también hemos vivido en soledad y apartamiento, para purificarnos y luego regresar entre los nuestros.

La dialéctica de la soledad —"the twofold motion of withdrawal-and-return", según Toynbee— se dibuja con claridad en la historia de todos los pueblos. Quizá las sociedades antiguas, más simples que las nuestras, ilustran mejor este doble movimiento.

No es difícil imaginar hasta qué punto la soledad constituye un estado peligroso y temible para el llamado, con tanta vanidad como inexactitud, hombre primitivo. Todo el complicado y rígido sistema de prohibiciones, reglas y ritos de la cultura arcaica, tiende a preservarlo de la soledad. El grupo es la única fuente de salud. El solitario es un enfermo, una rama muerta que hay que cortar y quemar, pues la sociedad misma peligra si alguno de sus componentes es presa del mal. La repetición de actitudes y fórmulas seculares no solamente asegura la permanencia del grupo en el tiempo, sino su unidad y cohesión. Los ritos y la presencia constante de los espíritus de los muertos entretejen un centro, un nudo de relaciones que limitan la acción individual y protegen al hombre de la soledad y al grupo de la dispersión.

Para el hombre primitivo salud y sociedad, dispersión y muerte, son términos equivalentes. Aquel que se aleja de la tierra natal "cesa de pertenecer al grupo. Muere y recibe los honores fúnebres acostumbrados".[34] El destierro perpetuo equivale a una sentencia de muerte. La identificación del grupo social con los espíritus de los antepasados y el de éstos con la tierra se expresa en este rito simbólico africano: "Cuando un nativo regresa de Kimberley[35] con la mujer que lo ha desposado, la pareja lleva consigo un poco de tierra de su lugar. Cada día la esposa debe comer un poco de ese polvo... para acostumbrarse a la nueva residencia. Ese poco de tierra hará posible la transición entre los dos domicilos." La solidaridad social posee entre ellos "un carácter orgánico y vital. El individuo es literalmente miembro de un cuerpo". Por tal motivo las conversiones individuales no son frecuentes. "Nadie se puede

---

34. "cesa... acostumbrados": Lucien Lévy-Bruhl, *La mentalité primitive*. París, 1922. (Original footnote supplied by Paz.)   35. **Kimberley:** a city and diamond-mining center in South Africa

salvar o condenar por su cuenta" y sin que su acto afecte a toda la colectividad.[36]

A pesar de todas estas precauciones el grupo no está a salvo de la dispersión. Todo puede disgregarlo: guerras, cismas religiosos, transformaciones de los sistemas de producción, conquistas... Apenas el grupo se divide, cada uno de los fragmentos se enfrenta a una nueva situación: la soledad, consecuencia de la ruptura con el centro de salud que era la vieja sociedad cerrada, ya no es una amenaza, ni un accidente, sino una condición, la condición fundamental, el fondo final de su existencia. El desamparo y abandono se manifiesta como conciencia del pecado —un pecado que no ha sido infracción a una regla, sino que forma parte de su naturaleza. Mejor dicho, que es ya su naturaleza. Soledad y pecado original se identifican. Y salud y comunión vuelven a ser términos sinónimos, sólo que situados en un pasado remoto. Constituyen la edad de oro, reino vivido antes de la historia y al que quizá se pueda acceder si rompemos la cárcel del tiempo. Nace así, con la conciencia del pecado, la necesidad de la redención. Y ésta engendra la del redentor.

Surgen una nueva mitología y una nueva religión. A diferencia de la antigua, la nueva sociedad es abierta y fluida, pues está constituida por desterrados. Ya el solo nacimiento[37] dentro del grupo no otorga al hombre su filiación. Es un don de lo alto[38] y debe merecerlo. La plegaria crece a expensas de la fórmula mágica y los ritos de iniciación acentúan su carácter purificador. Con la idea de redención surgen la especulación religiosa, la ascética, la teología y la mística. El sacrificio y la comunión dejan de ser un festín totémico,[39] si es que alguna vez lo fueron realmente, y se convierten en la vía de ingreso a la nueva sociedad. Un dios, casi siempre un dios

---

36. **colectividad:** *op. cit.* (Original footnote supplied by Paz. See footnote 34.) 37. **solo nacimiento:** mere fact of having been born 38. **don... alto:** gift from heaven 39. **festín totémico:** totemic ritual. Peoples of totemistic cultures believe themselves related by blood to their gods, generally represented by animals or plants, who protect them. Paz here maintains that the elements of more civilized religions (speculations, asceticism, mysticism, etc.) began with the idea of redemption or personal salvation, which was not characteristic of totemic ritual.

hijo, un descendiente de las antiguas divinidades creadoras, muere y resucita periódicamente. Es un dios de fertilidad, pero también de salvación y su sacrificio es prenda de que el grupo prefigura en la tierra la sociedad perfecta que nos espera al otro lado de la muerte. En la esperanza del más allá late la nostalgia de la antigua sociedad. El retorno a la edad de oro vive, implícito, en la promesa de salvación.

Seguramente es muy difícil que en la historia particular de una sociedad se den todos los rasgos sumariamente apuntados. No obstante, algunos se ajustan en casi todos sus detalles al esquema anterior. El nacimiento del orfismo,[40] por ejemplo. Como es sabido, el culto a Orfeo[41] surge después del desastre de la civilización aquea[42] —que provocó una general dispersión del mundo griego y una vasta reacomodación de pueblos y culturas—. La necesidad de rehacer los antiguos vínculos, sociales y sagrados, dio origen a cultos secretos, en los que participaban solamente "aquellos seres desarraigados, trasplantados, reaglutinados artificialmente y que soñaban con reconstruir una organización de la que no pudieran separarse. Su sólo nombre colectivo era el de huérfanos".[43] (Señalaré de paso que *orphanos* no solamente es huérfano, sino vacío. En efecto, soledad y orfandad son, en último término, experiencias del vacío.)

Las religiones de Orfeo y Dionisios, como más tarde las religiones

---

40. **orfismo:**   Orphism, an ancient Greek religion embracing secret rites in worship of Dionysus and holding that man's chief end is to rid himself of his inherently evil traits by a life of ritual and moral purity during the soul's incarnation in a series of bodies   41. **Orfeo:**   Orpheus, in Greek legend a poet and musician whose art charmed even the wild animals, trees, and rivers. After the death of his wife Eurydice the deities of Hades permitted him to lead her back to Earth on the condition that he not turn back to look at her, but Orpheus did look back and Eurydice vanished among the spirits of Hades.   42. **desastre... aquea:**   In the eighth century the name Achaeans became a general designation for all Greek-speaking peoples, although the details of their origin and language are uncertain. In the middle of the fourteenth century B.C. they emerged into history and by the Homeric age had become the most powerful people in Greece. By their "disaster" Paz is probably referring to the conquests by Philip II of Macedonia in 338 B.C. Homer makes reference to a number of the Achaeans' great heroes in the *Iliad* and the *Odyssey*.   43. **"aquellos... huerfanos":**   Amable Audin, *Les Fêtes Solaires.* París, 1945. (Original footnote supplied by Paz.)

proletarias del fin del mundo antiguo,[44] muestran con claridad el tránsito de una sociedad cerrada a otra abierta. La conciencia de la culpa, de la soledad y la expiación, juegan en ellas el mismo doble papel que en la vida individual.

El sentimiento de soledad, nostalgia de un cuerpo del que fuimos arrancados, es nostalgia de espacio. Según una concepción muy antigua y que se encuentra en casi todos los pueblos, ese espacio no es otro que el centro del mundo, el "ombligo" del universo. A veces el paraíso se identifica con ese sitio y ambos con el lugar de origen, mítico o real, del grupo.[45] Entre los aztecas,[46] los muertos regresaban a Mictlán,[47] lugar situado al norte, de donde habían emigrado. Casi todos los ritos de fundación, de ciudades o de mansiones, aluden a la búsqueda de ese centro sagrado del que fuimos expulsados. Los grandes santuarios —Roma, Jerusalén, la Meca— se encuentran en el centro del mundo o lo simbolizan y prefiguran. Las peregrinaciones a esos santuarios son repeticiones rituales de las que cada pueblo ha hecho en un pasado mítico, antes de establecerse en la tierra prometida. La costumbre de dar una vuelta a la casa o a la ciudad antes de atravesar sus puertas, tiene el mismo origen.

El mito del Laberinto[48] se inserta en este grupo de creencias.

44. **religiones... antiguo:** religions of European and Near Eastern peoples to the time of Christ   45. **grupo:** Sobre la noción de "espacio sagrado", vease Mircea Eliade, *Histoire des Religions*. París, 1949. (Original footnote supplied by Paz.)   46 **aztecas:** The Aztecs began to move into the Valley of Mexico about 1100 A.D. and dominated it and the rest of central Mexico until the 1519–21 Spanish conquest. They are known for their austere religion, communal farm system, and command of astronomy.   47. **Mictlán:** the Aztec underworld abode of the dead   48. **Laberinto:** In Greek mythology, the labyrinth was built by Daedalus in Crete to house the monstrous and carnivorous Minotaur. Daedalus and his son Icarus, later imprisoned in it, escaped when Daedalus made them wings of wax so they could fly away over the sea. The true hero of the myth, however, was Theseus, one of seven youths and seven maidens sent in tribute to the King of Crete to be imprisoned in the labyrinth and devoured by the Minotaur. Ariadne, Minos' daughter, having fallen in love with Theseus gave him her ball of magic thread which, unwinding, led him to the center of the labyrinth were he slew the Minotaur and, rewinding, led him out again.

Varias nociones afines han contribuido a hacer del Laberinto uno de los símbolos míticos más fecundos y significativos: la existencia, en el centro del recinto sagrado, de un talismán o de un objeto cualquiera, capaz de devolver la salud o la libertad al pueblo; la presencia de un héroe o de un santo, quien tras la penitencia y los ritos de expiación, que casi siempre entrañan un período de aislamiento, penetra en el laberinto o palacio encantado; el regreso, ya para fundar la Ciudad, ya para salvarla o redimirla. Si en el mito de Perseo[49] los elementos místicos apenas son visibles, en el del Santo Grial[50] el ascetismo y la mística se alían: el pecado, que produce la esterilidad en la tierra y en el cuerpo mismo de los súbditos del Rey Pescador;[51] los ritos de purificación; el combate espiritual; y, finalmente, la gracia, esto es, la comunión.

No sólo hemos sido expulsados del centro del mundo y estamos condenados a buscarlo por selvas y desiertos o por los vericuetos y subterráneos del Laberinto. Hubo un tiempo en el que el tiempo no era sucesión y tránsito,[52] sino manar continuo de un presente fijo, en el que estaban contenidos todos los tiempos, el pasado y el futuro. El hombre, desprendido de esa eternidad en la que todos los tiempos son uno, ha caído en el tiempo cronométrico y se ha convertido en prisionero del reloj, del calendario y de la sucesión.

49. **Perseo:** in Greek mythology, the heroic son of Zeus and Danaë, who slew the Gorgon Medusa. Later he used her head to turn Atlas into stone (now the Atlas Mountains in northern Africa) in repayment for his inhospitality. Before Perseus had been born, Acrisius, his grandfather, had been warned by an oracle that his grandson would kill him. For fear of the gods Acrisius was reluctant to kill Perseus and threw the child and Perseus' mother into the sea. They were rescued by a fisherman; Perseus grew into a brave young man, performing many heroic acts. Later, at a discus match, Perseus' discus accidentally killed Acrisius who was a spectator, thus fulfilling the oracle's prophecy.   50. **Santo Grial:** Holy Grail, in medieval legend the cup or dish from which Christ drank at the Last Supper and in which had been miraculously preserved the blood that flowed from Christ's wounds after the crucifixion. The quest for the grail was a popular theme in medieval literature, particularly in the legends of King Arthur.   51. **Rey Pescador:**   Fisher King, a central figure in the legends and literature on the search for the Holy Grail but whose origins and characteristics are uncertain because of the conflicting versions presented. For a discussion of the Fisher King see J. L. Weston, *From Ritual to Romance* (New York: Doubleday Anchor, 1957).   52. **Hubo... tránsito:**   There was a time (i.e., era, age) when time was not chronology and change

Pues apenas el tiempo se divide en ayer, hoy y mañana, en horas, minutos y segundos, el hombre cesa de ser uno con el tiempo, cesa de coincidir con el fluir de la realidad. Cuando digo "en este instante", ya pasó el instante. La medición espacial del tiempo separa al hombre de la realidad, que es un continuo presente, y hace fantasmas a todas las presencias en que la realidad se manifiesta, como enseña Bergson.[53]

Si se reflexiona sobre el carácter de estas dos opuestas nociones, se advierte que el tiempo cronométrico es una sucesión homogénea y vacía de toda particularidad. Igual a sí mismo siempre, desdeñoso del placer o del dolor, sólo transcurre. El tiempo mítico, al contrario, no es una sucesión homogénea de cantidades iguales, sino que se halla impregnado de todas las particularidades de nuestra vida: es largo como una eternidad o breve como un soplo, nefasto o propicio, fecundo o estéril. Esta noción admite la existencia de una pluralidad de tiempos. Tiempo y vida se funden y forman un solo bloque, una unidad imposible de escindir. Para los aztecas, el tiempo estaba ligado al espacio y cada día a uno de los puntos cardinales. Otro tanto puede decirse de cualquier calendario religioso. La Fiesta es algo más que una fecha o un aniversario. No celebra, sino *reproduce* un suceso: abre en dos al tiempo cronométrico para que, por espacio de unas breves horas inconmensurables, el presente eterno se reinstale. La fiesta vuelve creador al tiempo. La repetición se vuelve concepción. El tiempo engendra. La Edad de Oro regresa. Ahora y aquí, cada vez que el sacerdote oficia el Misterio de la Santa Misa, desciende efectivamente Cristo, se da a los hombres y salva al mundo. Los verdaderos creyentes son, como quería Kierkegaard,[54] "contemporáneos de Jesús". Y no solamente en la Fiesta religiosa o en el Mito irrumpe un Presente que disuelve la vana

---

53. **Bergson:** Henri Bergson (1859–1941), French philosopher, stressed the importance of intuition in the acquisition of knowledge. According to him, time should be measured by life experience rather than by the clock or the calendar. As an antipositivist Bergson became, for Mexican intellectuals of this century, one of the most influential thinkers.   54. **Kierkegaard:** Sören Kierkegaard (1813–55), Danish writer on philosophy, esthetics, and theology. A Christian existentialist, he maintained that the religious faith of modern man needs the sense of personal sacrifice and anguish that the first Christians experienced.

sucesión. También el amor y la poesía nos revelan, fugaz, este tiempo original. "Más tiempo no es más eternidad", dice Juan Ramón Jiménez,[55] refiriéndose a la eternidad del instante poético. Sin duda la concepción del tiempo como presente fijo y actualidad pura, es más antigua que la del tiempo cronométrico, que no es una aprehensión inmediata del fluir de la realidad, sino una racionalización del transcurrir.[56]

La dicotomía anterior se expresa en la oposición entre Historia y Mito, o Historia y Poesía. El tiempo del Mito, como el de la fiesta religiosa, o el de los cuentos infantiles, no tiene fechas: "Hubo una vez[57]...", "En la época en que los animales hablaban...", "En el principio..." Y ese Principio —que no es el año tal ni el día tal— contiene todos los principios y nos introduce en el tiempo vivo, en donde de veras todo principia todos los instantes. Por virtud del rito, que realiza y reproduce el relato mítico, de la poesía y del cuento de hadas, el hombre accede a un mundo en donde los contrarios se funden. "Todos los rituales tienen la propiedad de acaecer en el ahora, en este instante."[58] Cada poema que leemos es una recreación, quiero decir: una ceremonia ritual, una Fiesta.

El Teatro y la Epica son también Fiestas, ceremonias. En la representación teatral como en la recitación poética, el tiempo ordinario deja de fluir, cede el sitio al tiempo original. Gracias a la participación, ese tiempo mítico, original, padre de todos los tiempos que enmascaran a la realidad, coincide con nuestro tiempo interior, subjetivo. El hombre, prisionero de la sucesión, rompe su invisible cárcel de tiempo y accede al tiempo vivo: la subjetividad se identifica al fin con el tiempo exterior, porque éste ha dejado de ser medición espacial y se ha convertido en manantial, en presente puro, que

---

55. **Juan Ramón Jiménez:** (1881–1958), Spanish lyric poet and winner of the Nobel Prize for literature in 1956, author of *Diario de un poeta recién casado* (1917), *Españoles de tres mundos* (1942), *Canción* (1935), and the melancholy prose poems *Platero y yo* (recently translated into English). After 1936 Jiménez lived in exile from Spain.   56. **racionalización... transcurrir:** arbitrary (chronological) measurement of the passage of time. The concept expressed in the preceding phrase *aprehensión... realidad* is a personal, psychological interpretation probably derived from Bergson's *L'Evolution créatrice* (1906).   57. **Hubo... vez:** Once upon a time   58. "**Todos... instante**": Van der Leeuw: *L'homme primitif et la Religion.* París, 1940. (Original footnote supplied by Paz.)

se recrea sin cesar. Por obra del Mito y de la Fiesta —secular o religiosa— el hombre rompe su soledad y vuelve a ser uno con la creación. Y así, el Mito —disfrazado, oculto, escondido— reaparece en casi todos los actos de nuestra vida e interviene decisivamente en nuestra Historia: nos abre las puertas de la comunión.

El hombre contemporáneo ha racionalizado los Mitos, pero no ha podido destruirlos. Muchas de nuestras verdades científicas, como la mayor parte de nuestras concepciones morales, políticas y filosóficas, sólo son nuevas expresiones de tendencias que antes encarnaron en formas míticas. El lenguaje racional de nuestro tiempo encubre apenas a los antiguos Mitos. La Utopía, y especialmente las modernas utopías políticas, expresan con violencia concentrada, a pesar de los esquemas racionales que las enmascaran, esa tendencia que lleva a toda sociedad a imaginar una edad de oro de la que el grupo social fue arrancado y a la que volverán los hombres el Día de Días. Las fiestas modernas —reuniones políticas, desfiles, manifestaciones y demás actos rituales— prefiguran al advenimiento de ese día de Redención. Todos esperan que la sociedad vuelva a su libertad original y los hombres a su primitiva pureza. Entonces la Historia cesará. El tiempo (la duda, la elección forzada entre lo bueno y lo malo, entre lo injusto y lo justo, entre lo real y lo imaginario) dejará de triturarnos. Volverá el reino del presente fijo, de la comunión perpetua: la realidad arrojará sus máscaras y podremos al fin conocerla y conocer a nuestros semejantes.

Toda sociedad moribunda o en trance de esterilidad tiende a salvarse creando un mito de redención, que es también un mito de fertilidad, de creación. Soledad y pecado se resuelven en comunión y fertilidad. La sociedad que vivimos ahora también ha engendrado su mito. La esterilidad del mundo burgués desemboca en el suicidio o en una nueva Forma de participación creadora. Tal es, para decirlo con la frase de Ortega y Gasset,[59] el "tema de nuestro

<hr>

59. **Ortega y Gasset:**   José Ortega y Gasset (1883–1955), Spanish statesman, essayist, and philosopher, author of *La rebelión de las masas* (1930), *El tema de nuestro tiempo* (1923), *España invertebrada* (1922), and other works. His idea of human existence and character as contingent primarily on circumstances and his theory of "vital reason," or reason affected by the various psychological drives in man, have had generally wide acceptance in Mexico since the 1930s.

tiempo": la sustancia de nuestros sueños y el sentido de nuestros actos.

El hombre moderno tiene la pretensión de pensar despierto. Pero este despierto pensamiento nos ha llevado por los corredores de una sinuosa pesadilla, en donde los espejos de la razón multiplican las cámaras de tortura. Al salir, acaso, descubriremos que habíamos soñado con los ojos abiertos y que los sueños de la razón son atroces. Quizá, entonces, empezaremos a soñar otra vez con los ojos cerrados.

CUESTIONARIO

1. ¿Cuál es "el fondo último de la condición humana"?
2. ¿Cuál es el "doble significado" de sentirse solo?
3. ¿Con qué se identifica, en el lenguaje popular, a la soledad?
4. ¿Por qué dice Paz que el amor "no es un acto natural"?
5. ¿Con qué identifica la sociedad al amor?
6. ¿Quién es la caricatura y víctima del amor?
7. ¿En qué se distingue el lenguage del niño del lenguaje del adulto?
8. ¿Qué teoría del historiador Toynbee le interesa a Paz?
9. ¿A qué se refiere el nombre de Mictlán?
10. ¿En qué consiste, según Paz, el "tiempo mítico"?
11. ¿Qué importancia tienen para el hombre las fiestas?
12. Según Paz, la esterilidad del mundo burgués contemporáneo se manifiesta de dos maneras distintas. ¿Cuáles son?

PREGUNTA GENERAL

Tres de los temas principales de este ensayo son la mujer, la sociedad, y los mitos. ¿Cómo los relaciona Octavio Paz con su idea de la soledad?

2

TRADICIÓN Y REBELDÍA

CARLOS SOLÓRZANO

Guatemala and Mexico   b. 1922

THE DRAMA has always seemed to lend itself more readily to didactic purposes than have its related genres, narrative prose and lyric poetry. This tendency has been especially evident in the development of the theater in Hispanic America, where most serious plays have been directly concerned with the social, political, and religious problems of a particular time and area. For this reason, and also because they have traditionally attempted to capture everyday reality in their work, Hispanic-American dramatists have only recently reached a level of stylistic development comparable to that established several generations ago in narrative fiction, poetry, and the essay.

Since World War II plays (and performances) have increased both in quality and quantity. Many new noncommercial theater groups have been formed, and a new creative interest in contemporary European and North American drama has fortunately led to experimentation rather than to imitation. Playwrights born since 1915 have created a greater proportion of significant works than any preceding group. The dramas of even the relatively few acknowledged masters of earlier generations—among them the Uruguayan Florencio Sánchez (1875–1910), the Argentine Conrado Nalé Roxlo (b. 1898), and the Mexican Rodolfo Usigli (b. 1905)—show less concern for technique and employ narrower themes than do those of a majority of the younger writers.

Carlos Solórzano, one of the leading members of this younger group, was born in Guatemala in 1922 but moved to Mexico City when he was seventeen. He studied literature and drama both in Mexico and in France. At present he is a professor of literature at the National University of Mexico, in addition to his activities as playwright and critic.

In his *Teatro latinoamericano del siglo XX* (1961), Solórzano classifies contemporary Hispanic-American drama by four "attitudes": (1) local color or *costumbrismo*, (2) nationalism, (3) interest in universal problems of the individual spirit, and (4) the "postwar theater" concerned with the crises of the mid-century world. Solórzano's own plays are a good example of the shift of emphasis from *costumbrismo* and nationalism to universalism and the postwar theater. His dramatic world is never abstract, and universal themes are related to local and national circumstances with striking results. His friendship with Albert Camus[1] and Michel de Ghelderode[2] has been, he feels, literarily significant. He has written that "*De ellos aprendí, de uno, restituir al teatro su fondo trascendente y, de otro, la magia del arte popular, para integrar en el teatro un espectáculo que ofrece al público— además del fondo conceptual—un mundo plástico transfigurado.*"[3] Thus, *Las manos de Dios* is both familiar in its provincial setting and universal in its symbolic treatment of human justice and morality.

Las manos de Dios and *Doña Beatriz* (1952) are the author's two most important works to date. Both are *autos en tres actos* patterned after the one-act *autos sacramentales* of the Spanish Golden Age, dramatic representations of the mystery of the Eucharist traditionally staged on Corpus Christi Day. However, Solórzano's use of the *auto* is moralistic rather than theological. *Doña Beatriz* is an *auto histórico* set in sixteenth-century Guatemala. Its protagonists are the Spanish conquistador Pedro Alvarado, his ill-fated Spanish wife, Beatriz de la Cueva, and Leonor, his illegitimate mestizo daughter. Becoming increasingly fanatic in her religion as the play progresses, Doña Beatriz bitterly resents Pedro's weakness for native women and comes to despise everything in the New World. The play ends with her symbolic death during a flood (Doña Beatriz represents Europe

---

1. Albert Camus: (1913–60), French journalist, essayist, novelist, and dramatist, author of *L'Étranger*, (1942, English translation *The Stranger*, 1946). On the one hand he points out the dilemma of the idealist in an absurd world, on the other, the need for human solidarity in the face of all cruelty and injustice. The idealist is by necessity a "rebel," whose essence Camus describes in his essays *Le Mythe de Sisyphe* (1942) and *L'Homme révolté* (1952). 2. Michel de Ghelderode: (1898–1962), Belgian dramatist and satirist of lyrical style, author of *Christophe Colomb* (1927), *Hor signor* (1935), *Marie la misérable* (1952), and other plays. His favorite themes were death, the mortal sins, and religious conscience. 3. From a letter to the editor, dated June 1, 1964.

and its civilization) which Leonor (the New World) survives. Perhaps the most bizarre example of misguided religious fervor in the modern theater occurs in Solórzano's one-act drama, *El crucificado* (1958), in which a villager is to enact the role of Christ in an annual Passion Play. Having drunk too much before the play and taking his role too seriously he is actually crucified by the village.

In *Las manos de Dios* the Devil—introduced as a "stranger" and visible only to those who are unafraid to act according to the dictates of their conscience—is presented as man's last hope for personal freedom. The young heroine is tragically sacrificed, but the Devil vows to continue his struggle to redeem mankind from greedy self-interest (the Jailer) and hypocrisy (the Priest). Although his treatment is not theological Solórzano's principal characters are to some degree reminiscent of the allegorical types in the traditional *auto sacramental*. Further dramatic effect is gained by the use of elements of the classic Greek chorus and the modern ballet. Liberalism and heresy are extreme throughout, but rather than advocate a revolution of values the author seems to call for a clarification of the meaning of good and evil in the twentieth-century world.

Las manos de Dios

AUTO EN TRES ACTOS

Esta obra fue representada por primera vez en el TEATRO DEL SEGURO SOCIAL de la Ciudad de México el 24 de agosto de 1956, con la dirección escénica de Allan Lewis, coreografía de Elena Noriega, escenografía y vestuario de Miguel Covarrubias, con el siguiente

REPARTO

EL CAMPANERO DE LA IGLESIA (muchacho) *Alfonso Aranda*

EL SACRISTAN (viejo) *Francisco García Luna*

EL SEÑOR CURA (mediana edad, grueso, imponente) *Francisco Llopis*

EL FORASTERO[1] *Gustavo Rojo*

BEATRIZ (muchacha del pueblo) *Magda Guzmán*

EL CARCELERO (viejo) *Alonso Castaño*

UNA PROSTITUTA *Norma Acosta*

IMAGEN DE LA MADRE *Mariá Rubio*

IMAGEN DE BEATRIZ (con vestido idéntico al de Beatriz y máscara de dicho personaje) *Margarita Calderón*

IMAGEN DEL HERMANO NIÑO *Juan Javier Luna*

IMAGEN DEL HERMANO *Héctor García*

CORO DE HOMBRES (vestidos uniformemente, las caras como máscaras) *Alumnos de la Academia de la Danza Mexicana*

CORO DE MUJERES (igual que el coro de hombres) *Alumnas de la Academia de la Danza Mexicana*

SOLDADOS

PRISIONEROS

La acción en una pequeña población de Iberoamérica. Hoy.

---

1. **Forastero:** outsider, or stranger

92

DECORADO

(Es el mismo para los tres actos.)

LA PLAZA *de un pueblo: A la izquierda y al fondo una iglesia; fachada barroca,*[2] *piedras talladas, ángeles, flores, etc. Escalinata al frente de la iglesia. En medio de las chozas que la rodean, ésta debe tener un aspecto fabuloso, como de palacio de leyenda. A la derecha y en primer término, un edificio sucio y pequeño con un letrero torcido que dice: "Cárcel de Hombres". A la izquierda, en primer término, un pozo.*

El resto; árboles secos y montes amarillos y muertos.

Es de tarde.[3] *La campana de la iglesia repica lánguidamente. Al alzarse el telón la escena permanece vacía unos segundos. Luego la atraviesan en todos sentidos*[4] HOMBRES *y* MUJERES *vestidos a la usanza mexicana en una pantomima angustiosa, mientras suena una música triste. Todos doblegados por una carga; los* HOMBRES *con cargamento de cañas secas y las* MUJERES *llevando a la espalda a sus hijos. Van al pozo, sacan agua.*

Se oyen fuera de la escena varios gritos que se van acercando: ¡Señor Cura![5] *¡Señor Cura! El* CAMPANERO *entra jadeante en escena gritando. De la iglesia sale el* SACRISTÁN, *que viene a recibirlo. Los* HOMBRES *y* MUJERES *del pueblo, que forman el* CORO, *silenciosos, se agrupan en torno de estos dos en una pantomima de alarma. (Durante las dos primeras escenas, el* CORO *comentará las situaciones sólo con movimientos rítmicos, uniformes, sin pronunciar una sola palabra.)*

---

2. **fachada barroca:** Churches and cathedrals built in the seventeenth and early eighteenth centuries in Mexico, Central America, and northern South America usually had baroque façades. 3. **de tarde:** in the afternoon 4. **en... sentidos:** in all directions 5. **¡Señor Cura:** Father! (The bellringer is shouting to the priest of the Roman Catholic Church.)

93

Primer acto

CAMPANERO (*sin resuello*)   ¡Señor Cura! ¡Señor Cura!

SACRISTÁN   ¿Qué pasa? ¿A dónde fuiste? Tuve que tocar las campanas en lugar tuyo.

CAMPANERO   Quiero ver al Señor Cura.

SACRISTÁN   Ha salido, fue a ayudar a morir[1] a una mujer. Vendrá pronto. ¿Qué pasa?

CAMPANERO (*balbuciendo*)   Allá... en el monte...

SACRISTÁN   ¿En el monte? ¿Algo grave?

CAMPANERO   Ahí lo vi... lo vi...

SACRISTÁN   Cálmate por Dios. ¿Qué es lo que viste?

CAMPANERO (*con esfuerzo*)   Un hombre... He visto a un hombre vestido de negro...

SACRISTÁN (*suspirando aliviado*)   ¿Es eso todo? ¿Para decir que has visto a un hombre vestido de negro llegas corriendo como si hubiese sucedido una desgracia?

CAMPANERO   Usted no comprende. Ese hombre vestido de negro, apareció de pronto.

(*Estupor en el* CORO. *El* SACRISTÁN *les hace gestos para que se aquieten.*)

SACRISTÁN   ¿Qué dices?

CAMPANERO   Sí, apareció de pronto y me habló.

SACRISTÁN   Explícate claramente. ¡Lo has soñado!

CAMPANERO   No. Yo estaba sentado sobre un tronco; veía ocultarse el sol detrás de esos montes amarillos y secos, pensaba que este año no tendremos cosechas, que sufriremos hambre, y de pronto, sin que yo lo advirtiera,[2] él estaba ahí, de pie, junto a mí.

SACRISTÁN   No comprendo. (*Incrédulo*) Y ¿cómo era ese hombre?

CAMPANERO   Era joven. Tenía una cara hermosa.

---

1. **ayudar a morir:** administer the last sacraments 2. **sin... advirtiera:** without my noticing him

SACRISTÁN Sería algún forastero.

CAMPANERO Parecía muy bien informado de lo que pasa en este pueblo.

SACRISTÁN ¿Te dijo algo?

CAMPANERO Tú eres campanero de la iglesia me dijo, y luego, señalando a los montes: Este año va a haber hambre. ¿No crees que causa angustia ver un pueblo tan pobre y tan resignado?

(*Movimiento de extrañeza*³ *en los del* CORO.)

SACRISTÁN (*con admiración*) ¿Eso dijo?

CAMPANERO Sí, pero yo le respondí: el señor Cura nos ha ordenado rezar mucho, tal vez así el viento del Norte no soplará más, no habrá más heladas y podremos lograr nuestras cosechas. Pero él lanzó una carcajada que hizo retumbar al mismo cielo.

(*El* CORO *ve al vacío*⁴ *como si quisiera ver allí algo.*)

SACRISTÁN ¡Qué insolencia! ¿No te dijo quién era, qué quería?

CAMPANERO Sólo me dijo que es el mismo Dios quien nos envía esas heladas, porque quiere que los habitantes de este pueblo se mueran de hambre.

(*El* PUEBLO *está expectante en actitud de miedo.*)

SACRISTÁN No hay que hacerle caso, lo que dijo no tiene importancia, pero tú no debiste permanecer callado.⁵

CAMPANERO No, si yo le dije que Dios no permitiría que nos muriéramos de hambre, pero él me contestó; ya lo ha permitido tantas veces... Y luego, lo que más miedo me dio ¡Ay Dios Santo!...

SACRISTÁN ¿Qué? habla pronto.

CAMPANERO Lo que más miedo me dio, fue que adivinó lo que yo estaba pensando, porque me dijo: Tú estás pensando que no es justo que estos pobres pasen hambre, cuando el Amo de este pueblo les ha arrebatado sus tierras, les hace trabajar para él y...

(*Los del* PUEBLO *se ven sin comprender, apretándose unos contra otros.*⁶)

SACRISTÁN ¡Cállate! ¡Cállate!

CAMPANERO Quiero ver al Señor Cura.

SACRISTÁN (*al pueblo*) No hay que hacer caso de lo que dice este

---

3. **Movimiento de extrañeza:** expression of perplexity 4. **al vacío:** up at the sky 5. **no debiste... callado:** you shouldn't have kept quiet, i.e., let what the other said go unchallenged 6. **apretándose... otros:** huddling together

muchacho. Siempre imagina cosas extrañas. (*Al* CAMPANERO) ¿No habías bebido nada?

CAMPANERO   No, le juro que no.

SACRISTÁN   Di la verdad.

CAMPANERO   No. De veras. No.

SACRISTÁN (*con autoridad*)   Tú estabas borracho. Confiésalo.

CAMPANERO (*vacilante*)   No sé, tal vez...

SACRISTÁN   Estabas borracho. Deberías arrepentirte y...

CAMPANERO   ¿Pero cómo iba a estar borracho si no había bebido nada?

SACRISTÁN   Te digo que estabas borracho.

CAMPANERO   Está bien. Si usted lo dice así debe ser.[7] Tal vez así es mejor. Porque lo más terrible es que ese hombre desapareció del mismo modo que había aparecido. Si yo estaba borracho nada tiene importancia.

SACRISTÁN   Aquí viene el Señor Cura.

(*Entre el* CURA. *El* PUEBLO *se arrodilla, el* CURA *hace señal para que se levanten.*)

ESCENA SEGUNDA

Mismos y el CURA.

CURA   ¿Qué pasa hijos míos? (*El* CAMPANERO *se acerca a él suplicante.*) ¿Es algo grave?

SACRISTÁN   No señor Cura. Este muchacho ha bebido unas copas y...

CAMPANERO (*Se arroja a los pies del* CURA)   ¡No es verdad! ¡No es verdad! Yo no estaba borracho. Usted debe creerme.

CURA   Levántate hijo.

CAMPANERO   Usted debe creerme que ahí en el monte se me apareció un hombre vestido de negro, me dijo que es Dios quien nos envía la miseria y la muerte, y lo peor es que apareció en el momento en que yo pensaba esas mismas palabras y su voz sonaba

7. Si... ser: If you say so, that's the way it must have been.

dentro de mí como si fuera mi misma voz dicha por mil gargantas invisibles. Me arrepiento de haber pensado eso. Usted me perdonará. ¿Verdad?

CURA   Te perdono si te arrepientes. Lo principal es el arrepentimiento.

CAMPANERO   Sí, estoy arrepentido porque todo sucedió como si una fuerza extraña a mí se me impusiera. Traté de rezar pero él se rió y su risa me heló la sangre dentro del cuerpo.

CURA   (con asombro)   ¿Se rió porque rezabas?

CAMPANERO   Sí y me dijo además... pero no sé si deba decirlo aquí.

CURA   Habla.

CAMPANERO   Me dijo: No reces, ni vayas a la iglesia. Son formas de aniquilarte, de dejar de confiar en ti mismo.

(Movimiento de asombro en los del CORO.)

SACRISTÁN   Padre, no lo deje seguir hablando aquí.

CURA   Déjalo hijo mío, porque todos ellos tienen derecho de saber lo que estoy pensando.

SACRISTÁN   ¿Qué piensa usted padre?

CURA   Espera. (Al CAMPANERO) ¿Qué más dijo?

CAMPANERO   Ay padre, no puedo seguir...

CURA   Te ordeno que hables.

CAMPANERO   Pues bien, dijo: Yo soy el Jefe de los rebeldes de todo el mundo, he enseñado a los hombres a... no recuerdo bien sus palabras... sí, dijo, he enseñado a los hombres a confiar en sí mismos sin temer a Dios. Por eso muchas veces han dicho que yo soy el espíritu del mal cuando lo único que he querido ser es... ¿Cómo decía? ...¿Cómo dijo? ...Sí, lo único que he querido ser es el espíritu del progreso.

CURA   ¿Eso dijo? (Reflexiona.) ¿Notaste algo raro en él, en sus ojos?

CAMPANERO   Eran brillantes y profundos.

CURA   ¿Su cuerpo no tenía nada de particular? ¿Algún apéndice? ¿Sus manos?

CAMPANERO   Sus manos eran grandes y fuertes.

CURA   ¿No olía acaso de una manera muy peculiar?

CAMPANERO   No sé. Puso su mano aquí, sobre mi hombro. Huela, huela usted Padre. (Se acerca al CURA.)

CURA (*Acerca su cara al hombro del* CAMPANERO *y retrocede con un gesto violento*)   ¡Azufre! Vade retro Satanás.[8]

CAMPANERO   ¿Qué dice usted Padre?

CURA (*con un gesto imponente*)   ¿No comprendes quién era? Te dijo que no reces, que no vengas a la iglesia, habló en contra de Dios, se declaró el Jefe de los hombres rebeldes y huele a azufre. Es muy claro.

CAMPANERO (*atónito*)   ¿Qué? Mis vestidos siempre huelen un poco a azufre.

(*El* PUEBLO *muévese[9] con espanto, con estupor, con angustia.*)

CURA (*teatral*)   Era el Demonio, hijos míos. El mismo Demonio.

(*Los del* CORO *se apartan violentamente.*)

CAMPANERO   Pero él dijo que no era el espíritu del mal sino del progreso...

CURA   Es lo mismo hijo, es lo mismo. Nosotros los servidores del Señor,[10] sabemos distinguir al Enemigo.[11] Fue por haber oído su voz que los hombres se sintieron capaces de conocerlo todo y fue por eso también que Dios nos castigó haciéndonos mortales y al mismo tiempo temerosos de la muerte.

(*El* CORO *cae de rodillas, las cabezas en el suelo.*)

CURA   Sólo quiero decirles una cosa: éste es un mal presagio. Todos ustedes deben venir con más frecuencia a la iglesia. Para ahuyentar al Enemigo, entremos a rezar ahora mismo, a nuestra venerada imagen del Padre Eterno que está aquí dentro, y que es orgullo de nuestro pueblo por las famosas joyas que ostenta en sus manos y que han sido compradas con las humildes limosnas de ustedes, de sus padres, de sus abuelos...

SACRISTÁN (*Repite, como en feria*)   A rezar a la imagen del Padre Eterno que es orgullo de nuestro pueblo.

(*Suenan unos acordes de musica religiosa. Los* HOMBRES *y* MUJERES *del pueblo se ponen de pie y comienzan a entrar silenciosos en la iglesia en una marcha resignada, con las cabezas bajas.*)

CURA (*al* CAMPANERO)   Tú hijo mío, a rezar. A redimir tu cuerpo y tu alma de ese sucio contacto.[12]

(*El* CAMPANERO *besa la mano del* CURA *y entra en la iglesia. Quedan solos el* SACRISTÁN *y el* CURA.)

---

8. **Vade... Satanás:**   Satan, get thee hence.   9. **muévese:**   *se mueve*   10. **del Señor:**   of the Lord   11. **al Enemigo:**   the Devil   12. **ese... contacto:**   i.e., with the Devil

SACRISTÁN (*vacilante*) Padre, ¿cree usted que ha sido realmente el Demonio? Me parece increíble en este siglo. Me pregunto si...

CURA (*solemne*) A nosotros no nos cumple preguntar hijo mío, sólo obedecer. Las preguntas en nuestra profesión se llaman herejías. Vamos a rezar.

(*Entran los dos en la iglesia.*)

ESCENA TERCERA

Algunos HOMBRES *y* MUJERES *atraviesan la escena con las mismas cargas de la primera. Se oye de pronto un tema musical que encierra cierto misterio. Por el fondo aparece el* FORASTERO. *Es joven y atlético. Sus facciones hermosas, revelan decisión, capacidad de mando. Su cuerpo es elástico. Viste una malla alta y pantalones negros. Lleva una gorra, también negra, en la cabeza. Se adelanta y saluda con una pirueta un poco bufonesca a los transeuntes de la plaza.*

FORASTERO Buenas tardes. (*No recibe respuesta, el aludido pasa de largo sin verlo. Se dirige a otro.*) Buenas tardes. (*Tampoco recibe contestación, ni siquiera un gesto. Habla a otro.*) Perdone. ¿Qué idioma hablan los habitantes de este pueblo? (*No recibe respuesta. Toma del brazo a un* HOMBRE *con energía.*) Buenas tardes he dicho. (*El* HOMBRE *lo ve con la mirada vacía y sigue su camino indiferente. El* FORASTERO *se acerca a la iglesia con curiosidad, intenta entrar, retrocede, vacila, se quita la gorra, se limpia el sudor de la frente.*) ¡Vaya! ¡Vaya! Los habitantes de este pueblo se han quedado mudos. (*Camina reconociendo el lugar, echa una última mirada a la iglesia, y ríe. Sale pausadamente.*)

ESCENA CUARTA

Entra el CARCELERO *seguido de* BEATRIZ. *El* CARCELERO *es un hombre débil pero de aspecto brutal. Su traje recuerda al traje militar. Lleva a la cintura una gran pistola que palpa constantemente para sentirse seguro.* BEATRIZ *es una muchacha de veinte años, bonita, vestida a la usanza mexicana, con extrema pobreza.*

BEATRIZ (*corriendo tras el* CARCELERO)   Espera, espera. Me he pasado los días enteros esperándote para poder hablarte.

CARCELERO   No debo hablar contigo, te lo he dicho varias veces.

BEATRIZ   Nadie puedo oírnos. Mira, la plaza está desierta.

CARCELERO   No debo hablar con la hermana de un hombre que está en la cárcel.

BEATRIZ   Espera. Me dijiste que mi hermano saldría libre ayer.

CARCELERO   Las órdenes cambiaron.

BEATRIZ   ¿Por qué?

CARCELERO   El Amo[13] lo dispuso así.

BEATRIZ   Llevo un año esperando. Pasa el tiempo y me dices que mi hermano saldrá libre. Me hago la ilusión de que será así y luego me dices que han cambiado las órdenes. Creo que voy a volverme loca. Ayer le esperé. En la lumbre de nuestra casa le esperaba la cena que a él le gusta tanto y...

CARCELERO (*impaciente*)   Lo siento.

BEATRIZ   ¿Por qué no lo dejan en libertad? Tú sabes que su falta[14] no fue grave. Todo su delito consistió en decir que las tierras que eran nuestras, son ahora otra vez del Amo. ¿No es la verdad?

CARCELERO   No estoy aquí para decir la verdad sino para cumplir las órdenes del Amo.

BEATRIZ   Pero tú sabes que lo hizo porque es muy joven. No tiene más que dieciocho años. ¿No comprendes? Cuando murió mi padre pensamos que el pedazo de tierra que era suyo sería nuestro también, pero resultó que mi padre, como todos, le debía[15] al Amo y la tierra es ahora de él. Mi hermano quiso hablarle pero él ni siquiera le oyó. Después bebió unas copas y gritó aquí en la plaza lo que pensaba. No creo, sin embargo, que esa sea una razón para estar más de un año en la cárcel.

CARCELERO   Todo fue culpa de tu hermano. Como si no supiera que aquí todo le pertenece al Amo: Las tierras son de él, los hombres trabajan para él al precio que él quiere pagarles, el alcohol con que se emborrachan está hecho también en su fábrica, la iglesia que aquí ves pudo terminarse de construir porque el Amo dio el dinero. No se mueve la hoja de un árbol sin que él lo sepa. ¿Cómo se atreve tu hermano a gritar contra un Señor tan poderoso?

13. **Amo:**   Boss, i.e., owner or master   14. **falta:**   misdemeanor   15. **le debía:** was indebted

BEATRIZ Mi hermano no creyó que podría ir a la cárcel por hablar lo que pensaba.

CARCELERO Muchos han ido a la cárcel porque se atrevieron sólo a pensar mal del Amo.

BEATRIZ Y ustedes, ¿cómo lo sabían?

CARCELERO (*viéndola fijo*) Se les conocía en la mirada. Una mirada como la que tú tienes ahora.

(*Inicia el mutis.*[16] *Entra el* FORASTERO *despreocupado.*)

BEATRIZ Espera. Tú, como carcelero, podrás al menos decirme cuándo podré verlo.

CARCELERO Tengo órdenes terminantes. El Amo no quiere que tu hermano hable con nadie en este pueblo y menos que vaya a meterles ideas raras en la cabeza. Por eso está incomunicado.

(*El* FORASTERO *advierte la escena que se desarrolla frente a él y observa atento.*)

BEATRIZ (*violenta*) ¿Tiene miedo el Amo de que algún día esos pobres hombres que él ha vuelto mudos le griten a la cara lo mismo que mi hermano le dijo?

CARCELERO (*viendo en torno suyo con temor*) Cállate.

BEATRIZ Perdona. No sé lo que digo. Estoy desesperada. Ayúdame.

CARCELERO (*Tiene un movimiento de compasión, luego se reprime y adopta un aire rígido*) En mi oficio no hay lugar para la compasión.

BEATRIZ Dime al menos qué hace ahí dentro. ¿Se acuerda de mí? ¿Canta? (*con añoranza*) Le gustaba tanto cantar...

CARCELERO Haces mal en hablarme así. No me gusta enternecerme. Ahí dentro se olvida uno de que los hombres sufren y todo es más fácil así.

BEATRIZ ¿Cuánto tiempo estará preso mi hermano?

CARCELERO Eso no puedo decírtelo.

BEATRIZ ¿Por qué?

CARCELERO Nunca se sabe.

BEATRIZ ¿Quieres decir que puede pasar otro año y otro más? No es posible. Yo debo hacer algo: Veré de nuevo al Juez y le diré...

CARCELERO Inútil. El Juez es sobrino del Amo.

BEATRIZ ¿Y el Alcalde?

---

16. **Inicia el mutis:** He begins to make his exit.

CARCELERO   Es hermano suyo.

BEATRIZ (*sombría*)   ¿Nadie puede nada entonces contra él?

CARCELERO   No. Y cuando se le sirve bien es un buen Amo. (*Con amargura*) Bueno, al menos me da de comer y una cama para dormir.

BEATRIZ (*suplicante*)   Tú debes ayudarme. (*Tierna*) Cuídalo.[17] En estas noches en que sopla el viento debe sentir mucho frío. Cuando cayeron las heladas no pude dormir pensando que se despertaría gritando como un niño. Una de sus pesadillas era soñar que estaba preso. Siempre la misma pesadilla. Hasta llegó a contagiármela[18]... Pero ahora está preso de verdad. ¿Qué puedo hacer?

CARCELERO (*con intención*)   Quizá podrías...

BEATRIZ   Dímelo. Haré lo que sea.

CARCELERO   Podrías ir a ver al Amo.

BEATRIZ   ¿Crees que me recibiría?

CARCELERO   A él le gustan las muchachas bonitas. Aunque tiene muchas, podrías hacer la prueba. Tienes un cuerpo duro ¿eh? (*La toca.*) ¿Estás virgen todavía? (*Trata de abrazarla.*)

BEATRIZ (*Lo rechaza violentamente*)   Déjame, cochino. Tú y tu Amo pueden irse al demonio. ¡Al demonio! ¡Al demonio!

ESCENA QUINTA

BEATRIZ *llora. El* CARCELERO *se encoje de hombros y entra en el edificio de la cárcel. El* FORASTERO *desciende de la escalera del templo desde donde ha observado la escena, y se acerca muy cortés a* BEATRIZ.

FORASTERO   Me pareció que llamabas. ¿Necesitas ayuda?

BEATRIZ (*con lágrimas*)   Quiero estar sola.

FORASTERO   No es culpa del carcelero. Él es sólo una pieza de la maquinaria.

BEATRIZ (*sin ver al* FORASTERO)   ¡La maquinaria! ¿De qué habla usted?

FORASTERO (*misterioso*)   Lo sé todo, Beatriz.

---

17. **Cuídalo:** Comfort him.   18. **Hasta... contagiármela:** Even I began having it, i.e., the nightmare.

BEATRIZ (*Al oír su nombre vuelve a verlo extrañada*) ¿Por qué sabe mi nombre? Ha estado espiando. ¿Quién es usted?

FORASTERO Un extranjero, como tú.

BEATRIZ Yo nací en esta tierra.

FORASTERO Pero nadie se preocupa por ti. Nadie te habla. Nada te pertenece. Eres extranjera en tu propia tierra.

BEATRIZ (*con amargura*) Es verdad. ¿Y usted cómo se llama?

FORASTERO ¿Yo? (*Muy natural*) Soy el diablo.

BEATRIZ (*con una risita*) ¿El diablo?

DIABLO Sí, ¿no me crees?

BEATRIZ Pues... No sé... la verdad... No. Usted tiene ojos bondadosos. Todo el mundo sabe que el diablo echa fuego por los ojos y que...

DIABLO (*sonriente*) No es verdad.

BEATRIZ ...y que lleva una cola inmensa que se le enreda entre las piernas al andar y que tiene dos grandes cuernos que apuntan contra el cielo... y que se acerca a las muchachas de mi edad para...

DIABLO (*con aire mundano*) ¿Para violarlas?

BEATRIZ (*avergonzada*) Sí, eso es lo que se dice.

DIABLO Pues todo eso no es verdad. ¡Es una calumnia!

BEATRIZ (*con simpatía*) Bueno. Todo eso sería grave si usted fuera realmente el Demonio... pero con ese aspecto tan cuidado como de persona bien educada, no va a pretender asustarme.[19]

DIABLO (*con un suspiro*) No me crees. Me lo esperaba. Pero tal vez así sea mejor. Seremos amigos más pronto.

BEATRIZ (*Lo ve extrañada*) No comprendo.

DIABLO Debo advertirte que tengo dos clases de nombres. Unos han sido inventados para asustar a los hombres y hacerlos creer que no deben seguir mi ejemplo: (*teatral*) Mefistófeles,[20] Luzbel,[21] Satanás.[22] (*Otra vez natural*) Como si yo fuera el mal absoluto. El

---

19. **no... asustarme:** you certainly can't expect to frighten me   20. **Mefistófeles:** Mephistopheles, one of the seven chief devils in medieval demonology, and a personification of the Devil in the German Faust legend   21. **Luzbel:** Lucifer. According to a Semitic myth, the morning star (the planet Venus) fell from heaven, leading to Lucifer's identification with Satan. The fate of Babylon is compared in Isaiah 14:12.   22. **Satanás:** Satan, the great adversary of man in Christian theology, the Devil, or Prince of Darkness, once an archangel but cast out of heaven with his followers for disobedience and pride.

mal existe, por supuesto, pero yo no soy su representante. Yo sólo soy un rebelde, y la rebeldía para mí, es el mayor bien. Quise enseñar a los hombres el por qué y el para qué de todo lo que les rodea; de lo que acontece, de lo que es y no es... Debo decirte que yo prefiero otros nombres, esos que aunque nadie me adjudica son los que realmente me pertenecen: Para los griegos fui Prometeo,[23] Galileo[24] en el Renacimiento, aquí en tierras de América... pero bueno, he tenido tantos nombres más. (*Con un dejo de amargura*) Los nombres cambiaron pero yo fui siempre el mismo: calumniado, temido, despreciado y lo único que he querido siempre, a través de los tiempos, es acercarme al Hombre, ayudarle a vencer el miedo a la vida y a la muerte, la angustia del ser y del no ser. (*Torturado*) Quise hallar para la vida otra respuesta que no se estrellara siempre con las puertas cerradas de la muerte, de la nada.

BEATRIZ (*ingenua*)   ¿Pero, de qué está hablando?

DIABLO (*Se vuelve a ella*)   Perdona. (*Al ver que* BEATRIZ *lo ve con estupor*) Mi principal defecto es que me gusta oírme demasiado. (*Saca de la bolsa un pañuelo que ofrece a* BEATRIZ. *Le habla con simpatía.*) Límpiate las lágrimas. (BEATRIZ *lo hace. El* DIABLO *ve en derredor suyo.*) Los habitantes de este pueblo son mudos ¿verdad?

BEATRIZ   Hablan poco. Creo que sólo lo hacen cuando están en sus casas con las puertas cerradas. Nunca les oí hablar.

DIABLO   ¡Qué lástima! Tienen miedo.

BEATRIZ   Sí, pero es mejor tener miedo. Es más seguro. Mi hermano no lo tuvo y por eso está preso. (*Sigilosa*) ¿Usted no tiene miedo del Amo?

DIABLO   No, porque el Amo no existiría si los hombres no lo dejaran existir.

---

23. **Prometeo:**   Prometheus, one of the Titans, or primeval deities. Dramatized by Aeschylus (*Prometheus Bound*) and Shelley (*Prometheus Unbound*), Prometheus, sometimes credited as the creator of man, stole fire from heaven and gave it to man. Zeus punished him by having him chained to a rock in the Caucasus where a vulture day by day consumed his liver which was made whole again at night. In one sense Prometheus was a precursor of Satan, who was banished from heaven for his disobedience and pride.   24. **Galileo:**   Galileo Galilei (1564–1642), Italian astronomer, one of the founders of modern experimental physics. The Roman Inquisition forced him to disavow his belief that the earth revolves about the sun.

BEATRIZ   No comprendo.

DIABLO   ¿No crees que esos pobres no hablan porque nunca les han preguntado nada, ni lo que piensan ni lo que quieren?

BEATRIZ   No sé, puede ser. ¿Cree usted?

DIABLO   (*mundano*)   Puedes tratarme de tú.[25] (*Pausa.*) Creo que no has empleado con el carcelero el método adecuado para obtener la libertad del Hombre. El ruego nunca ha sido eficaz. Veamos. (*Medita.*) A un servidor del Amo ¿qué podría interesarle? (*Pausa.*) Creo que no hay más que una cosa, una sola para él: el dinero.

BEATRIZ   (*con asombro*)   ¿El dinero?

DIABLO   Sí, claro está que estos pobres hombres mudos deberían libertarlo, pero no se atreverán. En otros tiempos quizás te habría aconsejado un método distinto, pero ahora, es el único recurso.

BEATRIZ   Quizás. Pero, ¿cómo voy a ofrecerle dinero si no lo tengo? Los pocos ahorros que teníamos los he gastado esperando que mi hermano quedara en libertad. No he podido ni siquiera trabajar. La vida entera se me va en esta angustia, en esta espera.

DIABLO   (*misterioso*)   Si quisieras podrías arreglarlo todo.

BEATRIZ   ¿Cómo? No tengo nada. Este pueblo está arruinado. Las cosechas de este año se han perdido. Mira el cielo, está gris desde que el viento del Norte trajo las heladas. (*Con amargura*) Y él[26] ahí dentro sintiendo hambre y frío...

DIABLO   (*encendiendo un cigarrillo*)   Dios tiene a veces designios que no se comprenden fácilmente.

BEATRIZ   ¿Qué quieres decir? ¿No crees en Dios?

DIABLO   (*con un suspiro*)   He tenido que soportarlo como tú. Pero ahora hay que pensar cómo haremos para que el Hombre sea libre.

BEATRIZ   ¿Por qué le llamas el Hombre? Es mi hermano y no tiene más que dieciocho años. Es casi un niño.

DIABLO   Todos los hombres son casi niños. ¿Cómo haremos para que sea libre?

BEATRIZ   ¿Libre? Sólo si el Amo se muriera...

DIABLO   Eso no serviría de nada. Tendrá hijos y hermanos... Una larga cadena. (*de pronto, entusiasmado*) Pero si tú quieres realmente que él sea libre...

---

25. **tratarme de tú:**   use the familiar, second person singular form of address
26. **él:**   i.e., Beatriz's brother

BEATRIZ ¡Si bastara con desearlo!

DIABLO Basta con eso. ¿No sabes que los hombres nacen libres? Son los otros[27] los que después los van haciendo prisioneros.

BEATRIZ Si puedes aconsejarme alguna manera para ayudar a mi hermano... trabajaría para ti, te juro que te lo pagaría...

DIABLO (*Después de reflexionar habla muy seguro de sí mismo*) Voy a ayudarte, pues él está preso por la misma razón que yo fui desterrado de mi tierra natal.[28] Tu hermano se rebeló contra este Amo que lo tiraniza, así como yo me rebelé contra esa voluntad todopoderosa que me desterró del Paraíso donde nací, por enseñarles a los hombres los frutos del bien y del mal. Pero mira, ahí viene otra vez el carcelero. Luego te explicaré, ahora háblale y ofrécele dinero. Es la única manera.

BEATRIZ Pero ¿de dónde voy a sacarlo?

DIABLO Háblale. Veremos si acepta. Haz un trato con él y yo luego haré otro trato contigo.

(BEATRIZ *duda, pero un gesto firme del* DIABLO *la impulsa a hablar. Éste vuelve a las gradas del templo. El* CARCELERO *sale del edificio de la cárcel detrás de dos* SOLDADOS *que llevan a dos* PRISIONEROS, *con una marcha mecánica de pantomima siguiendo el toque insistente de un tambor.* BEATRIZ *se acerca. El* CARCELERO *finge no verla.* BEATRIZ *tira repetidas veces de su uniforme.*)

CARCELERO Te he dicho que no debo hablarte.

BEATRIZ Voy a hacerte una proposición. Algo que te conviene.

CARCELERO (*a los* SOLDADOS) Alto ahí. Y vigilen a esos presos. No vayan a escaparse.

(*Los* PRESOS *doblegados y famélicos marcan el paso como autómatas. La vigilancia de los* SOLDADOS *resulta excesiva.*)

CARCELERO ¿Qué quieres?

BEATRIZ He pensado que tal vez tú quisieras dejar en libertad a mi hermano, si te diera algo de dinero.

CARCELERO (*carraspeando grita a los* SOLDADOS) ¡Soldados!, lleven a esos prisioneros a picar la piedra del camino de la casa del Amo. Debe quedar arreglado hoy mismo. ¿No oyen?

(*Los* SOLDADOS *tiran violentamente de los* PRISIONEROS. *Uno de ellos*

---

27. **los otros:** *otros hombres* 28. **tierra natal:** *el cielo*

cae del tirón, al otro se le incrusta la cuerda en el cuello ocasionándole un violento acceso de tos. Salen tirando unos de otros, en una pantomima grotesca.)

CARCELERO   ¿Qué historia es esa? Me comprometes hablando así delante de ellos. Por fortuna creo que no oyeron nada. Si el Amo supiera algo de esto...

BEATRIZ   Perdona.

CARCELERO   Bueno, ¿cuánto puedes darme?

BEATRIZ   Entonces, ¿vas a ayudarme? ¡Qué feliz soy! (*Besa en la cara apasionadamente al* CARCELERO.)

CARCELERO   Pensándolo bien, creo que no debo aceptar dinero tuyo. (*Inicia el mutis.*)

BEATRIZ   Pero dijiste...

CARCELERO (*deteniéndose*)   ¿Cuánto?

BEATRIZ   Pues no sé... ¿Cuánto quieres tú?

CARCELERO   La libertad de un hombre vale mucho.

BEATRIZ   Oye, nunca he querido hablarte de esto, pero ahora debo hacerlo: sé que quieres a esa mujer que vive en las afueras del pueblo. Ella te querría si tu le dieras algo de dinero. ¿Cuánto quieres?

(*El* DIABLO *sigue la escena con una sonrisa de complicidad.*)

CARCELERO (*pensando*)   No sé... (*De pronto concretando*) Necesito trecientos[29] pesos.

BEATRIZ (*retrocediendo espantada*)   ¿Trecientos pesos? (*Vuelve a ver al* DIABLO *que le hace una señal afirmativa con la cabeza.*) Está bien. Te daré lo que me pides.

CARCELERO   ¿Tú tienes ese dinero? Pero si andas vestida con andrajos.

BEATRIZ (*con fingida seguridad*)   Si ese es el precio de la libertad de mi hermano, te lo pagaré.

CARCELERO   Bueno, creo que podemos arreglarlo, pero a condición de que tu hermano se vaya del pueblo cuando quede libre.

BEATRIZ   Sí. Nos iremos lejos, a la tierra donde nació mi madre.

CARCELERO (*con miedo*)   Y el Amo de allá ¿no conocerá al nuestro?

BEATRIZ   No. Allá no hay ningún Amo. Yo no conozco esa

29. **trecientos:** *trescientos*

comarca pero me han dicho que ahí las gentes trabajan para sí mismas labrando una tierra que les pertenece, donde todo nace casi sin esfuerzo; el viento no lleva las heladas, sino la brisa cálida del mar. En las tardes, según me decía mi madre, después del trabajo, se tienden los hombres a cantar bajo el cielo, como si fuera su propio hogar.

CARCELERO (*soñador*) Debe ser hermoso vivir allí. (*De pronto rígido*) ¡Bah! Eso lo soñaste o lo soñó tu madre tal vez.

BEATRIZ (*con añoranza*) Tal vez.

CARCELERO ¿Ahí, en ese país, no se mueren las gentes?

BEATRIZ Sí, si no sería el cielo.

CARCELERO Pues si se mueren no debe ser mucho mejor que esta tierra. (*Pausa.*) Si me das ese dinero, mañana puedo dejar libre a tu hermano. (*Para sí*) Voy a correr un grave riesgo. (*A* BEATRIZ) ¿No puedes darme más?

BEATRIZ (*Ve al* DIABLO *que le hace una señal negativa con la cabeza*) No. Lo dicho. ¿Cómo harás para sacarlo? ¿A qué hora? Me tiembla todo el cuerpo de pensar que voy a verlo otra vez. Desde que nacimos, es esta la primera vez que estamos separados. Sin él me siento como perdida en el aire.

CARCELERO Mañana al caer la tarde haré que salgan los prisioneros a trabajar en el camino de la casa del Amo, como lo hacen todas las tardes.

BEATRIZ (*inquieta*) ¿Van todos los días?

CARCELERO Sí. Hasta donde alcanza mi memoria, han ido allí todos los días. Bien. Aprovecharé ese momento para hacer salir a tu hermano y tú estarás preparada para huír. Vendrás con el dinero una hora antes. Debo estar absolutamente seguro.

BEATRIZ Está bien. Haré todo como quieras. Hoy en la noche no podré dormir de la alegría. ¡Tengo tan poca costumbre de ser feliz!

CARCELERO Entonces, hasta mañana. (*Sale.*)

BEATRIZ (*detrás de él*) Adiós, adiós. Hasta mañana.

(*El* DIABLO *se acerca.* BEATRIZ *baila en torno suyo cantando, luego se toman de las manos y bailan juntos cantando con júbilo, al compás de una música tierna y festiva.*)

—Ay hermano prisionero

—Despierta ya...

—La prisión es como un barco
—Hundido en un hondo mar
—Ay hermano prisionero
—No duermas más...
—Pues en el orilla te esperan
—La risa y la libertad.
(*Ríen los dos sofocados.*)

DIABLO (*riendo*)   ¿Verdad que cuando uno se siente libre, es como si la tierra fuera más ancha, como si fuera, en vez de un valle de lágrimas, un paraíso de alegrías? ¡Alégrate! ¡Aceptó! (*La abraza con júbilo.*)

ESCENA SEXTA

BEATRIZ (*radiante*)   Sí... ¡Aceptó! Lo va a dejar en libertad. (*De pronto se detiene asustada.*) Y ahora ¿qué voy a hacer para darle ese dinero?... ¿Por qué me has dicho que le propusiera eso? Nunca en mi vida he tenido trecientos pesos en la mano. Ahora que lo pienso... Él no te vio ¿verdad? (*El* DIABLO *complacido hace un gesto negativo.*) ¿Cómo es posible que no te viera?...

DIABLO   Es natural: a mí sólo pueden verme los que llevan la llama de la rebeldía en el corazón, como tú. Los que tienen miedo no pueden verme. Tan pronto aparece el arrepentimiento, no me ven más.[30]

BEATRIZ   Pero... entonces... ¿quién eres realmente? (*Lo ve horrorizada.*) ¡No!... Yo creo en Dios. Cumplo con todos los mandamientos de la iglesia, rezo a solas y cuando he cometido una falta me arrepiento. No debo hablarte. (*Inicia el mutis.*)

DIABLO (*con autoridad*)   Espera... (*Mimoso*) ¿No he sido bueno contigo?

BEATRIZ (*Se detiene*)   Sí, has sido bueno. Tengo necesidad de que sean buenos conmigo y nadie más que tú lo ha sido.

DIABLO (*Se acerca dominante*)   Dios te ayuda poco, ¿verdad?

---

30. **Tan.. más:**   As soon as they feel repentance they can't see me anymore.

BEATRIZ   No debería decirlo y no sé si Él[31] va a enojarse, pero todos los días y las noches de este año he rezado con todo el ardor posible para que mi hermano quedara en libertad, pero Él no ha querido oírme, y cuando Él no quiere, no se puede hacer nada.

DIABLO (*Misterioso, habla con gran autoridad*)   Ahora vas a exigirle en vez de rogarle.

BEATRIZ   ¿Exigirle a Él?

DIABLO   Sí, te explicaré. En el interior de esta iglesia hay una imagen del Padre Eterno...

BEATRIZ   Sí, es una imagen preciosa, enorme; la cara casi no puede verse porque está en medio de las sombras, pero las manos que sostienen al mundo, le brillan de tantas joyas que tiene. Una aureola guarnecida de esmeraldas le sirve de respaldo, como si fuera el cielo con todas sus estrellas. A esa imagen he rezado durante todo este tiempo.

DIABLO   Ahora no vas a rezarle, sino a arrebatarle algo de lo que a él le sobra y que a ti te hace tanta falta... Él está acostumbrado a recibir. Vas a pedirle algo en préstamo. (*Ríe.*) Ya se lo pagarás en la otra vida.[32]

BEATRIZ (*viéndole muy cerca como fascinada*)   Te brilla en los ojos un fuego extraño. ¿Qué quieres que haga?

DIABLO (*dominándola con la mirada*)   Bastará con entrar en la iglesia cuando no haya nadie y alargar la mano. Las joyas serán tuyas. Será fácil.

BEATRIZ (*Retrocede espantada*)   No, eso es imposible. ¿Por qué me aconsejas que robe las joyas del Padre Eterno? Creo que al alargar la mano se me caería allí mismo hecha pedazos, o me quedaría allí petrificada para siempre, como ejemplo para los que quisieran hacer lo mismo...

DIABLO (*impaciente*)   ¡Beatriz!

BEATRIZ (*aterrorizada*)   O me dejaría ciega, dicen que su luz es cegadora, o quizás en ese mismo momento mi hermano se moriría en la cárcel. ¿Quién puede saber cómo querría castigarme? Con Él nunca se sabe. (*Pausa.*) ¿Todo lo que puedes aconsejarme es que robe?

DIABLO   No es un robo. Es un acto de justicia. ¿O no quieres que

---

31. **Él:**   i.e., God   32. **en la... vida:**   after death

tu hermano vuelva a ver la luz del sol? Irte lejos con él a ese Paraíso de que hablas. ¿No quieres eso?

(*La toma de los hombros, ella vacila, luego se aleja.*)

BEATRIZ   Sí, pero no así, no así.

(*El* DIABLO *la sigue.*)

DIABLO (*sujetándola del brazo*)   En este momento tienes que escoger entre la libertad de tu hermano y el respeto por esa imagen[33] que ha permanecido sorda ante tus ruegos.

BEATRIZ (*tratando de soltarse*)   No blasfemes. No blasfemes. (*Se santigua repetidas veces.*)

DIABLO (*enérgico*)   Recuérdalo, Él no ha hecho nada por ti. Él es indiferente y tú quieres seguir siéndole fiel. Mañana te esperará ahí el carcelero. Si tú no traes lo que le has prometido, tu hermano se consumirá en la cárcel para siempre. (*La suelta.*)

BEATRIZ (*agobiada*)   Pero ¿cómo podría hacerlo? Siempre hay alguien cuidando de la imagen, además, nunca me he atrevido a verla de cerca, me da tanto miedo... Siempre tuve que inclinar la cabeza hacia un lado para no verla. ¿Cómo quieres que me acerque para robarle?

DIABLO (*Camina casi deslizándose, y se sitúa detrás de ella hablándole casi al oído*)   Sólo vas a quitarle algo de lo que estos hombres mudos han puesto entre sus manos y que Él quizás no advertirá siquiera.

BEATRIZ (*casi impotente*)   No me lo perdonaría nunca, me condenaría.

DIABLO (*con absoluto dominio*)   Óyeme bien. En el momento en que logres hacer esto te sentirás liberada del miedo y también tu hermano será libre.

BEATRIZ (*al borde de las lágrimas*)   ¡Ay Dios mío! ¿Qué voy a hacer? Si el Amo se muriera...

DIABLO   En eso no puedo ayudarte. Es Dios quien inventó la muerte. No yo.

BEATRIZ (*De pronto cree liberarse de la influencia de él y lo ve horrorizada*)   ¿Pero no comprendes que lo que me pides es superior a mis fuerzas? Es a Dios a quien quieres que despoje.

DIABLO (*riendo al vacío*)   ¿Dónde está Dios? Es una imagen de madera que despojada de sus joyas y resplandores, aparecerá a tus

33. **esa imagen:**   this image, i.e., of God

ojos y a los de todo este pueblo, como realmente es: un trozo de materia inanimada a la que ellos mismos han dado vida. Quítale todos los adornos. (*Con ira*) Déjala desnuda, totalmente desnuda.

BEATRIZ (*desesperada*)   Mi pobre hermano tendrá que perdonarme, pero él no querrá que yo me condene. La libertad a ese precio, la libertad sin Dios, no puede ser más que la desgracia, la angustia, la desesperación. (*Supersticiosa*) Tuve una tía que por haber jurado en vano,[34] Dios la condenó a que todos sus hijos se murieran. (*Ingenua*) Dios es rencoroso, ¿no lo sabes?

DIABLO (*irónico*)   ¡Y me lo dices a mí! Pero mira al Amo, él no tiene miedo, él da el dinero para construir esta iglesia y hace que esos pobres hombres mudos, que se creen hechos a semejanza de Dios, sean sus esclavos.

BEATRIZ   No quiero oírte más. Voy a rezar para olvidar todo lo que me has dicho.

DIABLO   Espera, Beatriz.

BEATRIZ   No quiero, ¿por qué te habré oído? (*Lo ve fijo.*) Tú lo que quieres es vengarte de Dios y me has escogido a mí para hacerlo. (*Se santigua frenéticamente y grita despavorida.*) ¡Es el Diablo! ¡El Demonio! ¡El Demonio!

(*La plaza se llena de rumores, de todos los puntos llegan corriendo* HOMBRES *y* MUJERES. BEATRIZ *frenética en el suelo en un ataque de histeria señala al punto donde está el* FORASTERO *a quien nadie ve.*)

BEATRIZ   ¡Ahí!... ¡Ahí!... Mátenlo... Mátenlo.

(*El* PUEBLO *ve en torno suyo y se mueve como buscando al* DIABLO *sin poder verle. El* DIABLO *se acerca a* BEATRIZ *gritando.*)

DIABLO   Aquí estoy.

BEATRIZ (*Retrocede*)   ¿No lo ven?

DIABLO   Pero cómo van a matarme si no pueden verme siquiera. Para ellos es como si yo estuviera detrás de una cortina; la cortina del miedo. (*Grita.*) Abran la cortina, ábranla de una vez por todas. (*El telón comienza a cerrarse, poco a poco, mientras el* PUEBLO *busca al* DIABLO *sin comprender.*) ¡Ábranla, he dicho! ¡Ábranla! ¡Ábranla!

El DIABLO *sigue clamando hasta cerrarse el*

Telón

34. **jurado en vano:**   taken God's name in vain

Segundo acto

Mismo decorado. Un día después. Al abrirse el telón, la plaza está desierta. Se oye un tema musical en una trompeta que recuerda la música de un "Cabaret". Entra la PROSTITUTA *contoneándose. Del edificio de la cárcel sale el* CARCELERO. *Se acerca a la* PROSTITUTA.

PROSTITUTA (*despectiva*) Te he dicho que no me sigas. Podrías ahuyentar a alguien que quisiera acercarse a mí.

CARCELERO No quiero que se te acerque nadie.

PROSTITUTA Déjame en paz. No tienes con qué pagar.

CARCELERO (*riéndose con insolencia*) Llevas aquí dos semanas y nadie se ha acercado a ti. En este pueblo miserable no hay nadie que tenga dinero para comprarse un buen rato de placer.

PROSTITUTA Tú tampoco lo tienes, y aunque lo tuvieras no me iría contigo. ¿Ya te olvidaste que te eché de mi casa? No quiero tratar con hombres viejos. Para que quieres que yo...

CARCELERO (*con ansiedad*) Puedo ofrecerte lo que nadie aquí podría. Pero te quiero sólo para mí.

PROSTITUTA Para que fuera a vivir contigo, se necesitaría que tuvieras diez veces más dinero del que ganas como carcelero.

CARCELERO (*resentido*) No encontrarás a nadie. Te morirás de hambre.

PROSTITUTA ¡Quiero ser libre! Por eso me escapé de la casa donde estaba en la ciudad. Ahí la dueña nos hacía trabajar toda la noche y a veces nos obligaba a acostarnos con hombres viejos y decrépitos como tú. Muchas noches en las horas en que dormía, venía a despertarme para meter algún tipo en mi cuarto. ¡Quiero tener derecho al sueño! Ahora estoy libre para cualquier compromiso y no quiero, sin embargo, comprometerme en nada.

CARCELERO (*burlón*)   ¡Valiente libertad!

PROSTITUTA   No soy más libre que tú, ni menos. Me vendo como todos. (*Se pasea tratando de conquistar a alguien que pasa.*) La tierra entera es una prostituta. (*Lanza una carcajada.*)

CARCELERO (*acercándose*)   Voy a hacer un sacrificio por ti. Para que veas que te quiero.

PROSTITUTA   ¡Quererse! Hablas como el Cura. ¡Palabras huecas! (*De pronto reacciona con interés.*) Pero veamos. ¿Has dicho un sacrificio? A ver. Nadie se ha sacrificado por mí nunca.

CARCELERO   Sólo para tenerte voy a correr un grave riesgo. Un asunto que me dejará trecientos pesos.

PROSTITUTA (*con alegría*)   ¿Trecientos pesos? Parece un sueño.

CARCELERO   Ahora cambias, ¿verdad? Valiente p[1]...

PROSTITUTA   No te he dicho que quiero ese dinero. Ni me importa. (*Sigue su marcha.*)

CARCELERO   Espera. (*Se encara con ella y la abraza con lujuria.*) Sí voy a hacer una locura, pero vas a ser mía. Nos divertiremos juntos y luego que me lleve el Diablo. ¡Así hay que vivir! Trescientos pesos no los ganas aquí en toda tu vida.

PROSTITUTA   Pero yo quiero seguir siendo libre.

CARCELERO   Qué te importa la libertad si de todas maneras algún día tendremos que morirnos.

PROSTITUTA   Si no me aseguras algo para después, como si no hubiera oído nada.

CARCELERO   ¿Asegurarte? ¿Quién puede asegurarte nada? (*Irónico*) Ni el mismo Padre Eterno. (*Señala a la iglesia.*)

PROSTITUTA (*también irónica*)   No blasfemes. Dicen que el Diablo anda cerca.

CARCELERO   Eso querrías tú, acostarte con el mismo Diablo. Pero a partir de ahora voy a ser sólo yo tu amo. (*Trata de asirla.*)

PROSTITUTA (*Se aleja*)   No quiero amos. (*Pausa.*) Y si aceptara ¿qué condiciones me pondrías? Eres igual que todos los hom-

---

1. **P:** i.e., *puta,* whore

bres, siempre pensando en ser amos aunque sean unos miserables.

CARCELERO (*abrazándola*) Vas a ser sólo mía: no saldrás de la casa, no te pintarás, no usarás esos vestidos, sino otros que cubran bien tu cuerpo. (*La aprieta contra él y la besa.*)

PROSTITUTA (*Lo rechaza violenta*) Ya comprendo. Quieres que yo sea otra prisionera. Te he dicho que ahora soy libre.

CARCELERO ¡Libre! ¡Libre! Todos hablan de libertad, como si fuera tan fácil conseguirla. Si fuéramos libres dejaríamos de ser humanos. Vas a ser mía y quiero que olvides todo lo que fue tu vida hasta aquí. ¿Aceptas? Voy a arriesgarme mucho por ti.

PROSTITUTA ¿Qué vas a hacer?

CARCELERO No puedo decirte.

PROSTITUTA (*burlona*) Quieres comprarme en cuerpo y alma, dices que vas a salvarme, pero no quieres que sepa cómo harás para conseguirlo. Te digo que hablas como el Cura.

CARCELERO (*sujetándola*) Bueno, te lo diré: voy a dejar en libertad a un enemigo del Amo y por eso van a pagarme.

PROSTITUTA (*con admiración*) ¿Y eso lo haces sólo por mí?

CARCELERO Sí. Porque ya no puedo de ganas de tenerte.

PROSTITUTA Así es que la libertad de ese pobre, vale tanto como[2] acostarse con una prostituta. ¡Qué mundo éste! (*Ríe a carcajadas.*)

CARCELERO (*impaciente*) Dime sí o no.

PROSTITUTA (*pensando las palabras*) Y, ¿por qué van a darte sólo trescientos pesos? ¿No comprendes que ahí está nuestro porvenir? La libertad de ese tipo, o no tiene precio, o tiene el que tú quieras darle.

CARCELERO No pueden pagar más.

PROSTITUTA (*implacable*) Vuelve a pedirles.

CARCELERO (*convincente*) Es imposible, se trata de una muchacha pobre...

PROSTITUTA Y a mí qué me importa que sea pobre o no. ¿No voy a irme yo contigo que estás viejo? ¿No voy a sacrificarme? (*Otra vez despectiva*) Cuando tengas el doble de lo que me has prometido, ven a verme. Antes no me voy contigo.

---

2. **vale... como:** *no vale más que*

CARCELERO (*deteniéndola*)   ¡Pero oye!

PROSTITUTA   Cuando tengas el doble... y entonces... ya te resolveré[3]... (*Sale.*)

(*El* CARCELERO *furioso patea el piso repetidas veces. Por el otro lado
entra* BEATRIZ.)

ESCENA SEGUNDA

El CARCELERO *al ver a* BEATRIZ *entra violentamente en la cárcel para
rehuirla. Al mismo tiempo el* CURA *sale de la iglesia y baja lentamente la
escalera.* BEATRIZ *se acerca al* CURA *que viene leyendo un devocionario.*

BEATRIZ (*con ansiedad*)   ¡Padre! ¡Padre! Vengo a pedirle ayuda.
Sólo usted puede ayudarme ahora.

CURA (*extrañado*)   Hace tiempo que no vienes a la iglesia, hija mía.

BEATRIZ   He tenido una gran angustia.

CURA   ¿Es por tu hermano?

BEATRIZ   Sí.

CURA   ¿Está preso aún?

BEATRIZ   Sí. Me parece que va a consumirse en la cárcel para
siempre si usted no me socorre.

CURA   Entonces tienes una buena razón para venir a la iglesia y
rezar a Dios.

BEATRIZ   Lo he hecho muchas veces inútilmente. Por eso ahora
he venido para hablarle a usted. Quiero confesarle que he visto a...

CURA (*Interrumpe*)   ¿Vienes a hablarme de tu hermano? ¿Se ha
arrepentido de su falta? Es pecado sembrar la rebeldía y el desorden
entre los hombres. (*Inquisitivo*) Te pregunto si se ha arrepentido.

BEATRIZ (*desolada*)   No lo sé. Pero yo quisiera decirle...

CURA (*interrumpiendo otra vez*)   Dios quiere el orden hija mía. ¿No
lo sabes?

BEATRIZ (*en un arranque de rebeldía*)   Sí, pero mi hermano no hizo
nada más que reclamar lo suyo.

---

3. **entonces... resolveré:**   I will give you my decision at that time

CURA (*impasible*)   Nada de lo que hay en esta tierra nos pertenece. Todo es de Dios Nuestro Señor. Él repartió los bienes terrenales y nosotros debemos aceptar su voluntad. Lo único que nos pertenece a cada quien es nuestra muerte y de lo que hagamos aquí, depende lo que ella signifique.[4]

BEATRIZ (*implorante*)   Pero a Él le sobra todo y a mí todo me falta...

CURA (*interrumpiendo*)   Me duele oirte hablar así. No ayudarás a tu hermano de esa manera.

BEATRIZ   Pero, ¿por qué es necesario soportarlo todo para que Dios esté satisfecho, padre?

CURA   No preguntes. Los designios de Dios son inescrutables. Sólo Él sabe cómo aplicar su poder.

BEATRIZ (*rebelde*)   ¿Por qué contra mi hermano? ¿Qué había hecho él?, ¿o es que Dios odia a sus hijos?

CURA (*severo*)   Dios es todo amor. (*Conciliador*) Quizás sea una prueba que Él envía a tu hermano para hacerlo salir de ella con más fortaleza.

BEATRIZ (*extrañada*)   ¿Quiere usted decir que mientras más se resigne tendrá más fortaleza?

CURA (*solemne*)   Así es. Cuando los hombres se convencen de que la vida es una batalla que sólo Dios puede resolver, comienzan a ser felices. De otra manera es la oscuridad eterna.

BEATRIZ   No comprendo. No comprendo ya nada. Ayer, en esta misma plaza... (*De pronto se arroja a los pies del* CURA *besándole la mano con pasión.*) Padre, necesito ayuda.

CURA   Es mi misión, hija, darte ayuda espiritual.

BEATRIZ (*apasionada*)   Necesito dinero. Lo necesito desesperadamente.

CURA (*sorprendido*)   ¿Dinero? Has llamado en una puerta que no es la que buscas. Nuestra riqueza no es esa.

BEATRIZ (*rotunda*)   Sí. La iglesia está llena de cosas que valen mucho, mucho dinero. Necesito que me dé algo, alguna cosa pequeña. ¿No quiere Dios ayudar a sus hijos?

---

4. **de lo que hagamos... signifique:**   its (i.e., death's) significance depends on what we do here (i.e., on earth)

CURA (*impaciente*) Sí. Pero no así hija mía, no así.

BEATRIZ (*imperiosa*) Y ¿cómo entonces? Si todo vale dinero, hasta la libertad de un hombre. Si todo depende de que tengamos o no dinero, ¿por qué no ayuda Dios así también a sus hijos? (*Agresiva*) ¿Se ha olvidado de que somos desgraciados porque somos miserables?

CURA (*severo*) Piensa delante de quién hablas.

BEATRIZ (*trastornada*) Sólo quiero pedirle que me ayude, y le aseguro que ahora será más importante que me dé dinero y no que me llame a rezar. (*Pausa.*)

CURA (*después de meditar*) No puedo darte nada. No me pertenece.[5]

BEATRIZ Entonces, ¿de quién es lo que hay ahí dentro[6]?

CURA (*evasivo*) De todos los hombres de esta tierra.

BEATRIZ ¿También mío?

CURA (*dudando*) Sí.

BEATRIZ Es mío y no puedo disponer de nada. Es de todos y no es de nadie. Está ahí y no sirve para nada. Hágame comprender. (*Lo sigue con vehemencia.*)

CURA (*rehuyéndola*) Mi misión no es la de hacer comprender. No es necesario comprenderlo todo. Yo sólo soy el guardián. El que guía las ovejas del Señor. Lo que pides no lo podría hacer el Señor mismo, aunque quisiera.

BEATRIZ (*sin comprender*) Está bien. Pero entonces ¿cómo podemos seguir viviendo si ni Dios mismo puede hacer lo que quiere? ¿Qué puedo hacer yo, tan pequeña? Me siento perdida. ¡Perdida! ¡Perdida! (BEATRIZ *se aleja del* CURA.)

CURA (*El* CURA *trata de detenerla*) ¡Hija! ¡Hija!

(BEATRIZ *sale de la escena enloquecida.*)

Oscuridad total

(*Cuando la luz vuelve hay varios grupos de* HOMBRES *y* MUJERES *en la plaza. Entra* BEATRIZ.)

---

5. **No me pertenece:** It (i.e., the wealth of the church) does not belong to me.
6. **ahí dentro:** there inside, i.e., in the church. Beatriz is referring to the jewels on the statue of Christ.

ESCENA TERCERA

BEATRIZ *va de un lado al otro de la escena pidiendo a los* HOMBRES *y* MUJERES.

BEATRIZ (*Se acerca a un* HOMBRE)   ¡Necesito ayuda! ¡Una limosna por favor! ¡Ama a tu prójimo como a ti mismo! Dame algo. Cualquier cosa. (*Pantomima de un* HOMBRE *que enseña las bolsas vacías.* BEATRIZ *va a otro que está de espaldas.*) Mira mis manos, están vacías. Dame algo de lo que tienes. ¡Mira! ¡Mira! (*El* HOMBRE *se vuelve violentamente y se ve que es ciego.* BEATRIZ *va a otro.*) ¡Dame algo! Si me das algo tú mismo te sentirás contento.

(*Una* MUJER *aparta a su marido para no darle nada.* BEATRIZ *se hinca en mitad de la escena, mientras los transeuntes pasan en todos sentidos indiferentes, en una marcha mecánica. Ella está bajo un cono de luz.*)

BEATRIZ   Nadie quiere ayudarme. ¿Tendré que hacerlo entonces yo sola? (*Viendo a lo alto*) Tú[7] me has puesto en esta tierra. ¿Por qué me has puesto aquí? ¿Por qué está él en la cárcel? ¿Por qué estamos todos presos? ¿Por qué? ¿Por qué? He tratado de no oír al Demonio, pero desde que él me habló no he podido dormir pensando en sus palabras. Tú quieres solo sacrificios, y él me habla de libertad. Él me habla como amigo y tú ni siquiera me haces una seña para hacerme saber que piensas un poco en mí. La cabeza me va a estallar porque no puedo comprender ya nada. ¿O es que tú crees que es bueno que mi hermano esté en la cárcel? Él es inocente. (*Con rencor*) ¿Qué es lo que te propones entonces? (*Contrita*) Perdóname Dios mío, pero a veces pienso que no eres tan bueno como nos han dicho. ¿O será que eres bueno de una manera que yo no puedo comprender? ¿O será que no te importa que yo comprenda o no? ¿O será que ya no estás donde yo creía que estabas? ¿O será que nunca has estado ahí? (*Desesperada*) ¿O será que te he estado llamando y el que no comprende nada eres tú? (*Enajenada*) Ya no sé qué es lo bueno y qué es lo malo. Ya no sé nada. Nada. Nada. (*Llora largamente.*)

7. **Tú:**   God

ESCENA CUARTA

La plaza se ha quedado desierta. De la iglesia sale el DIABLO. *Llama a* BEATRIZ *sigilosamente.*

DIABLO   Beatriz, Beatriz.

BEATRIZ (*alzando la cabeza*)   ¿Tú? ¿Otra vez?

DIABLO (*con premura*)   Ahora no hay nadie dentro de la iglesia.

BEATRIZ (*retrocediendo*)   Nadie quiere ayudarme. ¿Por qué quieres ayudarme tú? ¿Quieres que yo te dé mi alma, verdad?

DIABLO (*con una carcajada*)   ¡Tonterías! ¿Cómo voy a pedirte un alma que no te pertenece a ti misma? Lo que quiero es ayudarte a recobrarla, a hacerla tuya realmente. No lo lograrás si no pierdes el miedo.

BEATRIZ (*viéndolo con simpatía*)   Creo que sólo tú eres mi amigo.

DIABLO   De eso estoy seguro. (*Señalando la iglesia*) Hay que darse prisa.

BEATRIZ (*vacilante*)   Dios va a castigarme. Lo sé.

DIABLO (*impaciente*)   Dios te castiga de todos modos. Por el simple hecho de haber nacido. Mira, faltan pocos minutos para que el carcelero salga a recibirte. Vamos. Vamos.

(*Le tiende la mano a* BEATRIZ *y con suave movimiento la conduce hasta la puerta de la iglesia.* BEATRIZ *va a entrar, luego...*)

BEATRIZ (*Retrocede espantada*)   No... No... (*Pausa.*)

DIABLO (*después de meditar*)   Creo que tendré que recurrir a los recuerdos y si es necesario, te haré ver un poco del futuro.

BEATRIZ   ¿Del futuro?

DIABLO (*muy natural*)   Sí. Es el último recurso en estos casos de indecisión. (*Cambiando de tono*) Tu hermano nació hace dieciocho años en este mismo pueblo. Un pueblo como todos los del mundo...

BEATRIZ   Es verdad. Así es.

(*La luz se concentra sobre el* DIABLO *y* BEATRIZ.)

DIABLO (*Echándole el brazo al hombro, señala al espacio*)   Recuerda, recuerda bien. Tu madre era una de tantas mujeres del pueblo.

(*Luz fantástica. Comienzan a entrar en escena todas las* MUJERES *del pueblo en una marcha resignada, como de cámara lenta,*[8] *llevando a la espalda a sus hijos.*)

DIABLO   Ahí va tu madre. Llámala. Llámala.

(*Entra la* MADRE *con un movimiento angustioso. En torno de ella se mueven la* IMAGEN DE BEATRIZ *y la* IMAGEN DEL HERMANO NIÑO. *Animarán en movimiento de pantomima el sentido del diálogo siguiente.*)

BEATRIZ (*tímida*)   Madre, madre...

(*Las* MUJERES *siguen su desfile con una música triste. La* MADRE *se detiene y queda a mitad de la escena. Su figura se despliega tratando de proteger a sus hijos. Las* MUJERES *se sitúan a los lados formando coro.*)

DIABLO   Basta pensar en una pobre vida de mujer, para que de pronto se convierta en algo único, intransferible. Ahí estás. Tú lloras. ¿Por qué lloras?

(*La* IMAGEN DE BEATRIZ *baila angustiada.*)

BEATRIZ   Creo que tenía hambre.

DIABLO   Tu madre está sola. Ustedes no son hijos legítimos. Personalmente yo creo que hasta ahora ningún hombre lo es. Tu madre está sola con la carga de dos pequeñas vidas y la amenaza de tres muertes sobre ella.[9]

(*La* IMAGEN DE BEATRIZ *y la del* HERMANO NIÑO *bailan una pantomima angustiosa con la* IMAGEN DE LA MADRE.)

BEATRIZ (*rígida*)   Mi madre lavaba la ropa de los trabajadores de una mina. Era difícil dejarla limpia. Los hombres siempre nos rebajaban el dinero, porque no era posible dejarla blanca.

(*El* CORO DE MUJERES *y la* MADRE *hacen los movimientos de las lavanderas, torturadas, como si no pudiera escapar a ellos, como si fuera una pesadilla.*)

DIABLO (*burlón*)   ¡Ganarás el pan con el sudor de tu frente! Y tú lloras otra vez. ¿Por qué lloras?

(*La* IMAGEN DE BEATRIZ *llora.*)

BEATRIZ   Tenía hambre otra vez. Creo que siempre tuve hambre.

DIABLO   Mira, tu hermano saca de la bolsa algo.

(*Lo que sigue debe ser representado en pantomima por la* IMAGEN DEL HERMANO NIÑO *sobre el cual se concentra la luz.*)

DIABLO   ¿Qué es eso? ¡Ah! Es una cartera y está llena de billetes. ¿La ha robado? No. La halló en la calle y la recogió. ¡El pobrecito

8. **de... lenta:** in slow motion   9. **amenaza... ella:** threat of three deaths (i.e., those of her two children and her own) hanging over her

piensa que todo lo que hay en el mundo le pertenece! ¡La niñez del Hombre! Por eso fue castigado.

BEATRIZ   Sí. Ese día mi madre lo castigó. Dijo que quería que su hijo fuera un hombre honrado.

(*Pantomima de la* MADRE *que le pega al* NIÑO *que huye de ella. La* IMAGEN DE BEATRIZ *y el* CORO *salen detrás.*)

DIABLO (*con fastidio*)   Ya sé. (*Teatral*) ¡No robarás![10] Es increíble cómo las madres aunque sean miserables, educan a sus hijos como si la miseria no existiera en este mundo.

BEATRIZ   Mi madre quiso que devolviera la cartera, pero mi hermano no halló al dueño. Se compró un traje precioso y en la noche regresó muy contento.

(*Pasa al fondo el* NIÑO *en un baile rápido muy alegre, con un vestido reluciente.*)

DIABLO   Tu hermano no buscó al dueño de la cartera. Porque desde entonces pensó que se cobraba así una pequeña parte de todo lo que el mundo le había robado a él. (*Pausa.*) Tu madre murió. (*Música fúnebre*) Una vida vacía. Dios hace la eternidad con la sucesión de muchas vidas vacías.

(*Pasan al fondo las* MUJERES *con las cabezas cubiertas, en una marcha torturada. Pantomima de la* IMAGEN DE BEATRIZ *y la del* HERMANO *enlutados después del funeral.*)

DIABLO   Tú lloras otra vez. ¿Tenías hambre?

(*La* IMAGEN DE BEATRIZ *y la del* HERMANO *animarán en pantomima el sentido del siguiente diálogo. El* CORO DE MUJERES *enlutadas baila lento como un friso de angustia.*)

BEATRIZ   Creo que mi hambre se ha convertido ahora en algo peor. Yo también estoy vacía. No me importa nada. Sólo un ansia de comprender, de saber por qué hemos sido hechos así, tan desgraciados y por qué la única respuesta a nuestra desgracia, es la muerte.

DIABLO   ¡La Adolescencia del Hombre! Tu hermano quiere convencerte de algo. Tú quieres irte y él quiere quedarse aquí y reclamar el pedazo de tierra que le pertenecía. ¿Querías huír?

BEATRIZ   Quería irme. Olvidar. Alejarme del lugar en que había muerto mi madre. Tenía algo así como un remordimiento por estar viva.

10. ¡**No robarás:**   The Devil is mocking God's commandment not to steal.

DIABLO   ¡El pecado original!

(*La pantomima se desenvuelve vertiginosa. La* IMAGEN DE BEATRIZ *quiere irse y en los gestos del* HERMANO *se advierte que convencerla a quedarse con una angustia impotente.*)

DIABLO   Tu hermano seguía pensando que la tierra debería pertenecerle.

BEATRIZ (*Hunde la cabeza entre las manos*)   Sí. ¿Por qué no me hizo caso? ¿Por qué? Nos habríamos ido lejos de este pueblo de hombres mudos del que Dios se ha olvidado. Yo no quería quedarme, pero él tenía tanta ilusión. Le brillaban los ojos cuando hablaba de ese pedazo de tierra que sería nuestro. Me decía que tendríamos aquí un hogar...

DIABLO   Y en vez de eso, halló una prisión.

(*La pantomima cesa de pronto. La* IMAGEN DEL HERMANO *atraída por una fuerza desde el interior de la cárcel se va acercando. La* IMAGEN DE BEATRIZ *trata de impedirlo pero la cárcel se traga al* HERMANO *y la puerta se cierra ante ella. Sale de escena bailando con desesperación.*)

DIABLO   ¡Ahora estamos en plena actualidad! Ya sabemos lo que pasó después. Pero ahora tendrás que saber lo que va a sucederle si tú no lo liberas. ¿Quieres verlo?

BEATRIZ   ¿Qué?

DIABLO   El futuro del Hombre, quiero decir, de tu hermano.

BEATRIZ (*con miedo*)   Sí.

DIABLO   Tendrás que ser fuerte.

BEATRIZ   Quiero ver.

DIABLO   Está bien. Ahí viene. En medio de esos guardianes.

(*Pantomima saliendo de la cárcel, de un pelotón de* SOLDADOS *al frente del cual viene el* CARCELERO. *Entre los* SOLDADOS *viene el* HERMANO *con las manos amarradas detrás del cuerpo y los ojos vendados.*)

BEATRIZ (*acercándose al* DIABLO)   ¿Qué es lo que hacen?

DIABLO   El carcelero está furioso. Cree que tú le has engañado. Teme haber caído en una trampa y para estar seguro...

(*Señal del* CARCELERO *dando una orden al pelotón. Los* SOLDADOS *preparan los fusiles lentamente en movimiento de "cámara lenta".*)

BEATRIZ   ¿Qué hacen?

DIABLO   ¡Van a fusilarlo!

BEATRIZ (*gritando*)   ¡No! ¡No! Él nunca ha sido feliz. Es inocente. Es inocente.

(*La* IMAGEN DEL HERMANO *trata de soltar las cuerdas que lo atan. Se mueve con desesperación. Los* SOLDADOS *van levantando lentamente los fusiles y apuntan contra el* HERMANO.)

DIABLO   Esa no es razón para que lo perdonen.

BEATRIZ   No. ¡Deténganse!

DIABLO   Tus palabras no servirán de nada.

BEATRIZ (*gritando*)   ¡Es un crimen!

DIABLO   Es la Justicia.

(*En la pantomima, los* SOLDADOS *se detienen. El* HERMANO, *gesticula como si quisiera lanzar una arenga a los aires, pero las palabras no salen.*)

BEATRIZ (*escondiendo la cabeza en el pecho del* DIABLO)   ¡No dejes que lo hagan! Tú eres poderoso. Si quisieras podrías salvarlo, sin necesidad de inducirme a mí a la violencia.

DIABLO   Yo no puedo hacer nada por mí mismo. Si tú no descubres que yo estoy dentro de ti, todo será inútil. Mira. (*Alzándole la cara*) Atrévete a ver.

(*El* CARCELERO *hace una señal y el pelotón dispara sobre el* HERMANO. BEATRIZ *lanza un grito desgarrador.*)

BEATRIZ   ¡No! ¡Yo haré todo, menos dejarlo morir! ¡Él ha tenido siempre tanto miedo a la muerte!

(*En la pantomima el* HERMANO *expira en medio de una contorsión desorbitada y angustiosa. Los* SOLDADOS *alzan el cuerpo, lo colocan sobre la espalda de uno de ellos y salen marcando el paso mecánicamente.* BEATRIZ *ve horrorizada la escena. Vuelve la luz real. Pausa.*)

DIABLO (*insinuante*)   ¿Vas a hacerlo por fin?

BEATRIZ (*jadeante*)   Sí. Tú vigilarás aquí afuera. Y que sea lo que tú has querido.

(*Como enajenada entra* BEATRIZ *dentro de la iglesia. Antes de entrar no puede resistir al movimiento habitual y se cubre la cabeza.*)

DIABLO (*Dando una fuerte palmada en señal de satisfacción. En una pantomima que debe expresar todos los movimientos de* BEATRIZ *dentro de la iglesia dice el monólogo*)   ¡Beatriz! Ahora debes caminar firmemente. Camina, camina. Qué largo es el camino que la separa de esa imagen. Se acerca al altar... Lo ve... Está erguida frente a él, desafiante... Ahora sube al altar, alarga la mano, ahora está sacando las joyas de esas manos inmensas... Una, dos, tres... Ve la cara de la imagen. ¡No tiene ojos! Desde abajo parecían dos ojos inmensos que lo veían todo y no son más que dos cuencas vacías, ciegas, sin luz...

El corazón palpita fuertemente. Señal de que estamos vivos. ¡Es fácil! Más fácil de lo que creía. ¡Qué bueno es cobrarse de una vez por todas lo que sabemos que es nuestro! ¿Un vértigo? No. ¡Hay que ser fuertes! Las joyas ahora están en sus manos y no en las de la imagen. Esas joyas valen mucho. Valen la libertad. Valen la vida entera. ¡Ya está! ¡Ahora vamos fuera! ¡Los pasos resuenan en la oscuridad! ¡Vamos! ¡Vamos! ¡La puerta está tan lejos todavía! ¡Camina Beatriz, camina! Uno, dos, uno, dos. La puerta se ve ya más cerca. ¡Ahora está cerca! ¡Ahí está la luz, la libertad! ¡La vida! ¡Ahí! Dos pasos más. ¡Ahí está la libertad! ¡La puerta! La puerta, la puerta, la puerta. La luz, la luz, ya, ya...

(BEATRIZ *sale de la iglesia enloquecida con las manos cerradas sobre el pecho. El* DIABLO *se acerca a ella para reanimarla.*)

DIABLO   Ya está, Beatriz. ¡Has franqueado la Eternidad! Ahí está el carcelero. Te espera.

(*El* CARCELERO *ha salido de la cárcel. Al ver a* BEATRIZ *trata de entrar violentamente de nuevo, pero ésta se avalanza sobre él, enjugándose las lágrimas.*)

BEATRIZ   ¡Mira! ¡Mira! Aquí está. Te traigo más de lo que te he prometido...

(*El* CARCELERO *al ver el pequeño bulto que* BEATRIZ *le muestra hace un gesto indiferente.* BEATRIZ *lo ve sorprendida.*)

BEATRIZ   Todo está bien ¿verdad? ¿Hoy lo dejarás libre?

CARCELERO (*Recibe dentro de las cuencas de las manos, las joyas, con indiferencia*)   ¿Qué es esto?

BEATRIZ   ¡Son joyas! Podrás venderlas. Valen más de lo que me pediste.

CARCELERO (*viéndolas fijo*)   ¿Es esto todo?

(*Se guarda las joyas dentro de la bolsa. Se oye en la trompeta el tema de la* PROSTITUTA. *Ésta atraviesa la escena por el fondo, contoneándose, mientras lanza una carcajada siniestra.*)

CARCELERO (*rígido*)   Traeme más.

BEATRIZ (*viéndolo sin comprender*)   ¿Qué dices?

CARCELERO (*rígido*)   ¡No es bastante!

BEATRIZ *esconde la cara entre las manos. El* DIABLO *reacciona extrañado, el carcelero rígido. Sobre este cuadro estático cae el*

Telón

Tercer acto

ESCENA PRIMERA

Tres días después, en el atrio; el CAMPANERO *barre las gradas. De pronto sale de la iglesia precipitadamente el* CURA, *y detrás de él el* SACRISTÁN.

CURA (*dando muestras de desesperación*)   ¡Qué gran desgracia! Cuando lo vi no quise creerlo.

SACRISTÁN   ¡Cómo es posible! ¡Después de tantos años!

CURA   Después de tantos años, es ésta la primera vez que siento miedo.

SACRISTÁN   ¿Del castigo de Dios?

CURA   No. De lo que estos hombres puedan atreverse a hacer. (*Al* CAMPANERO *que se ha acercado*) ¿Has visto entrar a alguien en la iglesia?

CAMPANERO (*displicente*)   A todo el mundo. Aquí es lo único que hay que hacer.

CURA   Quiero decir... a alguien que no conozcamos.

CAMPANERO   No. ¿Por qué?

CURA (*conteniendo las palabras*)   Han sido robadas las joyas de la mano derecha del Padre Eterno.

CAMPANERO (*cayendo de rodillas*)   No he sido yo, no he sido yo.

CURA (*severo*)   Lo dices como si hubieras pensado hacerlo.

CAMPANERO   Le confieso que aquella tarde en que se me apareció el Diablo... Pero yo soy inocente. ¿Me creerá usted? He limpiado esas joyas durante toda mi vida y nunca un granito de oro se quedó entre mis manos.

CURA   ¿Quién pudo haber sido entonces?

CAMPANERO   No sé si otros lo habrán pensado también. Pero no conozco a nadie capaz de hacerlo.

SACRISTÁN (*que ha estado meditando*)   Señor Cura, usted distraidamente no habrá...

CURA (*Grita alarmado*)   ¡Cómo te atreves a dudar de mí! (*Con insidia*) Fuiste tú quien descubrió el robo.

SACRISTÁN (*contrito*)   De haberlo querido hacer lo habría hecho desde hace muchos años. (*Pausa.*)

CURA   ¡Qué vamos a hacer ahora! ¡Qué voy a decir al señor Obispo!

CAMPANERO   Rezaremos veinte rosarios y tal vez así...

CURA   Sí... sí..., pero hay que pensar ahora en algo más concreto.

SACRISTÁN   Haremos saber a todos que es pecado mortal tener esas joyas y así las devolverán.

CAMPANERO   El que las tiene sabía que desafiaba la ira de Dios.

CURA (*temeroso*)   ¡Calla! ¡No vayan a oírte! Debemos hacer que ese robo no sea visible.[1] ¿Qué pensarían todos si supieran que la imagen misma del Padre Eterno ha sido despojada? ¿A qué no se atreverían después? ¡Esto es muy peligroso!

SACRISTÁN (*iluminado*)   Tenemos algunas joyas falsas. Podríamos ponerlas a la imagen, y como está en alto, los que vienen a rezarle no podrían ver si son las auténticas o si son falsas. Ellos saben que las joyas están en manos del Padre Eterno y sabiéndolo ya no tienen la preocupación de verlas.

CAMPANERO   Además, siempre que rezan tienen la cabeza baja. No se atreven ni siquiera a ver a la imagen.

CURA (*Recapacitando, dice complacido*)   Creo que es una buena idea: Pondremos las joyas falsas, pues es mejor que todo parezca en regla. No le diré nada al señor Obispo, sino hasta haber hallado las auténticas...

CAMPANERO   ¿Y si no las hallamos?

SACRISTÁN   Tenemos que hallarlas.

CAMPANERO   ¿Por qué?

---

1. **que... visible:** *que no se note la ausencia de las joyas*

SACRISTÁN (*convincente*)   Porque Dios tiene que ayudarnos.

CURA   Sí... sí... pero sobre todo porque vamos a estar vigilantes. (*Les toma las cabezas y habla como si se tratara de una conspiración.*) Desde dentro del confesionario, se puede ver la imagen del Padre Eterno sin ser visto. Haremos guardia los tres.

CAMPANERO   ¿Y si no vuelve el ladrón?

SACRISTÁN   Rezaremos a Dios para que venga a robar de nuevo y así pronto le haremos caer en nuestras manos. Ahora voy a poner las joyas falsas. (*Entra en la iglesia.*)

CAMPANERO (*meditando*)   Padre, ¿no cree usted que puede ser cosa del Demonio?

CURA (*con fastidio*)   No seas inocente, hijo mío.

CAMPANERO   ¿Y si fue Él[2]? ¿Y si vuelve a sorprendernos? ¿Y si fue el enemigo. Padre?

CURA   Tranquilízate hijo, y ahora vamos a montar guardia. (*Entran los dos en la iglesia.*)

ESCENA SEGUNDA

Entran BEATRIZ *por un lado y el* CARCELERO *por otro.*

CARCELERO (*viendo a* BEATRIZ *con crueldad*)   Te he dicho que no es bastante.

BEATRIZ   Llevo dos días rogándote. Me tiranizas y tengo que rogarte. Tengo lástima y asco de mí misma.

(*El* CARCELERO *se encoge de hombros.*)

BEATRIZ   Te traje todo lo que tenía, una vez y otra y nunca es bastante. Tres veces me lo has dicho y tres veces te he traído más.

CARCELERO   Tengo que tomar precauciones. Voy a quedarme sin trabajo y...

BEATRIZ   ¡Valiente trabajo!

CARCELERO (*insolente*)   Es un buen trabajo. Aquí el único que no

---

2. **Él:**   i.e., the Devil

se muere de hambre soy yo. Y pensándolo bien, los presos tampoco
se mueren de hambre. ¿Para qué quieres que sea libre? De cualquier
manera todos estamos prisioneros en este mundo, porque nunca
podemos tener lo que queremos.

BEATRIZ (*suplicante*)   Pero, en fin, ¿qué es lo que debo hacer?

CARCELERO   Me traerás una cantidad igual a la de ayer y lo
dejaré libre.

BEATRIZ   ¿Y quién me asegura que será así?

CARCELERO   Yo mismo.

BEATRIZ   ¿Cómo puedo confiar en ti?

CARCELERO (*altanero*)   Si no confías en mí, no confías en nada y
tu hermano se pudre en la cárcel. Si te pido cada vez más, es porque
a mí también me piden más y más.[3]

BEATRIZ (*llorosa*)   Podría traerte esa cantidad y me dirías que no
es bastante. Llegaría un momento en que no tendría qué darte. La
vida misma no vale nada si tú no le das valor.

CARCELERO   Esta vez, es seguro. Si no crees en mí tienes que
darlo todo por perdido.

BEATRIZ (*impotente*)   ¡A dónde he llegado! Siendo tú el carcelero,
eres mi única esperanza.

CARCELERO (*dominante*)   Sí. Y más vale que me traigas hoy mismo
lo que te pido, porque mañana será tarde.

BEATRIZ (*con alarma*)   ¿Tarde? ¿Qué quieres decir?

CARCELERO   Me han dicho que mañana se llevarán de aquí a los
prisioneros incomunicados.

BEATRIZ (*angustiada*)   No es verdad. Quieres asustarme.

CARCELERO (*cruel*)   No. A veces hay que hacer una limpia. La
cárcel está llena y los prisioneros no caben dentro de ella. Duermen
uno junto a otro, y a veces han tenido que dormir uno sobre de otro.
(*Ríe con una risa equívoca.*) Es que la cárcel se construyó para unos
cuantos y ahora hay muchos, muchos más.

BEATRIZ   ¿Y qué van a hacer con los que se lleven de aquí?

CARCELERO (*fastidiado*)   No sé.

---

3. **Si te... más:**   The jailer here indicates that he is not the only one asking for
bribes; he, in turn, must satisfy the greed of others before he can set Beatriz's
brother free or so, at least, he claims.

BEATRIZ   ¿Van a matarlos, verdad? ¿Es eso? (*Vuelve a ver el lugar donde estuvo el* DIABLO.) Él tenía razón.

CARCELERO   Bueno, es lo más probable. (*Al ver que* BEATRIZ *se sobresalta*) Unos años antes, unos después... De la cárcel podrás librarlo, pero de la muerte...

BEATRIZ   Me parece que la muerte después de haber sido libres en esta tierra, debe ser una forma más de libertad, pero si hemos estado aquí prisioneros, la muerte ha de ser la cárcel definitiva. (*Pausa.*) Dime, ¿todos esos presos están ahí porque han hablado en contra del Amo?

CARCELERO (*con intención*)   No todos, otros son ladrones.

BEATRIZ (*tímida*)   Comprendo.

CARCELERO   Sí, veo que comprendes muy bien. ¿Crees que no sé de dónde vienen esas joyas?

BEATRIZ (*desesperada*)   Son herencia de mi familia. Las tenía guardadas y...

CARCELERO   Está bien, está bien... (*Lanza una carcajada.*) Si me traes lo que te he pedido me callaré, si no...

BEATRIZ   Si hablas tendrás que devolverlas.

CARCELERO (*burlón*)   Confieso que has tenido una buena idea. He conocido tipos arriesgados, pero mira que arrebatarle a Dios mismo de las manos... (*Ríe. De pronto muy serio*) ¿No sabes que eso puede costarte una angustia tal, que la libertad y la vida misma pueden llegar a parecer vacías?

BEATRIZ (*con angustia*)   ¡Calla!

CARCELERO   Está bien. Pero si no me traes lo que te pido...

BEATRIZ   Diré que las tienes tú.

CARCELERO (*muy seguro de sì mismo*)   No te crearán. Tú no eres nadie. Una mujer, hermana de un hombre que no es libre. Yo soy la autoridad.

BEATRIZ   ¿Esto te hace creerte libre de culpa?

CARCELERO   Al menos no corro el riesgo de que me atrapen. Y además, por si acaso... (*burlón*) como dicen que Dios es muy cuidadoso de las formas, ante sus ojos el ladrón eres tú y no yo. Con que ya lo sabes, si no quieres despedirte hoy mismo de tu hermanito...

(*Tararea el tema musical de la* PROSTITUTA *y entra en la cárcel, dejando a* BEATRIZ *paralizada.*)

ESCENA TERCERA

Pasan algunos HOMBRES *y* MUJERES *por la escena.* BEATRIZ *espera que salgan para entrar furtivamente dentro de la iglesia. De pronto se oyen dos gritos prolongados en el interior. Salen de la iglesia, el* CURA *y el* SACRISTÁN *llevando casi a rastras a* BEATRIZ.

CURA   ¿Qué has hecho desventurada? ¿Qué has hecho? ¡Hereje, impía, alma diabólica! ¿Cómo te has atrevido? ¿No sabes que te exponías a la ira de Dios?

(*El* CURA *arroja a* BEATRIZ *al suelo.*)

BEATRIZ (*Irguiéndose, habla con absoluta rebeldía*)   Desde que nací he oído esas palabras. ¿Podría ignorarlas ahora?

CURA   ¿Y sabiéndolo te has atrevido a hacerlo?

BEATRIZ (*dolida*)   Pensé que si Dios lo comprende todo realmente, sabría perdonarlo todo también.

SACRISTÁN (*escandalizado*)   Sabe lo que ha hecho y se atreve a declararlo.

CURA   Lo que has hecho sólo se paga con la condenación eterna. Soy sacerdote y sé lo que Dios es capaz de hacer con quienes violan su sagrada casa.

BEATRIZ   No he hecho nada que pudiera merecerme esta suerte tan desgraciada. (*Al* CURA) ¿Qué espera? Envíeme a la cárcel. (*Patética*) Quise vivir con mi hermano en la libertad y usted me mandará a morir con él en la prisión.

CURA (*severo*)   ¿Dónde están las joyas?

BEATRIZ   Se las di al carcelero para que diera la libertad a mi hermano, pero él siempre me pedía más y más y Dios me daba cada vez menos.

CURA   Y tú, ¿no enrojecías de vergüenza de pensar que tu hermano podría ser libre a ese precio?

BEATRIZ (*iluminada*)   Creí que la libertad de un hombre merece que se sacrifique a ella todo lo demás.

CURA   ¿Y ese carcelero sabía de dónde provenían las joyas? ¿Tú se lo hiciste saber?

BEATRIZ   Sólo sé que debía salvar a mi hermano a cualquier precio.

CURA (*al* SACRISTÁN)   Ve a buscar al carcelero.

(*El* SACRISTÁN *entra en la cárcel.*)

CURA   Tú tendrás que afrontar también la justicia de esta tierra. Por cosas mucho menores el Amo ha hecho encarcelar por toda la vida a tantos hombres...

BEATRIZ   Ahora todo está perdido. Mi pobre hermano no será nunca libre, pero yo no tengo miedo ya de nada.

CURA (*amenazador*)   Aún te quedan muchos castigos. Siempre hay un castigo que no conocemos.

BEATRIZ (*con amargura*)   Ya no me importa nada.

CURA   ¿No sabías que al robar la imagen del Padre Eterno dabas con ello un mal ejemplo a todos los hombres? ¿No te arrepientes?

BEATRIZ (*crispada*)   De lo único que me arrepiento, es de haber nacido.

(*Entra el* SACRISTÁN *seguido del* CARCELERO *y detrás de él, la* PROSTITUTA.)

SACRISTÁN   Aquí está el carcelero señor Cura, ha llorado cuando le conté lo sucedido.

(*El* SACRISTÁN *da un empellón al* CARCELERO *y éste cae de rodillas ante el* CURA.)

CURA   ¿Eres cómplice de ésta que se ha atrevido a alargar la mano hasta donde los hombres no deben atreverse?

CARCELERO (*de rodillas*)   Soy culpable por haber aceptado esas joyas, pero no por otra cosa. No sabía de quién eran. ¿Cómo iba yo a atreverme si no?

BEATRIZ (*violenta*)   Tú sabes la verdad, pero eres como todos; la escondes, te arrodillas, te humillas, haces como que crees...

CARCELERO   ¿Voy a declararme culpable si no lo soy?

BEATRIZ   Sigue declarándote inocente, para seguir teniendo el derecho de ser carcelero.

CURA   ¡Silencio! (*Al* CARCELERO) ¿Dónde están esas joyas?

CARCELERO   No las tengo ya. Se las di a esta mujer.

CURA (*De pronto repara en la presencia de la* PROSTITUTA)   ¿A esta mujer?

PROSTITUTA (*burlona*)   Yo tampoco las tengo. Las vendí a una mujer que es amiga del Amo. (*Ríe.*)

CURA (*alzando las manos*)   ¡Con qué seres me enfrentas Dios mío! Lo más bajo de la creación.

CARCELERO (*Ofendido, se pone de pie*) ¿Por qué me acusan a mí?
No tengo la culpa de ser carcelero. Yo no soy el que ha puesto a
unos hombres adentro, tras las rejas, y otros afuera para custo-
diarlos. (*Despectivo*) Alguna vez fui yo también a esa iglesia, a preguntarle al Padre Eterno si estaba bien que yo fuera carcelero.
Pero Él calló. Puedo asegurarle señor Cura que ser carcelero no es
fácil: Ser carcelero no es más que una forma de estar preso. Y usted
tras ese uniforme negro...

CURA Calla, insensato.

CARCELERO (*sobreponiéndose al* CURA) Es la verdad. Mi padre fue
carcelero y mi abuelo también, toda mi raza está hecha de carceleros[4] y he llegado a aborrecerlos, pero usted es el que menos derecho
tiene a despreciarme, porque las cárceles y las iglesias...

CURA (*con gran firmeza*) Te he ordenado que calles y me digas
dónde están esas joyas. Algún rastro tendrás de ellas...

PROSTITUTA (*burlona*) Ya le dijo que me las dio a mí. Me las dio
como limosna ¿sabe usted? (*Ríe insolente.*) La limosna es mi espe-
cialidad.

CURA (*fuera de sí*) ¡Calla! ¿Qué hiciste con las joyas?

PROSTITUTA Las vendí y me compré una cama reluciente. Tiene
en las cabeceras cuatro grandes esferas doradas, como esa que sostiene el Padre Eterno entre las manos. (*Ríe más insolente.*)

CURA (*después de reflexionar*) ¿Dijiste de dónde provenían las joyas?

PROSTITUTA No. No soy tonta.

CURA ¡Mejor! Esto no debe saberse.

SACRISTÁN Sería un ejemplo espantoso.

CARCELERO Por mi parte no se sabrá nada.

CURA Entonces lleva a esta mujer a la cárcel. Yo hablaré con
el Amo para que la castigue con todo rigor. Ella sola es la culpable
y nadie más.

BEATRIZ (*con intención*) ¿Está usted seguro de eso?

CURA (*firme*) Sí. En la cárcel estarás incomunicada para siempre.
Ya tendrás tiempo de arrepentirte.

(*El* CARCELERO *toma violentamente a* BEATRIZ *del brazo, pero ésta
forcejea y grita repetidas veces.*)

BEATRIZ ¡Soy inocente! ¡Soy inocente! ¡Soy inocente!

---

4. **toda... carceleros:** all my forebears were jailers

ESCENA CUARTA

La plaza se llena de HOMBRES *y* MUJERES *que vienen de todos lados de la escena y rodean al grupo interrogantes. Por el otro lado entra el* DIABLO. *El* PUEBLO *está agitado. Se oye un rumor, pero ninguna palabra.*

SACRISTÁN (*temeroso*) Señor Cura, hay que explicarles a estas gentes.

CURA Creo que es inevitable explicarles.

(*El* DIABLO *está cerca de* BEATRIZ.)

BEATRIZ ¿Ya ves hasta dónde me has llevado?

DIABLO (*con ardor*) ¡Ha llegado el momento decisivo! Estos hombres sabrán lo que has hecho y te justificarán. Les has demostrado que no hay en esa imagen, nada que pueda infundirles temor. Vencerán el miedo. Se sentirán unidos. Podrán entonces verme y oírme y podré encaminarlos a su salvación.

CURA (*desde el atrio de la iglesia, arengando al* PUEBLO) Ha sucedido en nuestro pueblo algo que ha hecho temblar el trono mismo del Altísimo: Alguien se ha atrevido a entrar en esta iglesia y ha tratado de robar, inútilmente, las joyas que estaban en manos de la sagrada imagen.

(*El* PUEBLO *se mueve sorprendido, otra vez con movimiento rítmico y uniforme.*)

CURA Pero al mismo tiempo se ha operado el más maravilloso de los milagros: Por el centro de la cúpula de nuestra iglesia, ha entrado un ángel que vino a avisarme.

(*Estupor en el* PUEBLO *que ve arrobado al cielo.*)

SACRISTÁN (*con asombro*) ¿Por qué no me lo había dicho señor Cura?

CURA (*zafando con impaciencia la punta de la sotana que el* SACRISTÁN *le tira*[5]) Aquel Angel sonrió, y me dijo: Debes estar vigilante, porque alguien intenta cometer un grave pecado y revoloteando como una mariposa gigantesca, cuyas alas encendían de luz toda la iglesia...

SACRISTÁN (*alucinado*) ¡Qué hermosura!

CURA (*Detiene al* SACRISTÁN *con un gesto severo*) Encendían de luz toda la iglesia y me guiaban hasta el lugar donde ésta infeliz

5. **Zafando... tira:** Impatiently yanking free the corner of his robe, which the sacristan had been holding onto.

con la mano paralizada, trataba inútilmente de robar las joyas.

(*Movimiento del* PUEBLO *hacia* BEATRIZ.)

SACRISTÁN (*que camina siempre detrás del* CURA)   ¿Por qué tengo tan mala suerte? Siempre me pierdo de lo mejor.

CURA   Aquel ángel todo bondad, quiso dar un castigo a la falta de esta mujer y con sus grandes alas volaba en torno suyo, azotándola con ellas, como si fuesen dos látigos inmensos y coléricos.

SACRISTÁN (*entusiasmado*)   ¡Bien hecho! ¡Bien hecho!

CURA (*alucinado por sus mismas palabras*)   Yo miraba absorto todo esto, pensando que hasta el pueblo más modesto, como es el nuestro, le está señalado el día en que ha de ver manifiesto el poder de los ángeles.

SACRISTÁN (*en un arrebato de entusiasmo*)   ¡Vivan los ángeles!

CURA   Esta mujer al verse castigada quiso huír, pero un rayo de luz caía sobre ella y la paralizaba en la tierra.

SACRISTÁN (*asombrado*)   Pero si fui yo el que la detuvo...

CURA (*con la voz más fuerte*)   El rayo de luz la inmovilizó y la hizo caer entre mis manos. Así, ante ustedes está esta mujer cuya alma se ha manchado. (*A* BEATRIZ) ¡De rodillas, desventurada! ¡De rodillas! (BEATRIZ *permanece de pie.*) He dicho que te arrodilles.

(*El* PUEBLO *se mueve amenazador contra* BEATRIZ.)

BEATRIZ (*altiva*)   No tengo de qué arrepentirme. Quiero hablarles.

CURA   No hay que escucharla hijos míos.

(*El* PUEBLO *hace un movimiento como si arrojara algo a la cara de* BEATRIZ.)

BEATRIZ   He tomado esas joyas de las manos de Dios porque creí que eso era lo justo. Muchos de ustedes habrán pensado hacerlo. ¿Van a condenarme? ¿Por qué?, ¿porque tuve valor de hacer lo que ustedes no han querido hacer? Aún quedan ahí joyas. Son nuestras.

CURA   ¡Calla, maldita!

(*Movimiento del* PUEBLO *hacia el* CURA.)

DIABLO (*sobre el atrio de la iglesia*)   Amigos, hermanos. (*El* PUEBLO *vuelve a ver al* DIABLO.) ¿Ahora ya pueden verme? (*El* PUEBLO *asiente con la cabeza.*) Las palabras y el sufrimiento de esta muchacha han obrado el verdadero milagro. ¡Ustedes ya pueden verme!

CURA (*al* SACRISTÁN)   ¿Quién es ese hombre? No le conozco.

SACRISTÁN (*Cae de rodillas arrobado*)   Debe ser el ángel que usted vio.

(*El* CURA *lo levanta violentamente, y el* SACRISTÁN *queda en actitud de éxtasis. El* CURA *se adelanta al* DIABLO, *pero éste lo detiene con un gesto enérgico.*)

DIABLO (*movimiento del* PUEBLO *hacia el* DIABLO *cuando éste habla*) Esta mujer debe quedar libre ahora mismo. ¡Mírenla! Es joven y está sola. Sola como cada uno de ustedes. Sola porque ustedes no quisieron unirse a ella.

CURA   ¡De rodillas pecadores! ¡Todos de rodillas!

(*El* PUEBLO *se arrodilla.*)

CURA   La ira de Dios caerá sobre este pueblo por haber escuchado al enemigo.[6] Sólo el arrepentimiento puede salvarlos.

DIABLO   No hay de qué arrepentirse. (*El* PUEBLO *se yergue poco a poco mientras el* DIABLO *habla.*) Es la voz de la justicia la que habla dentro de ustedes. (*Movimiento del* PUEBLO *otra vez hacia el* DIABLO.) Por una vez hablen, hombres de este pueblo. Que suene el timbre de esa voz dormida dentro de sus pechos. Se trata de ir ahora a la cárcel, ir a la iglesia, abrir las puertas de par en par y dejar libres a todos los que han estado ahí aprisionados.

CURA (*tonante*)   Los muros de esta iglesia son sólidos y fuertes. ¿Serían capaces de embestir contra ellos?

(*Movimiento del* PUEBLO *hacia el* CURA.)

PUEBLO (*tímido*)   No.

DIABLO (*con alegría*)   ¡Han hablado! Se operó el segundo milagro. (*Al* PUEBLO) ¿Quieren condenar a esta muchacha? ¿Quieren aceptar la injusticia eterna que pesa sobre ella?

(*Movimiento del* PUEBLO *hacia el* DIABLO.)

PUEBLO (*menos tímido*)   No.

CURA   Esta iglesia es la seguridad hijos míos. Lo sabemos bien.

PUEBLO (*movimiento hacia el* CURA)   Sí.

DIABLO (*con entusiasmo*)   El camino que sigo es a veces áspero, pero es el único que puede llevar a la libertad. ¿No quieren hacer la prueba?

PUEBLO (*con entusiasmo moviéndose hacia el* DIABLO)   Sí.

CURA (*amenazador*)   Pobre de aquél que se vea aprisionado en la cárcel de su propia duda. Esa cárcel es más estrecha que todas las de esta tierra. ¿No lo saben?

6. **enemigo:** *Diablo*

PUEBLO (*resignado moviéndose hacia el* CURA)   Sí.

DIABLO   Lo que él llama duda es la salvación. Ustedes serán capaces de hacer aquí las cosas más increíbles.

PUEBLO (*alucinado*)   Sí.

CURA   ¿Y la otra vida? ¿No importa nada? ¿Quieren hallar al morir cerradas definitivamente las puertas de la esperanza?

PUEBLO (*atemorizado*)   No.

DIABLO (*vital*)   Lo único que importa es esta vida.

PUEBLO (*con entusiasmo*)   Sí.

CURA   La resignación es la única salud del alma. ¿Quieren consumirse en una rebeldía inútil?

PUEBLO (*resignado*)   No.

DIABLO (*con gran fuerza*)   Pero será hermoso el día en que nuestra voluntad gobierne esta tierra. Todo lo puede la voluntad del Hombre.

PUEBLO (*enardecido*)   Sí.

CURA (*gritando*)   ¡Basta de locuras insensatos! ¿Trabajamos todos en la tierra de Dios?

PUEBLO (*dolorosamente*)   Sí.

DIABLO   Esta tierra será la tierra de los hombres.

PUEBLO (*soñador*)   Sí.

CURA (*con los brazos en cruz[7]*)   No es posible rebelarse ante todo lo que Dios ha querido que sea.

PUEBLO (*resignado*)   No.

DIABLO (*entusiasta*)   ¡Si, es posible!

PUEBLO (*interrogante*)   ¿Sí?

(*En la puerta de la iglesia aparece el* CAMPANERO *gesticulando.*)

CAMPANERO (*gritando*)   ¡Señor Cura! ¡Señor Cura!

(*Se acerca al* CURA *y le habla al oído. Expectación general. El* PUEBLO *está inmóvil.*)

CURA (*muy solemne, después de oír al* CAMPANERO)   Hijos míos. El pecado de esta mujer que les indujo a oír la voz del Demonio ha dado ya sus frutos malignos. Vienen a decirme que las cosechas se perderán definitivamente en este año. No quedará ni una sola planta en estos campos. La miseria va a apoderarse de esta tierra. El viento del Norte comienza a soplar. ¡Oigan!

---

7. **con... cruz:**   with arms outstretched

(*El* PUEBLO *se despliega. Se oye el rumor del viento que seguirá siendo más estruendoso hasta el final de la escena.*)

SACRISTÁN (*supersticioso*)   Todo esto es castigo de Dios.

PUEBLO (*de rodillas*)   ¡Castigo de Dios! ¡Castigo de Dios!

DIABLO (*gritando*)   ¡No es verdad! No dejen que el miedo se filtre otra vez por la primera rendija. ¡Oiganme!

(*El* PUEBLO *arrodillado le vuelve la espalda al* DIABLO.)

BEATRIZ (*con gran tristeza*)   Ya no te ven, amigo mío.

DIABLO   ¡Me oirán al menos!

BEATRIZ   Tu imagen se está borrando dentro de ellos mismos. Tienen miedo. (*Con angustia*) ¿Qué van a hacer de mí?

DIABLO (*con amargura*)   ¡La ignorancia es la peor injusticia! (*A* BEATRIZ) ¿Tienes miedo? (*Se acerca a ella y la toma en sus brazos.*)

BEATRIZ (*Lo ve, arrobada*)   No. Es extraño pero no siento miedo. Algo comienza a crecer dentro de mí que me hace sentir más libre que nunca.

DIABLO   Pero no es justo. (*Al* PUEBLO) ¡Oíganme! Esta mujer debe quedar libre. Hay que soltarla.

PUEBLO (*Arrodillado repite mecánicamente con los brazos abiertos en cruz y viendo al cielo*)   ¡Castigo de Dios! ¡Castigo de Dios! ¡Castigo de Dios!

CURA (*Implacable. Señalando a* BEATRIZ)   Esta mujer es la culpable.

(*El* PUEBLO *se pone mecánicamente de pie. Se arremolina en torno de* BEATRIZ. *Un* HOMBRE *se acerca a ella y la señala gritando.*)

UN HOMBRE   ¡La muerte!

PUEBLO (*Repite frenéticamente*)   ¡La muerte! ¡La muerte!

(*Las* MUJERES *enloquecidas se apoderan de* BEATRIZ *y violentamente la amarran al tronco de un árbol.*)

DIABLO (*Impotente corre tras de ellas*)   ¡Deténganse! ¡Deténganse! (*Nadie les hace caso.*)

BEATRIZ (*gritando con pánico mientras la arrastran*)   ¡No! ¡No! Suéltenme. Suéltenme. (*Mientras la amarran grita forcejeando.*) No soy culpable de nada. Si me matan, matarán una parte de ustedes mismos.

(*El* PUEBLO *en tumulto al ver a* BEATRIZ *amarrada se precipita sobre ella en un movimiento uniforme y avasallador y la hiere con gran violencia mientras ella grita enloquecida.*)

BEATRIZ   ¡No, no, no! (*Su voz se va apagando.*)

CURA   Que la voluntad de Dios se cumpla sobre ella. Nosotros rezaremos por la salvación de su alma.

(*El* PUEBLO *al oír la voz del* CURA, *cesa de herir a* BEATRIZ *y se repliega en un extremo de la escena donde se arrodilla, siguiendo el rezo del* CURA *que dice el Padre Nuestro.*)

BEATRIZ   (*Amarrada le habla al* DIABLO *que llora junto a ella*)   Van a dejarme aquí, inmóvil, atada, hasta que el frío y el viento terminen con mi vida.

DIABLO   (*junto a* BEATRIZ)   ¿Qué hacen ahora?

(*Un* HOMBRE *entra con una imagen del* DIABLO *a manera de un judas mexicano,[8] y en medio del silencio expectante de los demás, lo cuelga como si lo ahorcara.*)

BEATRIZ   (*desfalleciente*)   Están ahorcando tu imagen. Lo hacen para sentirse libres de culpa.

(*Se oye un ruido de cohetes y el muñeco cuelga al viento.*)

CURA   (*desde el atrio*)   Ahora hay que castigarse, hijos míos. ¡Hay que castigarse! Todos somos culpables de lo que esta mujer ha querido hacer. No hemos estado vigilantes. ¡A pagar nuestra culpa! ¡A pagar nuestra culpa!

(*Los* HOMBRES *y* MUJERES *arrodillados comienzan a flagelarse con chicotes imaginarios, y con movimientos angustiosos se van poniendo de pie mientras se flagelan, en una especie de pantomima grotesca, y comienzan a entrar en la iglesia flagelándose con movimientos contorsionados.*)

CURA   (*desde el atrio*)   ¡Fuerte! ¡Más fuerte! ¡Más fuerte!

(*Los del* PUEBLO *continúan la pantomima flagelándose, giran en derredor del* CURA *delirantes y como si obedeciesen a una fuerza ciega, desesperados, entran en la iglesia. El* CURA *entra detrás de ellos con los brazos abiertos como el pastor tras su rebaño.*)

DIABLO   (*Corre inútilmente hacia el* PUEBLO)   No se flagelen más. No se odien de esa manera. ¡Amense a sí mismos más que a Dios!

(*El* SACRISTÁN *y el* CAMPANERO *entran en la iglesia. El* CARCELERO *vacila, pero resuelto entra también en la iglesia con paso firme. Quedan solos* BEATRIZ *y el* DIABLO *que se desploma sollozando en las gradas de la iglesia.*)

---

8. judas mexicano: Effigies of Judas Iscariot are traditionally burned or filled with fireworks and exploded in Mexico the day before Easter.

ESCENA QUINTA

BEATRIZ (*amarrada, casi exhausta*)   Estas ataduras se hunden en mi carne. Me duelen mucho. No puedo más. (*Viendo al* DIABLO *con gran simpatía*) ¿No puedes hacer ya nada por mí, amigo mío?

DIABLO   Lo único que logré fue sacrificarte a ti. ¡Para eso es para lo único que he servido!

BEATRIZ (*con voz entrecortada*)   No estés triste. Ahora comprendo que el verdadero bien, eres tú.

DIABLO (*sollozando*)   He perdido tantas veces esta batalla de la rebeldía y cada vez me sube el llanto al pecho como si fuera la primera. El viento del Norte moverá tu cuerpo, pobre Beatriz, y golpeará en la ventana de la celda del Hombre, que sigue prisionero. (*Patético*) No volveré a luchar más. Nunca más.

BEATRIZ (*casi sin poder hablar*)   Sí. Volverás a luchar. Prométeme que lo harás por mí. Algún día se cansarán de creer en el viento[9] y sabrán que sólo es imposible lo que ellos no quieran alcanzar. Su misma voluntad es el viento, con que hay que envolver la superficie completa de esta tierra.

(*Se desfallece. El viento sopla furioso, agitando los vestidos y cabellos de* BEATRIZ.)

DIABLO (*impotente*)   ¡Ya no puedo hacer nada por ti! (*Se levanta y se acerca a* BEATRIZ *y la llama inútilmente.*) ¡Beatriz!... (*Pausa. La sacude con desesperación. De pronto reacciona otra vez con energía.*) Está bien... Seguiré luchando; libraré de nuevo la batalla, en otro lugar, en otro tiempo, y algún día, tú muerta y yo vivo, seremos los vencedores.

(*Abre los brazos como si fuera a comenzar el vuelo. El tema musical del* DIABLO *suena ahora dramático, mezclado con el rumor del viento.*)

Telón

---

9. **creer... viento:**   Here, as previously, when the North wind begins to blow (at the moment when the Priest needs proof of Beatriz's "evil"), it is purported to represent the wrath of God. Beatriz and the Devil see it only as an incitation to fear among the ignorant and the credulous.

CUESTIONARIO

Primer acto

1. ¿Quién es el hombre que ha visto el Campanero en el monte?
2. ¿Qué pensamientos del Campanero adivinó aquel hombre?
3. ¿A qué huele el hombro del Campanero?
4. ¿Por qué quiere hablar Beatriz con el Carcelero?
5. ¿Por qué ofensa está en la cárcel el hermano de Beatriz?
6. ¿Quiénes son los dos parientes del Amo mencionados por el Carcelero?
7. ¿Cuáles son las dos clases de nombres atribuidos al Diablo?
8. Según el Diablo, ¿de qué manera puede lograr Beatriz la libertad de su hermano?
9. ¿A dónde piensa ir Beatriz cuando quede libre su hermano?
10. ¿Quiénes son los únicos que pueden ver al Diablo?
11. ¿Qué hay en la iglesia que le podría ser útil a Beatriz?
12. ¿Qué es lo que discuten con tanta energía Beatriz y el Diablo al final del acto?

Segundo acto

1. Según la Prostituta, ¿qué ha tenido ella en común con todas las demás personas?
2. ¿Qué le ofrece el Carcelero a ella?
3. ¿En cuánto dinero insiste la Prostituta?
4. ¿De qué modo trata el Cura de consolar a Beatriz?
5. ¿Qué le pide Beatriz al Cura?
6. Después de hablar con el Cura, ¿cómo trata Beatriz de conseguir dinero?
7. ¿Qué nos revela la pantomima de la escena cuarta de la vida pasada de Beatriz?
8. ¿Fue culpable de un robo el hermano de Beatriz?
9. ¿Qué le sucede al hermano al final de la pantomima?
10. ¿Qué le da Beatriz al Carcelero al final del Acto II? ¿Cómo reacciona éste?

Tercer acto

1. ¿Cuánto tiempo ha transcurrido entre el Acto II y el Acto III?
2. ¿A quién sospecha primero el Cura?
3. ¿Qué piensan hacer el Cura y el Sacristán para que nadie note el robo de las joyas?
4. ¿Por qué el Carcelero le ha pedido más y más a Beatriz antes de poner en libertad a su hermano?
5. Según el Carcelero, "La cárcel se construyó para unos cuantos y ahora hay muchos, muchos más". ¿Hay intención simbólica en lo que dice?
6. ¿Qué pensamiento sobre la muerte expresa Beatriz?
7. Cuando finalmente descubren a Beatriz robando, ¿cómo justifica ella lo que ha hecho? ¿Cuál es su único arrepentimiento?
8. ¿Qué se compró la Prostituta con el dinero de las joyas?
9. ¿Cómo reacciona el Pueblo ante el debate del Cura y del Diablo?
10. ¿De qué argumento se aprovecha el Cura para vencer al Diablo y con qué resultado?

PREGUNTA GENERAL

Como los *autos sacramentales* antiguos, *Las manos de Dios* contiene un motivo alegórico, en que la situación concreta de un pequeño pueblo representa circunstancias universales. Comente usted esta relación, señalando los símbolos empleados y las conclusiones filosóficas del autor.

3

LA AMÉRICA UNIVERSAL

RUBÉN DARÍO

Nicaragua 1867–1916

DARÍO IS generally acknowledged as the most important modernist poet of the Spanish language, both because of the intrinsic value of his work and because of his influence on contemporaries as well as successors. If Darío was not chronologically the "father of modernism,"[1] he was undeniably its guiding spirit and exemplary voice.

The modernists retained much of the passion and exoticism of the romantics ("*¿Quién que es no es romantico?*" asked Darío) but their distinguishing features were a new sense of discipline in style, variety in form, and an appreciation of unworldly beauty unknown in Hispanic poetry since the Golden Age. Whereas most romantics in the Americas had imitated, the modernists assimilated. With the advent of modernism, writing acquired the characteristics of a profession, and poetry was recognized as the result of craftsmanship and painstaking composition as well as "inspiration."

The emphasis that modernists traditionally placed on esthetic values did not meet with unanimous approval, and their detractors were to some extent successful in creating a legend of hedonism and sensuality. It is significant that the definition of modernism first published in the 1899 edition of the dictionary of the Royal Spanish Academy has been retained through five subsequent editions; it is a definition that can hardly be called objective. It reads: *afición excesiva a las cosas modernas, con menosprecio de las antiguas, especialmente en arte y literatura.* However, responsible literary historians, critics, and poets have understood the revolutionary significance of the

---

1. José Martí (1853–95) and Julián del Casal (1863–93) of Cuba and Manuel Gutiérrez Nájera (1859–95) of Mexico established their reputations sooner than did Darío. The Colombian José Asunción Silva and the Uruguayan José Enrique Rodó were his contemporaries. The word *modernista* was first used (according to the critic Pedro Henríquez Ureña) in Darío's article in *Fotograbado* describing a visit with the Peruvian writer Ricardo Palma in 1888.

modernist movement. In their view it does not represent mere escape or separation from the past or moral laxity, but rather a fundamental revaluation of poetry in particular and of culture in general. Furthermore, with the advent of modernism we find for the first time in Hispanic-American literature a discriminating use of influences from both the past and the present. Finally, modernism is complex. Darío, its greatest representative, was primitive in his eroticism and both a classicist and a symbolist in his use of imagery. In his unstable relationship with religion he combined elements of paganism, pantheism, Catholicism, and agnostic doubt. Aristocratic by personal inclination, his concern for the social and political problems of Hispanic Americans grew steadily with the years.

Rubén Darío spent little of either his adolescence or adult life in Nicaragua. As a diplomat and a correspondent for the Buenos Aires newspaper *La Nación* he lived for extensive periods in Spain, France, and South America. He wrote poetry regularly from the age of thirteen and while still in his teens translated the romantic epics of Victor Hugo. His first idol was the great French symbolist, Paul Verlaine, and it is important to note that virtually all the poets commented on in Darío's *Los raros* (1896) are French. But Darío, by friendship and in spirit, became increasingly Spanish from the moment of his second arrival in Spain in 1898. His enthusiasm for Spanish topics in his later poetry reveals a reverence for Hispanica always compatible with his love of the indigenous American past.

The selections here are from *Cantos de vida y esperanza* (1905) and *El canto errante* (1907). The first poem, *Yo soy aquel, que ayer no más decía*, is an introduction to the 1905 volume and a thoughtful reappraisal of his artistic mission. He alludes in the poem to the first important phase of his literary life: the period between the publication of *Azul* (1888) and *Prosas profanas* (1896). *Lo fatal* is the last poem in *Cantos de vida y esperanza*, and it reveals Darío's often expressed horror at the thought of death. *Nocturno*, from *El canto errante*, reiterates that feeling but in more intense terms.

Shortly after his final return to Nicaragua Darío died on February 6, 1916. His Bohemian life had been a continuing protest against the social obstacles to his ingenuous sense of love and personal freedom. His works—composed, he said, "*en una tierra cada día más vibrante de automóviles . . . y de bombas*"—constitute a heroic defense of the poetic imagination in a world of prosaic realities.

Yo soy aquel

A José E. Rodó

Yo soy aquel que ayer no más decía
el verso azul y la canción profana,[1]
en cuya noche un ruiseñor había
que era alondra de luz por la mañana.

El dueño fuí de mi jardín de sueño,
lleno de rosas y de cisnes vagos;
el dueño de las tórtolas, el dueño
de góndolas y liras en los lagos;

y muy siglo diez y ocho y muy antiguo
y muy moderno; audaz, cosmopolita;
con Hugo fuerte[2] y con Verlaine ambiguo,[3]
y una sed de ilusiones infinita.

Yo supe de dolor desde mi infancia,
mi juventud... ¿fué juventud la mía?
Sus rosas aún me dejan la fragancia...
una fragancia de melancolía...

Potro sin freno se lanzó mi instinto,
mi juventud montó potro sin freno;
iba embriagada y con puñal al cinto;
si no cayó, fué porque Dios es bueno.

---

1. **el... profana:**   Darío had published *Azul* in 1888 and *Prosas profanas* in 1896, the books that gave him fame as a modernist. 2. **Hugo fuerte:**   Victor Hugo (1802–85), French poet, dramatist, novelist, and statesman, and one of Darío's poetic idols. He was the creator of striking imagery and musical effects and the leader of the romantic movement in French literature. He produced such well known work as the drama *Cromwell* with its critical *Préface* (1827), *Hernani* (1830, a play that caused extensive clashes between the classicists, and the romanticists), *Notre Dame de Paris* (1831, a novel), and *Les misérables* (1862, a novel). 3. **Verlaine ambiguo:**   Paul Verlaine (1844–96) marked the transition from Parnassianism (the cult of plastic beauty, paganism, "art for art's sake") to symbolism (dream world, suggestiveness, freedom of form, expression of the "self") in French literature. Darío's poetry has much in common with Verlaine's famous poem *Art poetique* (1874).

En mi jardín se vió una estatua bella;
se juzgó mármol y era carne viva;
una alma joven habitaba en ella,
sentimental, sensible, sensitiva.

Y tímida ante el mundo, de manera
que encerrada en silencio no salía,
sino cuando en la dulce primavera
era la hora de la melodía...

Hora de ocaso y de discreto beso;
hora crepuscular y de retiro;
hora de madrigal y de embeleso,
de "te adoro", de "¡ay!" y de suspiro.

Y entonces era en la dulzaina un juego
de misteriosas gamas cristalinas,
un renovar de notas del Pan[4] griego
y un desgranar de músicas latinas.

Con aire tal y con ardor tan vivo,
que a la estatua nacían de repente
en el muslo viril patas de chivo
y dos cuernos de sátiro en la frente.

Como la Galatea gongorina[5]
me encantó la marquesa verleniana,[6]
y así juntaba a la pasión divina
una sensual hiperestesia humana;

todo ansia, todo ardor, sensación pura
y vigor natural; y sin falsía,
y sin comedia y sin literatura...
si hay una alma sincera, esa es la mía.

---

4. **Pan:** in Greek mythology, the god of forests, pastures, flocks, and wild animals, traditionally associated with gay, amorous adventure and portrayed as having the horns, legs, and hoofs of a goat   5. *la Galatea gongorina:*   Galatea is the nymph-heroine of *Fábula de Polifemo y Galatea* by the Spanish baroque poet Luis de Góngora (1561–1627). Galatea rejected the impassioned love of the giant Polifemo because she loved the young shepherd Acis. After Polifemo killed Acis in a jealous rage, the marine gods, at Galatea's request, transformed Acis' blood into a river. Darío's esthetic affinity with Góngora is revealed in the following lines (*aquel ave* is, of course, the swan, one of Darío's favorite symbols): *Oh bella Galatea, más süave/que los claveles que tronchó la Aurora;/blanca más que las plumas de aquel ave/que dulce muere y en las aguas mora* (line 361 of *Fábula*).   6. **ver-leniana:** of Verlaine

La torre de marfil tentó mi anhelo;
quise encerrarme dentro de mí mismo,
y tuve hambre de espacio y sed de cielo
desde las sombras de mi propio abismo.

Como la esponja que la sal satura
en el jugo del mar, fué el dulce y tierno
corazón mío, henchido de amargura
por el mundo, la carne y el infierno.

Más, por gracia de Dios, en mi conciencia
el Bien supo elegir la mejor parte;
y si hubo áspera hiel en mi existencia,
melificó toda acritud el Arte.

Mi intelecto libré de pensar bajo,
bañó el agua castalia el alma mía,
peregrinó mi corazón y trajo
de la sagrada selva la armonía.

¡Oh, la selva sagrada! ¡Oh, la profunda
emanación del corazón divino
de la sagrada selva! ¡Oh, la fecunda
fuente cuya virtud vence al destino!

Bosque ideal que lo real complica,
allí el cuerpo arde y vive y Psiquis[7] vuela;
mientras abajo el sátiro fornica,
ebria de azul deslíe Filomela.[8]

Perla de ensueño y música amorosa
en la cúpula en flor del laurel verde,
Hipsipila[9] sutil liba en la rosa,
y la boca del fauno el pezón muerde.

---

7. **Psiquis:** Psyche (the human soul), in Greek and Roman mythology, a mortal loved but abandoned by Cupid when she disobeyed his command not to look at him. When she was later given immortality, she was united with Cupid forever. In the fifth century B.C. Psyche was symbolized by a butterfly.
8. **Filomela:** Philomela, in Greek legend, was violated by Tereus, her sister Procne's husband, who then cut out Philomela's tongue and imprisoned her. She wove a tapestry that pictured her tragedy and sent it to Procne, who secured her release, and the two sisters fled from Tereus' rage. Later, Philomela was changed into a swallow and Procne into a nightingale. In some versions the birds were reversed, and poets have often portrayed Philomela as a nightingale as a source of inspiration.   9. **Hipsipila:** Hypsipyle, in Greek legend, spared her father, king of Lemnos, from death when the women killed all the men there. She then became queen.

Allí va el dios en celo tras la hembra,
y la caña de Pan[10] se alza del lodo;
la eterna vida sus semillas siembra,
y brota la armonía del gran Todo.

El alma que entra allí debe ir desnuda,
temblando de deseo y fiebre santa,
sobre cardo heridor y espina aguda:
así suena, así vibra y así canta.

Vida, luz y verdad, tal triple llama
produce la interior llama infinita.
El Arte puro como Cristo exclama:
¡Ego sum lux et veritas et vita![11]

Y la vida es misterio, la luz ciega
y la verdad inaccesible asombra;
la adusta perfección jamás se entrega,
y el secreto ideal duerme en la sombra.

Por eso ser sincero es ser potente;
de desnuda que está, brilla la estrella;
el agua dice el alma de la fuente
en la voz de cristal que fluye de ella.

Tal fué mi intento, hacer del alma pura
mía, una estrella, una fuente sonora,
con el horror de la literatura
y loco de crepúsculo y de aurora.

Del crepúsculo azul que da la pauta
que los celestes éxtasis inspira,
bruma y tono menor —¡toda la flauta!,
y Aurora,[12] hija del Sol— ¡toda la lira!

Pasó una piedra que lanzó una honda;
pasó una flecha que aguzó un violento.

---

10. **la caña de Pan:** in Greek mythology, Pan pursued Syrinx, but just as he
was about to catch her by the river, she was transformed into reeds that gave a
gentle singing sound as the wind blew through them. Pan cut the reeds and put
them together as a musical pipe, which he played in her memory.   11. **¡Ego...
vita:** *¡Yo soy la luz y la verdad y la vida!*   12. **Aurora:**   Roman goddess of dawn

La piedra de la honda fué a la onda,
y la flecha del odio fuése al viento.
    La virtud está en ser tranquilo y fuerte;
con el fuego interior todo se abrasa;
se triunfa del rencor y de la muerte,
y hacia Belén[13]... ¡la caravana pasa!

Lo fatal

A René Pérez

Dichoso el árbol que es apenas sensitivo,
y más la piedra dura porque esa ya no siente,
pues no hay dolor más grande que el dolor de ser vivo,
ni mayor pesadumbre que la vida consciente.

Ser, y no saber nada, y sin rumbo cierto,
y el temor de haber sido y un futuro terror...
Y el espanto seguro de estar mañana muerto,
y sufrir por la vida y por la sombra y por

lo que no conocemos y apenas sospechamos,
y la carne que tienta con sus frescos racimos
y la tumba que aguarda con sus fúnebres ramos,
¡y no saber adónde vamos,
ni de dónde venimos!...

Nocturno

Silencio de la noche, doloroso silencio
nocturno... ¿Por qué el alma tiembla de tal manera?
Oigo el zumbido de mi sangre,
dentro mi cráneo pasa una suave tormenta.

13. **Belén:** Bethlehem

¡Insomnio! No poder dormir, y, sin embargo,
soñar. Ser la auto-pieza
de disección espiritual, ¡el auto-Hamlet!
Diluir mi triesteza
en un vino de noche
en el maravilloso cristal de las tinieblas...
Y me digo: ¿a qué hora vendrá el alba?
Se ha cerrado una puerta...
Ha pasado un transeúnte...
Ha dado el reloj tres horas... ¡Si será Ella[1]!...

CUESTIONARIO

Yo soy aquel

1. Según este testimonio, ¿qué características tenía la primera obra poética del autor?
2. ¿Qué nos dice el poeta de su juventud?
3. ¿A qué cambio fundamental en la estatua del jardín se refiere Darío? ¿Qué representa este cambio en cuanto a su obra poética?
4. ¿Cuál fue el resultado de su experiencia en "la torre de marfil"?
5. ¿Qué relación tienen las palabras de Cristo —*Ego sum lux et veritas et vita*— con la inspiración poética?
6. Compárense las dos imágenes "torre de marfil" y "la selva sagrada".

Lo fatal

1. Darío compara tres existencias entre sí: ¿cuáles son y con qué motivo hace la comparación?
2. ¿Cuál es el "terror" que atormenta al poeta?
3. ¿Qué misterio representan los últimos dos versos de esta poesía?

1. **Ella:**   death

Nocturno

1. ¿Qué experiencia tiene el poeta en la noche?
2. ¿Por qué se identifica el poeta con "el auto-Hamlet"?
3. ¿Por qué espera el poeta con ansia el alba?

PREGUNTA GENERAL

¿Qué diferencias de estilo, sentimiento, y pensamiento nota usted entre la primera poesía y las dos últimas?

JORGE LUIS BORGES

Argentina   b. 1899

BORGES HAS never published an extensive work of prose, yet in the opinion of the most discerning critics he has with his many short pieces become the finest contemporary prose writer in the Spanish language. Borges himself has indicated that his inclination to brevity is deliberate and that it entails an important literary principle. There is no good reason, he stated in 1941, for wasting one's energies by writing five-hundred-page books: "*Mejor procedimiento es simular que esos libros ya existen y ofrecer un resumen, un comentario.*[1]"

This procedure of "commenting" on hypothetical realities, on infinitely complex bodies of fictional existence, is the method behind his most original stories and essays. For example, in his *Examen de la obra de Herbert Quain* he analyzes in short but meticulous detail the work and literary relationships of a writer who might have existed. In *La biblioteca de Babel* he imagines a library that contains every possible combination of the twenty-odd letters (depending on the language) of the alphabet ("*número, aunque vastísimo, no infinito*"). In *El jardín de los senderos que se bifurcan*, Ts'ui Pên, an imaginary Chinese novelist of the past, breaks with the common tradition of developing a plot and instead presents with each of his characters all "possible" decisions, relationships, and courses of action; it then turns out that Borges' own protagonist, a German spy of Chinese origin in World War I, is simply fulfilling one of an infinite number of alternatives previously set down for him by Ts'ui Pên.

When José Ortega y Gasset[2] expressed doubt that writers could any longer invent narrative adventures that would appeal to the "superior sensibility" of the educated twentieth-century reader, he

---

1. *El jardín de los senderos que se bifurcan* (Ed. Sur, Buenos Aires, 1941), prologue.
2. José Ortega y Gasset: (1883–1955), Spanish philosopher, essayist, and lecturer and founder of the *Revista de Occidente* (1923). One of his most famous books is *La rebelión de las masas* (1930).

154

little suspected that Borges would meet his exacting standards. Regardless of whether, according to Ortega y Gasset, all there is to say about conventional human existence had already been said in the novels and stories written by 1925 (was he also insinuating the existence of a *biblioteca de Babel?*), the infinite galaxies of Borges' imagination were still to be discovered. For Ortega y Gasset the character and direction of the mind are crucially affected by the concrete circumstances of all exterior reality. For Borges the mind creates its own circumstances; paradoxically, however, his protagonists are inevitably victims of those self-created circumstances.

Borges is also a poet; perhaps he is basically a poet. His years of literary apprenticeship from 1918 to 1921 among the experimentalist poets of Switzerland, France, and Spain were decisive in that they marked the beginning of his permanent interest in the world of the unreal. In an important sense some of his finest stories in *Ficciones* (1944), *El Aleph* (1949), and *El hacedor* (1960) can be called poems; that is, each of them grows from an image containing multiple meanings—the image of a man's perplexity in an incomprehensible universe. Furthermore, Borges' nearly complete control of style, structure, and idea is a quality of the classical poet. Readers almost always have the impression that he is the absolute lord of his creations, the sole possessor of secrets, the god who sets up games for his own entertainment, that he is being playful with a purpose.

Borges' purpose is also a poetic one—he reveals the ambiguities of time and eternity, space and infinity, dreamlife and wakefulness, life and death. A poet in heart and mind, Borges does not concern himself with the truth or falsity of established doctrines and ideas. His weird visions of the mysteries of the mind are always expressed with the awe of the poet, never with the arbitrariness of the philosopher or theologian.

El asesino desinteresado Bill Harrigan is one of Borges' earlier experiments in the short story. It is part of *Historia universal de la infamia* (1935), a group of stories based on the lives of some of the world's more spectacular scoundrels, and is roughly biographical of Billy the Kid. It is also a light satire on Billy the Kid's uncouthness and prejudices as well as on the ethics of the "Wild West" in general. From *Ficciones* (1944) comes *Las ruinas circulares*, a striking experiment in creation by dreaming, literally and figuratively, a nightmare. The protagonist, an Adam-like person identified as *el hombre gris, el forastero, el hombre,* and *el mago,* sets out to dream a son into existence and has a surprising revelation at the end. Also from *Ficciones* is *Funes el memorioso,* a story about a man who could forget nothing: "*Más recuerdos tengo yo solo que los que habrán tenido todos los hombres desde que el mundo es mundo.*" Ireneo Funes accomplishes incredible feats of memory work and indentification, but ironically he is not able to think. Funes, like the protagonist of *Las ruinas circulares* and many another of Borges' characters, lives in a constant state of insomnia, surely a productive state for some creative minds and one that we suspect Jorge Luis Borges himself has frequently put to advantage.

El asesino desinteresado Bill Harrigan[1]

La imagen de las tierras de Arizona, antes que ninguna otra imagen: la imagen de las tierras de Arizona y de Nuevo México, tierras con un ilustre fundamento de oro y de plata, tierras vertiginosas y aéreas, tierras de la meseta monumental y de los delicados colores, tierras con blanco resplandor de esqueleto pelado por los pájaros. En esas tierras, otra imagen, la de Billy the Kid: el jinete clavado sobre el caballo, el joven de los duros pistoletazos que aturden el desierto, el emisor de balas invisibles que matan a distancia, como una magia.

El desierto veteado de metales, árido y reluciente. El casi niño que al morir a los veintiún años debía a la justicia de los hombres veintiuna muertes —"sin contar mejicanos".

1. **Bill Harrigan:** This name is Borges' own invention. Until recently Billy the Kid's legal name was assumed to be William H. Bonney, but the latest biographies deny any concrete evidence of it. As sources for this story Borges gives Frederick W. Watson's *A Century of Gunmen* (London: I. Nicholson & Watson, 1931) and Walter Noble Burns's *The Saga of Billy the Kid* (New York: New American Library, 1954).

El estado larval

Hacia 1859 el hombre que para el terror y la gloria sería Billy the Kid nació en un conventillo subterráneo de Nueva York. Dicen que lo parió un fatigado vientre irlandés, pero se crió entre negros. En ese caos de catinga y de motas gozó el primado que conceden las pecas y una crencha rojiza. Practicaba el orgullo de ser blanco; también era esmirriado, chúcaro, soez. A los doce años militó en la pandilla de los *Swamp Angels* (Ángeles de la Ciénaga), divinidades que operaban entre las cloacas. En las noches con olor a niebla quemada emergían de aquel fétido laberinto, seguían el rumbo de algún marinero alemán, lo desmoronaban de un cascotazo, lo despojaban hasta de la ropa interior, y se restituían después a la otra basura. Los comandaba un negro encanecido, Gas Houser Jonas [i.e., Gas House Jones], también famoso como envenenador de caballos.

A veces, de la buhardilla de alguna casa jorobada cerca del agua, una mujer volcaba sobre la cabeza de un transeúnte un balde de ceniza. El hombre se agitaba y se ahogaba. En seguida los Ángeles de la Ciénaga pululaban sobre él, lo arrebataban por la boca de un sótano y lo saqueaban.

Tales fueron los años de aprendizaje de Billy Harrigan, el futuro Billy the Kid. No desdeñaba las ficciones teatrales; le gustaba asistir (acaso sin ningún presentimiento de que eran símbolos y letras de su destino) a los melodramas de cowboys.

Go west!

Si los populosos teatros del Bowery (cuyos concurrentes vociferaban "¡Alcen el trapo!" a la menor impuntualidad del telón) abundaban en esos melodramas de jinete y balazo, la facilísima razón es que América sufría entonces la atracción del Oeste. Detrás de los ponientes estaba el oro de Nevada y de California. Detrás de los ponientes estaba el hacha demoledora de cedros, la enorme cara babilónica del bisonte, el sombrero de copa y el numeroso lecho de Brigham Young,[2] las ceremonias y la ira del hombre rojo, el aire

2. **Brigham Young:** (1801–77), Mormon leader, directed mass migration of Mormons to Great Salt Lake Valley in Utah, proclaimed and practiced polygamy, and was survived by 17 wives and 47 children when he died.

despejado de los desiertos, la desaforada pradera, la tierra fundamental cuya cercanía apresura el latir de los corazones como la
cercanía del mar. El Oeste llamaba. Un continuo rumor acompasado pobló esos años: el de millares de hombres americanos
ocupando el Oeste. En esa progresión, hacia 1872, estaba el siempre
aculebrado Bill Harrigan, huyendo de una celda rectangular.

Demolición de un mejicano

La Historia (que, a semejanza de cierto director cinematográfico,
procede por imágenes discontinuas) propone ahora la de una arries-
gada taberna, que está en el todopoderoso desierto igual que en
alta mar. El tiempo, una destemplada noche del año 1873; el preciso
lugar, el Llano Estacado (New Mexico). La tierra es casi sobrenaturalmente lisa, pero el cielo de nubes a desnivel, con desgarrones
de tormenta y de luna, está lleno de pozos que se agrietan y de
montañas. En la tierra hay el cráneo de una vaca, ladridos y ojos
de coyote en la sombra, finos caballos y la luz alargada de la taberna.
Adentro, acodados en el único mostrador, hombres cansados y forni-
dos beben un alcohol pendenciero y hacen ostentación de grandes
monedas de plata, con una serpiente y un águila.[3] Un borracho
canta impasiblemente. Hay quienes hablan un idioma con muchas
eses, que ha de ser español, puesto que quienes lo hablan son des-
preciados. Bill Harrigan, rojiza rata de conventillo, es de los bebe-
dores. Ha concluído un par de aguardientes y piensa pedir otro
más, acaso porque no le queda un centavo. Lo anonadan los hombres de aquel desierto. Los ve tremendos, tempestuosos, felices,
odiosamente sabios en el manejo de hacienda cimarrona y de altos
caballos. De golpe hay un silencio total, sólo ignorado por la desa-
tinada voz del borracho. Ha entrado un mejicano más que fornido,
con cara de india vieja. Abunda en un desaforado sombrero y en
dos pistolas laterales. En duro inglés desea las buenas noches a todos
los gringos hijos de perra que están bebiendo. Nadie recoge el
desafío. Bill pregunta quién es, y le susurran temerosamente que el
Dago —el *Diego*— es Belisario Villagrán, de Chihuahua.[4] Una
detonación retumba en seguida. Parapetado por aquel cordón de

3. **una serpiente... águila:**   An eagle devouring a serpent is the national
emblem of Mexico.   4. **Chihuahua:**   a state in northern Mexico

hombres altos, Bill ha disparado sobre el intruso. La copa cae del puño de Villagrán; después, el hombre entero. El hombre no precisa otra bala. Sin dignarse mirar al muerto lujoso, Bill reanuda la plática. "¿De veras?", dice.[5] "Pues yo soy Billy Harrigan, de New York." El borracho sigue cantando, insignificante.

Ya se adivina la apoteosis. Bill concede apretones de manos y acepta adulaciones, hurras y whiskies. Alguien observa que no hay marcas en su revólver y le propone grabar una para significar la muerte de Villagrán. Billy the Kid se queda con la navaja de ese alguien, pero dice "que no vale la pena anotar mejicanos". Ello, acaso, no basta. Bill, esa noche, tiende su frazada junto al cadáver y duerme hasta la aurora —ostentosamente.

Muertes porque sí

De esa feliz detonación (a los catorce años de edad) nació Billy the Kid el Héroe y murió el furtivo Bill Harrigan. El muchachuelo de la cloaca y del cascotazo ascendió a hombre de frontera. Se hizo jinete; aprendió a estribar derecho sobre el caballo a la manera de Wyoming o Texas, no con el cuerpo echado hacia atrás, a la manera de Oregón y de California. Nunca se pareció del todo a su leyenda, pero se fué acercando. Algo del compadrito de Nueva York perduró en el *cowboy;* puso en los mejicanos el odio que antes le inspiraban los negros, pero las últimas palabras que dijo fueron (malas) palabras en español. Aprendió el arte vagabundo de los troperos. Aprendió el otro, más difícil, de mandar hombres; ambos lo ayudaron a ser un buen ladrón de hacienda. A veces, las guitarras y los burdeles de Méjico lo arrastraban.

Con la lucidez atroz del insomnio, organizaba populosas orgías que duraban cuatro días y cuatro noches. Al fin, asqueado, pagaba la cuenta a balazos. Mientras el dedo del gatillo no le falló, fué el hombre más temido (y quizá más nadie y más solo) de esa frontera. Garrett,[6] su amigo, el sheriff que después lo mató, le dijo una vez: "Yo he ejercitado mucho la puntería, matando búfalos." "Yo la he ejercitado más, matando hombres", replicó suavemente. Los por-

---

5. "**¿De... dice:** *Is that so?, he drawled.* (Original footnote supplied by Borges.)
6. **Garrett:** Patrick Floyd Garrett (1850–1908), sheriff of Lincoln County, New Mexico, killed Billy the Kid in Fort Sumner on July 14, 1881.

menores son irrecuperables, pero sabemos que debió hasta veintiuna muertes —"sin contar mejicanos". Durante siete arriesgadísimos años practicó ese lujo: el coraje.

La noche del veinticinco de julio de 1880, Billy the Kid atravesó al galope du su overo la calle principal, o única, de Fort Sumner. El calor apretaba y no habían encendido las lámparas; el comisario Garrett, sentado en un sillón de hamaca en un corredor, sacó el revólver y le descerrajó un balazo en el vientre. El overo siguió; el jinete se desplomó en la calle de tierra. Garrett le encajó un segundo balazo. El pueblo (sabedor de que el herido era Bill the Kid) trancó bien las ventanas. La agonía fué larga y blasfematoria. Ya con el sol bien alto, se fueron acercando y lo desarmaron; el hombre estaba muerto. Le notaron ese aire de cachivache que tienen los difuntos.

Lo afeitaron, lo envainaron en ropa hecha y lo exhibieron al espanto y las burlas en la vidriera del mejor almacén.

Hombres a caballo o en tílbury acudieron de leguas a la redonda. El tercer día lo tuvieron que maquillar. El cuarto día lo enterraron con júbilo.

Las ruinas circulares

And if he left off dreaming about you . . .
Through the Looking-Glass,[1] VI.

NADIE LO vió desembarcar en la unánime noche,[2] nadie vió la canoa de bambú sumiéndose en el fango sagrado, pero a los pocos días nadie ignoraba que el hombre taciturno venía del Sur y que su patria era una de las infinitas aldeas que están aguas arriba, en el flanco violento de la montaña, donde el idioma zend[3] no está con-

1. **Through the Looking-Glass:** a popular children's book (1872) by Lewis Carroll, pseudonym of Charles Lutwidge Dodgson (1832–98), English mathematician and writer   2. **unánime noche:** unanimous night, i.e., dark of night   3. **zend:** the name early European scholars improperly gave to Avesta, an ancient Iranian language. The *Zend-Avesta*, sometimes called simply the *Avesta*, is the original document of the Zoroastrian religion. Zend is the term designating only the commentary to the *Avesta* that was written in the Middle Persian language called Pahlavi.

taminado de griego y donde es infrecuente la lepra. Lo cierto es que el hombre gris besó el fango, repechó la ribera sin apartar (probablemente, sin sentir) las cortaderas que le dilaceraban las carnes y se arrastró, mareado y ensangrentado, hasta el recinto circular que corona un tigre o caballo de piedra, que tuvo alguna vez el color del fuego y ahora el de la ceniza. Ese redondel es un templo que devoraron los incendios antiguos, que la selva palúdica ha profanado y cuyo dios no recibe honor de los hombres. El forastero se tendió bajo el pedestal. Lo despertó el sol alto. Comprobó sin asombro que las heridas habían cicatrizado; cerró los ojos pálidos y durmió, no por flaqueza de la carne sino por determinación de la voluntad. Sabía que ese templo era el lugar que requería su invencible propósito;[4] sabía que los árboles incesantes no habían logrado estrangular, río abajo, las ruinas de otro templo propicio, también de dioses incendiados y muertos; sabía que su inmediata obligación era el sueño. Hacia la medianoche lo despertó el grito inconsolable de un pájaro. Rastros de pies descalzos, unos higos y un cántaro le advirtieron que los hombres de la región habían espiado con respeto su sueño y solicitaban su amparo o temían su magia. Sintió el frío del miedo y buscó en la muralla dilapidada un nicho sepulcral y se tapó con hojas desconocidas.

El propósito que lo guiaba no era imposible, aunque sí sobrenatural. Quería soñar un hombre: quería soñarlo con integridad minuciosa e imponerlo a la realidad. Ese proyecto mágico había agotado el espacio entero de su alma; si alguien le hubiera preguntado su propio nombre o cualquier rasgo de su vida anterior, no habría acertado a responder. Le convenía el templo inhabitado y despedazado, porque era un mínimo de mundo visible; la cercanía de los labradores también, porque éstos se encargaban de subvenir a sus necesidades frugales. El arroz y las frutas de su tributo eran pábulo suficiente para su cuerpo, consagrado a la única tarea de dormir y soñar.

Al principio, los sueños eran caóticos; poco después, fueron de naturaleza dialéctica. El forastero se soñaba en el centro de un anfiteatro circular que era de algún modo el templo incendiado: nubes de alumnos taciturnos fatigaban las gradas; las caras de los

4. **el lugar... propósito:** the place required by his unalterable plan

últimos pendían a mucho siglos de distancia y a una altura estelar,
pero eran del todo precisas. El hombre les dictaba lecciones de
anatomía, de cosmografía, de magia: los rostros escuchaban con
ansiedad y procuraban responder con entendimiento, como si adi-
vinaran la importancia de aquel examen, que redimiría a uno de
ellos de su condición de vana apariencia y lo interpolaría en el
mundo real. El hombre, en el sueño y en la vigilia, consideraba las
respuestas de sus fantasmas, no se dejaba embaucar por los impos-
tores, adivinaba en ciertas perplejidades una inteligencia creciente.
Buscaba un alma que mereciera participar en el universo.

A las nueve o diez noches comprendió con alguna amargura que
nada podía esperar de aquellos alumnos que aceptaban con pasividad su doctrina y sí de aquellos que arriesgaban, a veces, una
contradicción razonable. Los primeros, aunque dignos de amor y
de buen afecto, no podían ascender a individuos; los últimos pre-
existían un poco más. Una tarde (ahora también las tardes eran
tributarias del sueño,[5] ahora no velaba sino un par de horas en el
amanecer) licenció para siempre el vasto colegio ilusorio y se quedó
con un solo alumno. Era un muchacho taciturno, cetrino, díscolo
a veces, de rasgos afilados que repetían los de su soñador. No lo
desconcertó por mucho tiempo la brusca eliminación de los con-
discípulos; su progreso, al cabo de unas pocas lecciones particulares,
pudo maravillar al maestro. Sin embargo, la catástrofe sobrevino.
El hombre, un día, emergió del sueño como de un desierto viscoso,
miró la vana luz de la tarde que al pronto confundió con la aurora
y comprendió que no había soñado. Toda esa noche y todo el día,
la intolerable lucidez del insomnio se abatió contra él. Quiso explorar la selva, extenuarse; apenas alcanzó entre la cicuta unas
rachas de sueño débil, veteadas fugazmente de visiones de tipo
rudimental: inservibles. Quiso congregar el colegio y apenas hubo
articulado unas breves palabras de exhortación, éste se deformó, se
borró. En la casi perpetua vigilia, lágrimas de ira le quemaban los
viejos ojos.

Comprendió que el empeño de modelar la materia incoherente y
vertiginosa de que se componen los sueños es el más arduo que
puede acometer un varón, aunque penetre todos los enigmas del

_____
5. tributarias... sueño: products of his dreaming

orden superior y del inferior: mucho más arduo que tejer una cuerda
de arena o que amonedar el viento sin cara. Comprendió que un
fracaso inicial era inevitable. Juró olvidar la enorme alucinación
que lo había desviado al principio y buscó otro método de trabajo.
Antes de ejercitarlo, dedicó un mes a la reposición de las fuerzas
que había malgastado el delirio. Abandonó toda premeditación
de soñar y casi acto continuo logró dormir un trecho razonable del
día. Las raras veces que soñó durante ese período, no reparó en los
sueños. Para reanudar la tarea, esperó que el disco de la luna fuera
perfecto.[6] Luego, en la tarde, se purificó en las aguas del río, adoró
los dioses planetarios, pronunció las sílabas lícitas de un nombre
poderoso y durmió. Casi inmediatamente, soñó con un corazón que
latía.

Lo soñó activo, caluroso, secreto, del grandor de un puño cerrado,
color granate en la penumbra de un cuerpo humano aun sin cara ni
sexo; con minucioso amor lo soñó, durante catorce lúcidas noches.
Cada noche, lo percibía con mayor evidencia. No lo tocaba: se
limitaba a atestiguarlo, a observarlo, tal vez a corregirlo con la
mirada. Lo percibía, lo vivía, desde muchas distancias y muchos
ángulos. La noche catorcena rozó la arteria pulmonar con el índice
y luego todo el corazón, desde afuera y adentro. El examen lo
satisfizo. Deliberadamente no soñó durante una noche: luego retomó
el corazón, invocó el nombre de un planeta y emprendió la visión
de otro de los órganos principales. Antes de un año llegó al esqueleto,
a los párpados. El pelo innumerable fué tal vez la tarea más difícil.
Soñó un hombre íntegro, un mancebo, pero éste no se incorporaba
ni hablaba ni podía abrir los ojos. Noche tras noche, el hombre lo
soñaba dormido.

En las cosmogonías gnósticas,[7] los demiurgos amasan un rojo
Adán que no logra ponerse de pie; tan inhábil y rudo y elemental
como ese Adán de polvo era el Adán de sueño que las noches del
mago habían fabricado. Una tarde, el hombre casi destruyó toda

---

6. **esperó... perfecto:** he waited until the moon was full 7. **cosmogonías
gnósticas:** gnostic theories of the creation of the universe. Gnosticism was a
hybrid religion of ancient Greek and Oriental philosophy, modified by synthesis with Christian doctrine. Gnostics believed that metaphysical knowledge
freed man from all physical strife.

su obra, pero se arrepintió.[8] (Más le hubiera valido destruirla.) Agotados los votos a los númenes de la tierra y del río, se arrojó a los pies de la efigie que tal vez era un tigre y tal vez un potro, e imploró su desconocido socorro. Ese crepúsculo, soñó con la estatua. La soñó viva, trémula: no era un atroz bastardo de tigre y potro, sino a la vez esas dos criaturas vehementes y también un toro, una rosa, una tempestad. Ese múltiple dios le reveló que su nombre terrenal era Fuego, que en ese templo circular (y en otros iguales) le habían rendido sacrificios y culto y que mágicamente animaría al fantasma soñado, de suerte que todas las criaturas, excepto el Fuego mismo y el soñador, lo pensaran un hombre de carne y hueso. Le ordenó que una vez instruído en los ritos, lo enviara al otro templo despedazado cuyas pirámides persisten aguas abajo, para que alguna voz lo glorificara en aquel edificio desierto. En el sueño del hombre que soñaba, el soñado se despertó.

El mago ejecutó esas órdenes. Consagró un plazo (que finalmente abarcó dos años) a descubrirle los arcanos del universo y del culto del fuego. Intimamente, le dolía apartarse de él. Con el pretexto de la necesidad pedagógica, dilataba cada día las horas dedicadas al sueño. También rehizo el hombro derecho, acaso deficiente. A veces, lo inquietaba una impresión de que ya todo eso había acontecido... En general, sus días eran felices; al cerrar los ojos pensaba: *Ahora estaré con mi hijo*. O, más raramente: *El hijo que he engendrado me espera y no existirá si no voy*.

Gradualmente, lo[9] fué acostumbrando a la realidad. Una vez le ordenó que embanderara una cumbre lejana. Al otro día, flameaba la bandera en la cumbre. Ensayó otros experimentos análogos, cada vez más audaces. Comprendió con cierta amargura que su hijo estaba listo para nacer —y tal vez impaciente. Esa noche lo besó por primera vez y lo envió al otro templo cuyos despojos blanquean río abajo, a muchas leguas de inextricable selva y de ciénaga. Antes (para que no supiera nunca que era un fantasma, para que se creyera un hombre como los otros) le infundió el olvido total de sus años de aprendizaje.

Su victoria y su paz quedaron empañadas de hastío. En los crepúsculos de la tarde y del alba, se prosternaba ante la figura de

8. **se arrepintió:** decided not to at the last moment   9. **lo:** that is, the "son" he has engendered in his dreams

piedra, tal vez imaginando que su hijo irreal ejecutaba idénticos ritos, en otras ruinas circulares, aguas abajo; de noche no soñaba, o soñaba como lo hacen todos los hombres. Percibía con cierta palidez los sonidos y formas del universo: el hijo ausente se nutría de esas disminuciones de su alma. El propósito de su vida estaba colmado; el hombre persistió en una suerte de éxtasis. Al cabo de un tiempo que ciertos narradores de su historia prefieren computar en años y otros en lustros, lo despertaron dos remeros a medianoche: no pudo ver sus caras, pero le hablaron de un hombre mágico en un templo del Norte, capaz de hollar el fuego y de no quemarse. El mago recordó bruscamente las palabras del dios. Recordó que de todas las criaturas que componen el orbe, el fuego era la única que sabía que su hijo era un fantasma. Ese recuerdo, apaciguador al principio, acabó por atormentarlo. Temió que su hijo meditara en ese privilegio anormal y descubriera de algún modo su condición de mero simulacro. No ser un hombre, ser la proyección del sueño de otro hombre ¡qué humillación incomparable, qué vértigo! A todo padre le interesan los hijos que ha procreado (que ha permitido) en una mera confusión o felicidad; es natural que el mago temiera por el porvenir de aquel hijo, pensado entraña por entraña y rasgo por rasgo, en mil y una noches secretas.

El término de sus cavilaciones fué brusco, pero lo prometieron[10] algunos signos. Primero (al cabo de una larga sequía) una remota nube en un cerro, liviana como un pájaro; luego, hacia el Sur, el cielo que tenía el color rosado de la encía de los leopardos; luego las humaredas que herrumbraron el metal de las noches; después la fuga pánica de las bestias. Porque se repitió lo acontecido hace muchos siglos. Las ruinas del santuario del dios del fuego fueron destruídas por el fuego. En un alba sin pájaros el mago vió cernirse contra los muros el incendio concéntrico. Por un instante, pensó refugiarse en las aguas, pero luego comprendió que la muerte venía a coronar su vejez y a absolverlo de sus trabajos. Caminó contra los jirones de fuego. Éstos no mordieron su carne, éstos lo acariciaron y lo inundaron sin calor y sin combustión. Con alivio, con humillación, con terror, comprendió que él también era una apariencia, que otro estaba soñándolo.

---

10. **prometieron:** *anunciaron*

Funes el memorioso

LO RECUERDO (yo no tengo derecho a pronunciar ese verbo sagrado, sólo un hombre en la tierra tuvo derecho y ese hombre ha muerto) con una oscura pasionaria en la mano, viéndola como nadie la ha visto, aunque la mirara desde el crepúsculo del día hasta el de la noche, toda una vida entera. Lo recuerdo, la cara taciturna y aindiada[1] y singularmente *remota*, detrás del cigarrillo. Recuerdo (creo) sus manos afiladas de trenzador. Recuerdo cerca de esas manos un mate,[2] con las armas de la Banda Oriental;[3] recuerdo en la ventana de la casa una estera amarilla, con un vago paisaje lacustre. Recuerdo claramente su voz; la voz pausada, resentida y nasal del orillero[4] antiguo, sin los silbidos italianos[5] de ahora. Más de tres veces no lo ví; la última, en 1887... Me parece muy feliz el proyecto de que todos aquellos que lo trataron escriban sobre él; mi testimonio será acaso el más breve y sin duda el más pobre, pero no el menos imparcial del volumen que editarán ustedes. Mi deplorable condición de argentino me impedirá incurrir en el ditirambo —género obligatorio en el Uruguay, cuando el tema es un uruguayo. *Literato, cajetilla,*[6] *porteño;*[7] Funes no dijo esas injuriosas palabras, pero de un modo suficiente me consta que yo representaba para él esas desventuras. Pedro Leandro Ipuche ha escrito que Funes era un precursor de los superhombres, "un Zarathustra[8] cimarrón y vernáculo"; no lo discuto, pero no hay que olvidar que era también un compadrito[9] de Fray Bentos,[10] con ciertas incurables limitaciones.

---

1. **aindiada:** *de indio* 2. **mate:** *taza de mate* 3. **Banda Oriental:** Uruguay 4. **orillero:** from the outskirts, Argentinism for *arrabalero* 5. **los... italianos:** Since the turn of the century there has been a large Italian immigration into the area of Buenos Aires and Montevideo. 6. **cajetilla:** fop, dandy, Argentinism for *petimetre* 7. **porteño:** *de* Buenos Aires 8. **Zarathustra:** Zoroaster (660?–583? B.C.), Persian religious leader. According to his theology the universe was sustained by the continuing struggle between the forces of good and evil. 9. **compadrito:** roguish type, generally a city-dweller 10. **Fray Bentos:** city in Uruguay northeast of Montevideo

Mi primer recuerdo de Funes es muy perspicuo. Lo veo en un atardecer de marzo o febrero del año ochenta y cuatro. Mi padre, ese año, me había llevado a veranear a Fray Bentos. Yo volvía con mi primo Bernardo Haedo de la estancia de San Francisco. Volvíamos cantando, a caballo, y ésa no era la única circunstancia de mi felicidad. Después de un día bochornoso, una enorme tormenta color pizarra había escondido el cielo. La alentaba el viento del Sur, ya se enloquecían los árboles; yo tenía el temor (la esperanza) de que nos sorprendiera en un descampado el agua elemental. Corrimos una especie de carrera con la tormenta. Entramos en un callejón que se ahondaba entre dos veredas altísimas de ladrillo. Había oscurecido de golpe; oí rápidos y casi secretos pasos en lo alto; alcé los ojos y vi un muchacho que corría por la estrecha y rota vereda como por una estrecha y rota pared. Recuerdo la bombacha,[11] las alpargatas, recuerdo el cigarrillo en el duro rostro, contra el nubarrón ya sin límites. Bernardo le gritó imprevisiblemente: *¿Qué horas son, Ireneo?* Sin consultar el cielo, sin detenerse, el otro respondió: *Faltan cuatro minutos para las ocho, joven Bernardo Juan Francisco.* La voz era aguda, burlona.

Yo soy tan distraído que el diálogo que acabo de referir no me hubiera llamado la atención si no lo hubiera recalcado mi primo, a quien estimulaban (creo) cierto orgullo local, y el deseo de mostrarse indiferente a la réplica tripartita del otro.

Me dijo que el muchacho del callejón era un tal Ireneo Funes, mentado por algunas rarezas como la de no darse con nadie y la de saber siempre la hora, como un reloj. Agregó que era hijo de una planchadora del pueblo, María Clementina Funes, y que algunos decían que su padre era un médico del saladero,[12] un inglés O'Connor, y otros un domador o rastreador[13] del departamento del Salto.[14] Vivía con su madre, a la vuelta de la quinta de los Laureles.

Los años ochenta y cinco[15] y ochenta y seis veraneamos en la

---

11. **bombacha:**   wide trousers worn, just below the knees and tucked into the boots, by the *gauchos* and country people in Argentina and Uruguay   12. **saladero:**   place for salting meat   13. **domador o rastreador:**   cowpuncher or pathfinder   14. **Salto:**   a state in northern Uruguay, the economy of which depends primarily upon cattle   15. **Los... cinco:**   In 1885

ciudad de Montevideo. El ochenta y siete volví a Fray Bentos.
Pregunté, como es natural, por todos los conocidos y, finalmente,
por el "cronométrico Funes". Me contestaron que lo había volteado
un redomón[16] en la estancia de San Francisco, y que había quedado
tullido, sin esperanza. Recuerdo la impresión de incómoda magia
que la noticia me produjo: la única vez que yo lo vi, veníamos a
caballo de San Francisco y él andaba en un lugar alto; el hecho,
en boca de mi primo Bernardo, tenía mucho de sueño elaborado
con elementos anteriores. Me dijeron que no se movía del catre,
puestos los ojos en la higuera del fondo o en una telaraña. En los
atardeceres, permitía que lo sacaran a la ventana. Llevaba la
soberbia hasta el punto de simular que era benéfico el golpe que
lo había fulminado... Dos veces lo vi atrás de la reja, que burda-
mente recalcaba su condición de eterno prisionero: una, inmóvil,
con los ojos cerrados; otra, inmóvil también, absorto en la contem-
plación de un oloroso gajo de santonina.

No sin alguna vanagloria yo había iniciado en aquel tiempo el
estudio metódico del latín. Mi valija incluía el *De viris illustribus* de
Lhomond,[17] el *Thesaurus* de Quicherat,[18] los comentarios de Julio
César y un volumen impar de la *Naturalis historia* de Plinio,[19] que
excedía (y sigue excediendo) mis módicas virtudes de latinista. Todo
se propala en un pueblo chico; Ireneo, en su rancho de las orillas,
no tardó en enterarse del arribo de esos libros anómalos. Me dirigió
una carta florida y ceremoniosa, en la que recordaba nuestro encuentro, desdichadamente fugaz, "del día siete de febrero del año
ochenta y cuatro", ponderaba los gloriosos servicios que don Gre-
gorio Haedo, mi tío, finado ese mismo año, "había prestado a las
dos patrias en la valerosa jornada de Ituzaingó", y me solicitaba el
préstamo de cualquiera de los volúmenes, acompañado de un diccionario "para la buena inteligencia del texto original, porque
todavía ignoro el latín". Prometía devolverlos en buen estado, casi

---

16. **redomón:** unbroken horse   17. **Lhomond:**   Charles-François Lhomond
(1727–94), French author of textbooks on grammar, history, and Christian
doctrine for secondary schools   18. **Quicherat:**   Louis Quicherat (1799–1884),
French Latinist and philologist, author of *Thesaurus poeticus linguae Latinae* (1836)
19. **Plinio:**   Pliny (Caius Plinius Secundus, 23–79 A.D.), author of the prodi-
gious though inaccurate *Historiae naturalis*

inmediatamente. La letra era perfecta, muy perfilada; la ortografía, del tipo que Andrés Bello[20] preconizó: *i* por *y*, *j* por *g*. Al principio, temí naturalmente una broma. Mis primos me aseguraron que no, que eran cosas de Ireneo. No supe si atribuir a descaro, a ignorancia o a estupidez la idea de que el arduo latín no requería mas instrumento que un diccionario; para desengañarlo con plenitud le mandé el *Gradus ad Parnassum* de Quicherat y la obra de Plinio.

El catorce de febrero me telegrafiaron de Buenos Aires que volviera inmediatamente, porque mi padre no estaba "nada bien". Dios me perdone; el prestigio de ser el destinatario de un telegrama urgente, el deseo de comunicar a todo Fray Bentos la contradicción entre la forma negativa de la noticia y el perentorio adverbio, la tentación de dramatizar mi dolor, fingiendo un viril estoicismo, tal vez me distrajeron de toda posibilidad de dolor. Al hacer la valija, noté que me faltaban el *Gradus* y el primer tomo de la *Naturalis historia*. El "Saturno" zarpaba al día siguiente, por la mañana; esa noche, después de cenar, me encaminé a casa de Funes. Me asombró que la noche fuera no menos pesada que el día.

En el decente rancho, la madre de Funes me recibió.

Me dijo que Ireneo estaba en la pieza del fondo y que no me extrañara encontrarla a oscuras, porque Ireneo sabía pasarse las horas muertas sin encender la vela. Atravesé el patio de baldosa, el corredorcito; llegué al segundo patio. Había una parra; la oscuridad pudo parecerme total. Oí de pronto la alta y burlona voz de Ireneo. Esa voz hablaba en latín; esa voz (que venía de la tiniebla) articulaba con moroso deleite un discurso o plegaria o incantación. Resonaron las sílabas romanas en el patio de tierra; mi temor las creía indescifrables, interminables; después, en el enorme diálogo de esa noche, supe que formaban el primer párrafo del vigésimocuarto capítulo del libro séptimo de la *Naturalis historia*. La materia de ese capítulo es la memoria; las palabras últimas fueron *ut nihil non iisdem verbis redderetur auditum*.[21]

---

20. **Andrés Bello:** (1781–1865), Venezuelan intellectual leader, scholar of international reputation, and author of *Gramática de la lengua castellana* (1847), which is still respected as one of the best treatises on the Spanish language
21. **ut... auditum:** so that nothing might be repeated in the same words

Sin el menor cambio de voz, Ireneo me dijo que pasara. Estaba en el catre, fumando. Me parece que no le vi la cara hasta el alba; creo rememorar el ascua momentánea del cigarrillo. La pieza olía vagamente a humedad. Me senté; repetí la historia del telegrama y de la enfermedad de mi padre.

Arribo, ahora, al más difícil punto de mi relato. Este (bueno es que ya lo sepa el lector) no tiene otro argumento que ese diálogo de hace ya medio siglo. No trataré de reproducir sus palabras, irrecuperables ahora. Prefiero resumir con veracidad las muchas cosas que me dijo Ireneo. El estilo indirecto es remoto y débil; yo sé que sacrifico la eficacia de mi relato; que mis lectores se imaginen los entrecortados períodos que me abrumaron esa noche.

Ireneo empezó por enumerar, en latín y español, los casos de memoria prodigiosa registrados por la *Naturalis historia:* Ciro,[22] rey de los persas, que sabía llamar por su nombre a todos los soldados de sus ejércitos; Mitrídates Eupator,[23] que administraba la justicia en los 22 idiomas de su imperio; Simónides,[24] inventor de la mnemotecnia; Metrodoro,[25] que profesaba el arte de repetir con fidelidad lo escuchado una sola vez. Con evidente buena fe se maravilló de que tales casos maravillaran. Me dijo que antes de esa tarde lluviosa en que lo volteó el azulejo, él había sido lo que son todos los cristianos: un ciego, un sordo, un abombado, un desmemoriado. (Traté de recordarle su percepción exacta del tiempo, su memoria de nombres propios; no me hizo caso.) Diez y nueve años había vivido como quien sueña: miraba sin ver, oía sin oír, se olvidaba de todo, de casi todo. Al caer, perdió el conocimiento; cuando lo recobró, el presente era casi intolerable de tan rico y tan nítido, y también las memorias más antiguas y más triviales. Poco después averiguó que estaba tullido. El hecho apenas le interesó. Razonó (sintió) que la inmovilidad era un precio mínimo. Ahora su percepción y su memoria eran infalibles.

---

22. **Ciro:**   Cyrus the Great (600?–529 B.C.), King of Persia 550–529 B.C., consolidated the Persian Empire 23. **Mitrídates Eupator:**   Mithridates VI Eupator (132?–63 B.C.), called the Great, King of Pontus (an ancient country on the Black Sea coast), waged three wars against the Romans   24. **Simónides:** Simonides of Ceos (556?–469? B.C.), Greek lyric poet who excelled at the epigram 25. **Metrodoro:**   Metrodorus of Chios (330–277 B.C.), Greek philosopher of the atomistic school and disciple of Epicurus

Nosotros, de un vistazo, percibimos tres copas en una mesa; Funes, todos los vástagos y racimos y frutos que comprende una parra. Sabía las formas de las nubes australes del amanecer del treinta de abril de mil ochocientos ochenta y dos y podía compararlas en el recuerdo con las vetas de un libro en pasta española que sólo había mirado una vez y con las líneas de la espuma que un remo levantó en el Río Negro[26] la víspera de la acción del Quebracho.[27] Esos recuerdos no eran simples; cada imagen visual estaba ligada a sensaciones musculares, térmicas, etc. Podía reconstruir todos los sueños, todos los entresueños. Dos o tres veces había reconstruído un día entero; no había dudado nunca, pero cada reconstrucción había requerido un día entero. Me dijo: *Más recuerdos tengo yo solo que los que habrán tenido todos los hombres desde que el mundo es mundo.* Y también: *Mis sueños son como la vigilia de ustedes.* Y también, hacia el alba: *Mi memoria, señor, es como vaciadero de basuras.* Una circunferencia en un pizarrón, un trángulo rectángulo, un rombo, son formas que podemos intuir plenamente; lo mismo le pasaba a Ireneo con las aborrascadas crines de un potro, con una punta de ganado en una cuchilla, con el fuego cambiante y con la innumerable ceniza, con las muchas caras de un muerto en un largo velorio. No sé cuántas estrellas veía en el cielo.

Esas cosas me dijo; ni entonces ni después las he puesto en duda. En aquel tiempo no había cinematógrafos ni fonógrafos; es, sin embargo, inverosímil y hasta increíble que nadie hiciera un experimento con Funes. Lo cierto es que vivimos postergando todo lo postergable; tal vez todos sabemos profundamente que somos inmortales y que tarde o temprano, todo hombre hará todas las cosas y sabrá todo.

La voz de Funes, desde la oscuridad, seguía hablando.

Me dijo que hacia 1886 había discurrido un sistema original de numeración y que en muy pocos días había rebasado el veinticuatro mil. No lo había escrito, porque lo pensado una sola vez ya no podía borrársele. Su primer estímulo, creo, fué el desagrado de que

---

26. **Rio Negro:**   a river in south central Uruguay   27. **Quebracho:**   a town in western Uruguay in the state (*departamento*) of Paysandú and the center of an 1886 armed movement against the government of Francisco Antonio Vidal (1827–89), interim President and President of Uruguay from 1879 to 1889

los treinta y tres orientales[28] requirieran dos signos y tres palabras,
en lugar de una sola palabra y un solo signo. Aplicó luego ese
disparatado principio a los otros números. En lugar de siete mil
trece, decía (por ejemplo) *Máximo Pérez;* en lugar de siete mil
catorce, *El Ferrocarril;* otros números eran *Luis Melián Lafinur, Olimar,
azufre, los bastos, la ballena, el gas, la caldera, Napoleón, Agustín de Vedia.*
En lugar de quinientos, decía *nueve.* Cada palabra tenía un signo
particular, una especie de marca; las últimas eran muy compli-
cadas... Yo traté de explicarle que esa rapsodia de voces inconexas
era precisamente lo contrario de un sistema de numeración. Le dije
que decir 365 era decir tres centenas, seis decenas, cinco unidades;
análisis que no existe en los "números" *El Negro Timoteo* o *manta de
carne.* Funes no me entendió o no quiso entenderme.

Locke,[29] en el siglo XVII, postuló (y reprobó) un idioma imposible
en el que cada cosa individual, cada piedra, cada pájaro y cada
rama tuviera un nombre propio; Funes proyectó alguna vez un
idioma análogo, pero lo desechó por parecerle demasiado general,
demasiado ambiguo. En efecto, Funes no sólo recordaba cada hoja
de cada árbol de cada monte, sino cada una de las veces que la
había percibido o imaginado. Resolvió reducir cada una de sus
jornadas pretéritas a unos setenta mil recuerdos, que definiría luego
por cifras. Lo disuadieron dos consideraciones: la conciencia de que
la tarea era interminable, la conciencia de que era inútil. Pensó
que en la hora de la muerte no habría acabado aún de clasificar
todos los recuerdos de la niñez.

Los dos proyectos que he indicado (un vocabulario infinito para
la serie natural de los números, un inútil catálogo mental de todas
las imágenes del recuerdo) son insensatos, pero revelan cierta balbuciente grandeza. Nos dejan vislumbrar o inferir el vertiginoso mundo
de Funes. Éste, no lo olvidemos, era casi incapaz de ideas generales,
platónicas. No sólo le costaba comprender que el símbolo genérico
perro abarcara tantos individuos dispares de diversos tamaños y
diversa forma; le molestaba que el perro de las tres y catorce (visto

---

28. **treinta... orientales:** the thirty-three patriots who initiated Uruguay's
1825 independence from Brazil 29. **Locke:** John Locke (1632–1704),
English philosopher, known as the father of English empiricism, author of
An Essay Concerning Human Understanding (1690)

de perfil) tuviera el mismo nombre que el perro de las tres y cuarto (visto de frente). Su propia cara en el espejo, sus propias manos, lo sorprendían cada vez. Refiere Swift[30] que el emperador de Lilliput[31] discernía el movimiento del minutero; Funes discernía continuamente los tranquilos avances de la corrupción, de las caries, de la fatiga. Notaba los progresos de la muerte, de la humedad. Era el solitario y lúcido espectador de un mundo multiforme, instantáneo y casi intolerablemente preciso. Babilonia, Londres y Nueva York han abrumado con feroz esplendor la imaginación de los hombres; nadie, en sus torres populosas o en sus avenidas urgentes, ha sentido el calor y la presión de una realidad tan infatigable como la que día y noche convergía sobre el infeliz Ireneo, en su pobre arrabal sudamericano. Le era muy difícil dormir. Dormir es distraerse del mundo; Funes, de espaldas en el catre, en la sombra, se figuraba cada grieta y cada moldura de las casas precisas que lo rodeaban. (Repito que el menos importante de sus recuerdos era más minucioso y más vivo que nuestra percepción de un goce físico o de un tormento físico.) Hacia el Este, en un trecho no amanzanado, había casas nuevas, desconocidas. Funes las imaginaba negras, compactas, hechas de tiniebla homogénea; en esa dirección volvía la cara para dormir. También solía imaginarse en el fondo del río, mecido y anulado por la corriente.

Había aprendido sin esfuerzo el inglés, el francés, el portugués, el latín. Sospecho, sin embargo, que no era muy capaz de pensar. Pensar es olvidar diferencias, es generalizar, abstraer. En el abarrotado mundo de Funes no había sino detalles, casi inmediatos.

La recelosa claridad de la madrugada entró por el patio de tierra.

Entonces vi la cara de la voz que toda la noche había hablado. Ireneo tenía diecinueve años; había nacido en 1868; me pareció monumental como el bronce, más antiguo que Egipto, anterior a las profecías y a las pirámides. Pensé que cada una de mis palabras (que cada uno de mis gestos) perduraría en su implacable memoria; me entorpeció el temor de multiplicar ademanes inútiles.

Ireneo Funes murió en 1889, de una congestión pulmonar.

---

30. **Swift:**   Jonathan Swift (1667–1745), Irish-English satirist, active journalistically and politically, published his most famous work, *Gulliver's Travels*, in 1726   31. **emperador de Lilliput:**   a character in *Gulliver's Travels*

CUESTIONARIO

El asesino desinteresado Bill Harrigan

1. ¿Cuántos años tenía Billy the Kid al morir? ¿Cuántas muertes debía a la justicia?
2. ¿Dónde nació y pasó su niñez?
3. ¿Cómo es la tierra del Llano Estacado?
4. ¿Cómo recibió Billy the Kid a Belisario Villagrán? ¿Qué edad tenía Billy entonces?
5. ¿De qué manera ejercitaba Billy la puntería?
6. ¿Dónde y cómo murió Billy the Kid?

Las ruinas circulares

1. Cuando el forastero se despertó en las ruinas del templo, ¿por qué cerró los ojos de nuevo?
2. ¿Qué quería soñar? ¿Cómo eran sus sueños al principio?
3. ¿Qué descubrió después de nueve o diez noches?
4. ¿Por qué tenía que dedicar un mes a reponer sus fuerzas?
5. ¿Qué es lo más difícil (el "más arduo" de los empeños) que puede hacer un hombre?
6. ¿Cuánto tiempo tardó el soñador en soñar un hombre íntegro?
7. ¿Qué hizo el soñador para que el soñado se creyera igual a otros hombres?
8. ¿Qué se nos revela al final del cuento?

Funes el memorioso

1. ¿De dónde era Ireneo Funes?
2. ¿Por qué era conocido como "el cronométrico Funes"?
3. ¿Qué accidente le sucedió a Funes?
4. ¿Que estudios inició Funes?
5. ¿Cuáles son algunos de los detalles que recordaba Funes?
6. ¿Cómo comparaba Funes sus recuerdos con los recuerdos de otros hombres?
7. Comente usted en el sistema de numeración de Funes.
8. ¿Qué dificultad tenía Funes? ¿De qué era incapaz?

PREGUNTA GENERAL

¿Cuál es el más fantástico de los tres cuentos? ¿Cuál de los tres demuestra una preocupación moral? En los dos últimos (*Las ruinas circulares*, *Funes el memorioso*) comente usted en la actividad mental de los protagonistas.

EDUARDO MALLEA

Argentina   b. 1903

LIKE THE highly cultured Borges, Eduardo Mallea's literary interests are universal, and he has been especially receptive to the culture and thought of Europe and North America. Also like Borges, Mallea has based his narrative work primarily on the creation of interior worlds, but whereas Borges probes the mysteries of intellect, Mallea's dominating theme has been the mysteries of character.

Although Mallea's treatment of individual character is directly related to problems of Argentine culture—for example, his longest novel, *La bahía del silencio* (1940), has several characters who represent and discuss in detail the cultural state of the nation and its relation to the rest of the contemporary world—he is a nationalist only in the most enlightened sense, with little love for local color and even less for tradition in its conventional forms.

In *Notas de un novelista* (1954) Mallea referred to his own extensive work as "*los capítulos de la vasta carta de mis libros.*" These "chapters" represent a continuing aspiration, of the author as well as of his characters, to reveal in contemporary life "that which is missing," the *querer-ser* of his restless protagonists, who seem to live more within themselves than with another. *Sala de espera* (1953) clearly demonstrates this theme: seven characters wait for a train in a lonely rural railroad station. Seven isolated lives, each with past failures and present dilemmas, await the train that will carry them to the capital city and the completion of their destinies.

Virtually all Mallea's characters are deliberately portrayed as incomplete beings.

> *Esto de vivir* sólo en parte *es una de mis obsesiones como tema: ¡cuánto vivimos sin vivirlo del todo, en cierto nimbo que parece la vida misma y no es más que el reflejo conflictual y dramático de una idea, un sueño, una aspiración, una tendencia! ¡Cuánto de nosotros mismos dejamos sin vivir!*[1]

1. From a November 12, 1964, letter from Mallea to the editor.

It is this fundamental incompleteness (intentional in good novelists, unintentional in poor ones) that intensifies the atmosphere of despair and quiet anguish in his narratives.

Eduardo Mallea's most enduring achievements may prove to be the short novel *Todo verdor perecerá* (1941) and the longer *Los enemigos del alma* (1950). These are his most dramatic and carefully constructed works. The former tells of the steady progression over the years of Ágata Cruz's decline from neurotic frustration to madness. The latter is the story of a trio of predatory souls (the Biblical "enemies": Mario, *Mundo;* Débora, *Demonio;* and Cora, *Carne*) in fraternal combat. These are the most forceful of Mallea's books because in both the inner obsessions of the leading characters emerge into the open and the inner struggles become outer ones. Equally intense are the novelette *Chaves* (1953), about a man who finds it difficult to talk and who, after a series of personal failures and calamities, finds that his silence is his strength, and the long short story *Los zapatos* (1958), in which the protagonist's professional and social status is destroyed because he buys an excessively expensive pair of shoes.

The philosophical conclusion made by solitary Ágata Cruz in *Todo verdor perecerá*—that each human being is essentially his unalterable tendency in life—is exemplified by several other of Mallea's protagonists, one of most unique being Celedonio Montuvio in *La razón humana*. Montuvio is the victim of an incipient doubt, clearly revealed very early in the story by the repetition of the word *casi*. As the story progresses we notice how Montuvio and his doubt merge like two identical silhouettes until they are one: Montuvio *is* his doubt and the hopeless victim of his "human reason," which leads him to his final, paralytic despair.

Mallea's work has been translated into several languages. Together with Borges he is among the most universally appreciated of Argentina's authors. He is also a fine critic, an editor of the distinguished Argentine review *Sur*, and director (since 1931) of the literary supplement in *La Nación*.

La razón humana

D E S P U É S de alejarse a paso precipitado de la pequeña casa que blanqueaba dormida entre los laureles de Olivos,[1] y que sería del todo suya al pagar el venidero servicio hipotecario, el agente de seguros Celedonio Montuvio trepó de un salto al ómnibus que viniendo de Tigre[2] lo transportaba todos los días a la ciudad. Iba casi enteramente feliz. En poco tiempo más podría jubilarse y la casa que ocupaba sería definitivamente suya en efecto. Eran sueños que había acariciado durante muchísimo tiempo y el hecho de que fueran a convertirse ahora en realidades tangibles le ponía en el alma un inusitado calor, una especie de vago y emoliente bienestar. Casi no le quedaba otro motivo de preocupación. El segundo gerente de la compañía, con quien tuvo siempre aquellas agrias y mortificantes discrepancias, declinaba ahora sumergido en grave dolencia, y el cuadro de empleados había cobrado con ese motivo cierta placentera elasticidad o nueva euforia. En lo atañedero a las vicisitudes conyugales de su hermana Adelina, cuyo marido, o sea su cuñado, dió tantos y tantos motivos de disgusto en virtud de un recalcitrante y agresivo etilismo, el matrimonio, como por milagro, había ido entrando paulatinamente en una atmósfera de paz, y durante una de las últimas visitas que hicieron juntos a la casa de Olivos se presentaron exhalando contento. No se brindaban al ánimo más que motivos de tranquilidad.

Una sola cosa —pensó en el ómnibus—, aunque muy insignificante, muy tenue, le andaba allá por el fondo del alma arañándole los rincones. Casi no hubiera valido la pena pensar en ello si no fuera porque la persistencia del motivo, semejante a un acorde musical que se repite tenaz en nuestro oído, insistía en mandarle a la cabeza el diablillo de la conjetura. Pero, ¿no era una idea, en el fondo, pueril? Otro hombre dotado de mayor confianza en las cosas que él, la habría desechado en el acto, pero a él se le adueñaron

---

1. **Olivos:**   northern suburb of Buenos Aires   2. **Tigre:**   another northern suburb of Buenos Aires

siempre del ánimo, por pequeños que fueran, los motivos de pesimismo, y cuando se trataba de sentirse víctima de algo, estaba siempre disponible ante las menores incitaciones sombrías. Se conocía demasiado bien como para desconocer o echar en olvido este rasgo de su naturaleza, detrás del que se ocultaba un inconfundible elemento de debilidad.

Viajaba aquella mañana en el ómnibus la misma gente de siempre, empleados de comercio, negociantes, profesionales pobres y aquellas infaltables mujeres que aparecían cada día en los puntos de parada con un rostro tan persistente e idénticamente compuesto, pintado, colorido, que parecían el símbolo mecanizado de la repetición. Se veían desde años atrás casi a diario; pero no cambiaban con él un signo ni un saludo, salvo aquella mirada de incomunicado pero familiar reconocimiento.

Encontraba absurdo permitirse la pequeña idea recurrente. Pese a los gustos relativamente excéntricos que él le atribuyó siempre, su mujer, Alicia, le fué en toda hora la naturaleza más dócil, más adicta, y él no tenía sino que agradecerle la abnegada paciencia con que lo acompañó en los momentos malos de su vida. Ella, desde niña, parecía haber adoptado su típica reticencia, su facilidad a los silencios, a las elusiones, a los súbitos refugios en zonas de mutismo, que parecían desdeñosas; pero esas actitudes se emparentaban sin duda con la conciencia de sentirse bonita, algo distinto de las demás mujeres, señalada desde la más temprana adolescencia por el vívido colorido que llamaba tanto la atención. Eso la dotó de cierto aire, gesto o actitud que pudo pasar a veces por expresión de cierta afectada superioridad. Y tal vez a lo mismo se debió también que Adelina, su cuñada, no le profesara todo el afecto debido, resintiéndose con facilidad ante los silencios de Alicia.

Pero la idea que se le había metido a él en la cabeza no tenía nada que ver con aquello. Era más bien producto, lo pensaba, de su tendencia a la cavilación o a la suspicacia, y de cierto exceso de observación en que, aun sin notarlo, reiteradamente incurría. Se trataba de lo siguiente: desde tiempo atrás solían reunirse los domingos en la casa de Olivos con algunas relaciones,[3] para escuchar música y tomar una taza de té entre gustosas ocurrencias y temas inofensivos. Era una costumbre que cultivaban ritualmente y que

3. **relaciones:** *amigos* or *conocidos*

les procuraba tanto a Alicia como a él ocasión de afable esparcimiento. Las salitas blancas de la casa, con sus visillos descorridos, ofrecían en aquellas tardes de conversación la especial placidez que depara a los hombres la propiedad. Se contaban entre los frecuentes invitados algunos colegas de él, casados, bienhumorados, y alguna que otra amiga soltera de Alicia: sólo en casos muy particulares acudían a las reuniones gentes nuevas, pues él era corto de genio y prefería no alterar con ningún agente extraño la atmósfera de broma y diversión en que las tardes de domingo transcurrían. En extraordinaria ocasión llegaba hasta la casa de Olivos algún médico de la compañía, algún comerciante, algún artista borroso de los que no hablan nunca de arte y no alarman así a la gente con sus pedantes cavatinas. No se acordaba él si fué en enero o en julio del año anterior, en mayo o en junio, cuando invitó por primera vez a Valentín Bordiguera. Pudo ser en enero, pudo ser en julio; nunca lo hubiera conservado en la mente porque la naturaleza del nuevo invitado instigaba a todo menos a que se le tomara en serio: había sido cliente de la compañía y se le consideraba como a un soltero de muy buena posición que se daba sus gustos y a quien le gustaba hacer reír. Había sido puesto en contacto con varios de los agentes por el viejo Villaza, que fué quien primero lo conoció, y a algunos les gustaba acompañarlo en sus salidas nocturnas, durante las cuales Bordiguera desparramaba ingenio y licores, apurándose a pagarlo todo. Celedonio Montuvio ignoraba por qué lo invitó a su casa la primera vez: quizás llevado por la vanidad, esa gran tentadora, a fin de que un hombre de los gustos de Bordiguera no lo confundiera a él con la masa de compañeros inopes y desordenados y supiera que tenía esa casa blanca donde los domingos se oía música y Alicia solía dejar caer algún juicio certero sobre tal o cual libro que leía. Ella había tenido siempre cierta propensión a la literatura, aunque rara vez hablaba de ello, porque lo cierto es que con él no tuvo especial suerte: no les gustaban las mismas obras y cuando ella dío al principio en dos o tres ocasiones rienda suelta a su entusiasmo reflexivo a propósito de este o aquel volumen, se quedó progresivamente muda y decepcionada al notar la seguridad y el énfasis de las razones de él en contrario. Él se reía de esas disidencias, de la exclusividad de los gustos de ella, y optó por evitar el comunicarse sobre las lecturas, que en él eran tomos de divulgación económica y en ella volúmenes de poesía o de drama. Alicia, por lo demás, no necesitaba comunicar nada de sí; parecía siempre distraída y sólo de tanto en tanto alguna frase dicha ante ella le encendía los ojos en súbito y fugaz ardor.

A él le gustaba verla atender a la gente con su bonita figura alta y noble, con sus gestos suaves, con su cortesía igual y solícita, aquella cortesía en cuyo fondo palpitaba cierta reserva, pero que lo mismo era pronta y voluntariamente atenta.

Tenía ella a su cargo la justa distribución de las porciones de leche y de té en las tazas de porcelana, la elección de los discos, la conversación con los invitados sobre las cuestiones prácticas; el precio del azúcar o el coeficiente de crecimiento de los laureles y de las acacias. Montuvio no supo nunca la razón de aquellos repentinos encierros de ella a cuatro llaves los domingos a la noche, titulándose cansada. Una suerte de esperanza o neurosis la ganaba en esos intervalos, y él comía abajo solo su porción de pejerrey o de budín, escuchando todavía, después de la tarde entera de música, la *Novena Sinfonía*[4] o los graciosos acordes de *Così fan tutte*.[5]

Durante muchos meses se repitieron las visitas del amigo Bordiguera a la casa de Olivos. Resultaba menester aclarar lo de amigo: nunca lo fué, en puridad, de Montuvio; con respecto de éste, Bordiguera era uno de esos señores definidos en su exterioridad pero indefinidos en su intimidad, con los que rara vez se puede trabar lazos afectivos directos y sólidos. Montuvio consideraba a Bordiguera más bien como un agradable espectáculo y a ese título lo introdujo en su casa, amén de la vaga aureola atractiva que los derrochadores y los acaudalados poseen sobre la mesocracia.[6] Montuvio vió, pues, alegre, el desembarazo y el prestigio con que, los domingos, se manejaba en la casa de Olivos Bordiguera, el encanto que causaba en los agentes amigos y sus mujeres, lo fino y relamido de sus conversaciones, la ductilidad de sus puntos de vista.

Desde el sillón de la sala, repantigado en su sillón junto a Osorio o junto a Carlos Lagos, Montuvio disfrutaba de ver, más allá de la línea de la mampara —que se abría los domingos de par en par—

4. **Novena Sinfonía:** "Choral" symphony, first performed in 1824, of Ludwig van Beethoven (1770–1827), German composer 5. **Così fan tutte:** opera, written in 1790, by Wolfgang Amadeus Mozart (1756–91), German composer 6. **mesocracia:** *burguesía*

a su mujer conversando con Bordiguera. Al principio no obtuvo
más que satisfacción de ese espectáculo, en que su mujer le daba la
idea de estar exponiendo puntos de vista refinados ante un refinado,
la misma satisfacción que le infundía, todos los domingos, el comprobar el gusto con que la gente devoraba las masas de crema o la
admiración que causaba en los visitantes la claridad de las cortinas
de linón almidonadas o lo armonioso y bonito de las habitaciones
de la planta baja con sus delicadas lámparas de opalina y sus
muebles victorianos enchapados en caoba. Sólo un buen día, al
observar que su mujer y Bordiguera tendían rápidamente el aparte,
sin fijarse mucho, casi distraído —como casi distraído se embelesaba
siempre en todo aquello— se preguntó: "¿De qué hablarán?" Los
miró, al preguntárselo, y los vió allá, al fondo del comedor, parados
junto al arco de la ventana, enzarzados en una de sus típicas conversaciones sonrientes. Esa vez se esfumó pronto la pregunta; pero
no dejó de revenir. Pues al domingo siguiente, y al siguiente aún,
se repitió la prisa en ir al aparte, en enfrascarse separados en los
temas que los singularizaban o los cautivaban. Montuvio, al quedarse solos a comer, una noche en que Alicia no subió a encerrarse
como de hábito, le preguntó riente y afable, curioso, verdadera-
mente interesado, sobre los temas que trataba con Bordiguera.
Alicia le respondió, inmediata: "Hablamos siempre de obras, de
libros." Y él se quedó en babia, porque no se imaginaba cómo
podía hablarse tanto de tanta indiferente página impresa.

Uno de esos domingos experimentó Montuvio una sensación
extraña. Siempre había compartido con Alicia la atención vigilante de sus invitados; aguardaban juntos a que acabaran con una
cosa para ofrecerles otra; juntos se repartían la tarea de alargar las
bandejas, servir las cosas, satisfacer prontamente los deseos. Pero
aquel día, cuando habían pasado dos horas de servido el té, llegado
el momento de ofrecer el jerez, el aperitivo, Montuvio fué naturalmente en busca de las botellas, y al ir a llenar las copas notó que
Alicia, en vez de estar con él asistiéndolo, hablaba en el jardín con
Bordiguera. Se sintió, así, de pronto, en curiosa y deslucida situación, con una bandeja en la mano y una tarea excesiva que llenar;
y por unos instantes permaneció sin movimiento, contemplándose
desde el interior de sí como a un desgraciado sujeto sobre quien se
carga toda la función.

En el acto entró Alicia, iluminada:

—¿Te ayudo?

Y él, sin decir palabra, le pasó los dos vasos que entonces tenía en la mano.

No volvió a acordarse de ello, pero se le empezó a formar por dentro algo así como el lejano eco agridulce de una pensativa frase nostálgica. Se miró las manos y notó que eran manos de solitario y que nada tenía que ver Alicia con esas manos. Mas desechó pronto esas nieblas o rumias, y volvió de lleno la cara a su trabajo y a sus cosas, que entraban satisfactoriamente para él en una especie de vía ancha.

Sólo unos días, tres días antes, así, de repente, la idea se le había filtrado en la cabeza. Era una idea contra la que se defendía; pero que estaba allá. Al llegar a su casa había visto a Alicia colgar —le pareció que oportunamente— el tubo, levantarse del teléfono rara, guardar ante él un silencio que se le antojó agrio, agresivo. "Dios —se preguntó él—. Dios, ¿no estará ella en *eso*?" Y *eso*, eso que ni siquiera se autorizaba a nombrar, era una relación desleal e íntima con Bordiguera. Había notado algunas cosas raras, ciertos sobre-saltos, ciertos gestos más elusivos, más misteriosos que nunca, sin contar con que ella salía casi todas las tardes y él no sabía adónde iba. Pero, por lo demás, el pensamiento era tan absurdo, ¡tan visible fruto de la suspicacia!; pues su mujer era la dignidad misma, con su dominio de sí y su autoridad, y por agregado, fuera de aquellas tonterías, ¿qué motivos o causa concreta tenía él para abrigar una sola duda?

Y esta misma mañana, al salir de su casa, al preguntarle a ella, fortuitamente, en el comedor, qué haría por la tarde, le asombró la impaciencia de la contestación, la casi rudeza, el impulso seco:

—¿Qué quieres que haga? Cosas que tengo que hacer. Que-haceres. Diligencias.

—Pero ¿qué diligencias?

—¿Cuáles van a ser? Las de siempre.

Acabó él de vestirse y salió a tomar el ómnibus en que ahora venía. Viajaba casi enteramente feliz. El ómnibus disparaba sobre el alquitrán entre los recreos y las quintas. ¡Si hubiera podido de-sechar del todo aquella sombra de idea! No tenía más que motivos para desecharla; pero ¿por qué no se iba? ¿No es la idea un principio lógico? Entonces ¿por qué se le ponía a rasparle el alma? Allá en el fondo, en un fondo tan fondo que ya no parecía pertenecerle a él.

Se lo preguntó, en el ómnibus, lleno de solicitud hacia sí mismo; y a fin de desembarazar la cabeza de aquellas telarañas, se dispuso a seguir con los ojos el camino, las peculiaridades del trayecto. Conocía la zona hasta la saciedad y no podía esperar ninguna sorpresa, salvo a lo más la aparición en alguna terraza de un rostro nuevo o las señas de algún flamante toque de pintura en cualquiera de los gabletes familiares.

Al pronto lo sacudió un sobresalto: no fué el efecto de un resplandor del pensamiento, sino del brío de una intuición. ¿Qué derecho tenía a colocarse por encima de las evidencias? Era evidente que su mujer andaba en algo. Lo revelaba, aparte de su reticente conducta, cierta visible, reiterada necesidad de estar sola; de un tiempo a esa parte ya no le pedía, como antaño, que regresara a su casa cuanto antes, casi parecía indiferente a que él volviera o no volviera, y si siempre tuvo cierta huraña de carácter, la cosa ahora se acentuaba y extremaba. La semana anterior se había dado el caso, realmente insólito, de que ella volviera a Olivos después que él, casi a las diez de la noche. Y la molestó lo indecible, casi hasta la ira, que él recalcara el retardo, pese a que lo hizo con la mayor suavidad y cautela. La había visto también comprar papel de escribir, no obstante haber sido casi siempre reacia a las cartas: más aún, casi muda, epistolarmente hablando.

¿Qué ocurría entonces? La pregunta se le estrelló en la mente, sin posibilidad de salida o desarrollo. Se le quedó ahí, instalada. Y en forma no mental, sino plástica, visible, sensible, se le envolvía a la pregunta, pugnaz, la imagen de Valentín Bordiguera.

Experimentó una suerte de encogimiento repugnado, un movimiento de instintivo rechazo, en el cual no existía ya ese contragolpe de repudio a las suspicacias innobles.

Llegó a la esquina de la diagonal,[7] donde descendía a diario, sin haberse podido desprender de esa sensación pegajosa y mortificante. Un vago apéndice de rabia o pálido despecho se unía al malestar. Tuvo la impresión de marchar en un terreno confuso, en el que le sería imposible hallar una puerta hacia la claridad.

7. **diagonal:**   avenue or street that runs diagonally in relationship to the other streets

Entró, tras pocos pasos, en el gran edificio marmóreo de la compañía y deslizándose en el ascensor, subió al piso donde debía retirar unos papeles, previo recuento de un alto de pólizas. Se puso a la tarea con malhumor y desgano, rompiendo papeles mal encabezados, ante la máquina empeñada en no martillar la letra o sin agregarle escarnecidamente la p.

Al mediodía partió a almorzar, acompañado de su fastidio y de su perturbación. Almorzaba por lo común en un restaurante de la misma diagonal, en una especie de sótano artificialmente iluminado, grande y sucio, lleno de peceras y malos frescos. No tenía el menor deseo de hablar con el mozo, y eligió ligeramente un plato frío y las consabidas frutas. Vió sentado en una mesa al imponente agente Rodas, de la compañía, y sintió rabia hacia él y evitó saludarlo; colocó verticalmente el menú, apoyándolo en la jarra de cristal, y fingió enfrascarse en la lectura del enorme repertorio de platos. Pero su imaginación estaba en la casa de Olivos. Alicia estaría a aquella misma hora almorzando, cómoda en su soledad, seguramente tranquila respecto de la hora en que iría a salir, con su plan listo y su ánimo satisfecho. Tenía toda la tarde para sí, toda la larga tarde, y no necesitaba regresar sino a las ocho o las nueve, hermética[8] en la conservación de su secreto, abrigada en la rememoración de sus actos reservados e invulnerables.

"A las tres o cuatro de la tarde estará en el departamento de Bordiguera", pensó Montuvio. Una idea tan precisa le facilitó la coyuntura de refutarla con igual precisión. Ya no se trataba de nieblas, hipótesis, conjeturas confusas. Se trataba de un acto. Y ese acto —no podía ser.

Mondó la fruta con tranquilidad. No, ese acto no podía ser. Una especie de vivacidad —originada en el rotundo expediente de alivio— lo ganó de repente, y llamó al mozo y le hizo un comentario burlesco, refiriéndose a una pareja que asistía siempre al restaurante y de la que había hablado con él en anteriores ocasiones.

"No, no puede ser", salió diciéndose. Llevaba en la boca el gusto del café y junto al gusto del café, el gusto de tan obvia y satisfactoria confortación. Era una tarde soleada, hacía calor, la diagonal nuevamente se llenaba de cuerpos después del desmayo del mediodía,

8. **hermética:** This adjective, like *abrigada* in the next phrase, refers back to *la larga tarde*.

plomizas palomas paseaban los gordos buches por las cornisas de los frentes del mismo alto. Montuvio cruzó dos o tres calles con el santo propósito de finiquitar de una vez aquel asunto, que ya se hacía largo, con el administrador de Varas Rey, recalcitrante a aceptar siquiera un seguro de tercera clase. Pero el administrador no estaba. No llegaría hasta las cinco. Montuvio, prometiendo volver, bajó de nuevo en la jaula negra del ascensor. Sólo al pisar la planta baja lo acometió, de plano, aquella necesidad, aquella inclinación o tendencia, realmente injustificable, que no era todavía designio.

"El pensamiento es una cosa —parecía sugerirle la tendencia recién nacida— y los hechos son otra. No se acaba del todo con una idea mientras no se confronta con la realidad misma."

Echó a andar directamente para no tener que avergonzarse de deliberarlo. Tenía sobrado tiempo. El departamento de Bordiguera quedaba próximo a la plaza de la República: era la segunda de tres casas iguales en una calle que corría de este a oeste agobiada de comercios y cinematógrafos. Montuvio cruzó las bocacalles con cierta nerviosidad de estudiante o actor primerizo y al mirarse de sopetón en el escaparate de una casa de fotografías advirtió que estaba pálido, pálido-verdoso, y que la sombra de la cara no provenía de estar mal afeitado sino de su mal color.

En el fondo sabía que no estaría tranquilo hasta que no lo viera. En más de una ocasión las ideas habían jugado con él. Le gustaba lo práctico, lo visible, lo que no deja lugar a dudas. Esta repentina necesidad de espionaje, este acto pesado e inconfesable habría sido groseramente humillante para él si no lo hubiera examinado como lo hacía ahora a la luz de las exigencias de su propia estructura íntima. De modo que lo tomó como una solicitación natural de sus fibras más profundas, las menos claras tal vez, pero las más humanas.

No tardó más de diez minutos en llegar a la cuadra donde se alzaba la casa de departamentos en uno de cuyos pisos tenía Bordiguera su refugio de soltero. Durante todo el trayecto Montuvio experimentó el vago temor que entraña toda prueba a la que entramos todavía indemnes y de la que podemos salir aniquilados. Naturalmente, acentuaba, de un modo gravitante, denso, casi visceral, lo inútil y naturalmente absurdo del género de comprobación a que se estaba prestando; y sin embargo, ninguna razón del mundo habría podido disuadirlo ya de hacerlo: al contrario, cualquier obstáculo surgido de pronto y que le hubiera impedido ir a pararse para atisbar la puerta de Bordiguera, le habría causado un disgusto áspero y sublevante, una protesta confusa pero virulenta, hirsuta, animal.

Ahora ya necesitaba ver. Entre las conjeturas, ¿podía desechar la suprema, la que rinden los ojos mismos, la evidencia? Sintió una extraña sensación de disgusto y tristeza al pasar, por la acera de enfrente, ante la puerta de la casa de departamentos. El ancho y sombrío zaguán se abría desierto hacia los ascensores. Montuvio pasó. Fué a detenerse, casi al llegar a la esquina, en la boca de uno de los zaguanes estrechos, desde donde podía observar cómodamente la casa de su preocupación y un largo trecho de la acera opuesta. Frente al sitio donde se paró, abría sus dos vidrieras un negocio de artículos chinos; en las vidrieras se ofertaban, amplias sobre dos maniquíes viriles, dos indumentarias asiáticas, de un color celeste claro, confeccionadas en seda tan tenue que las arrugas parecían pliegues supletorios, deliberados; junto a las vestimentas dinásticas, se acumulaban, en el piso de las vidrieras, pequeños dragones de jade, cortinas colgantes de paja ornamentada, un viejo cetro y dos minúsculos pares de sandalias negras.

Montuvio, después de haber tomado posición frente al portal señalado, se puso a esperar, observando cuidadosamente los negocios lindantes con la tienda china; empero, ninguno se le comparaba en antigüedad y atractivo. Sus ojos reposaron por unos instantes en la variedad exótica. Pero al proviso, repentina y paulatinamente, como conducido por la afluencia de una sola corriente mental, de un solo verter flúido, líquido, se le fué ocurriendo lo que podía acontecerle si Alicia salía, en un momento dado, de aquella casa. El cálculo se le fué convirtiendo en cólera. Adquirió conciencia de la seguridad y la superioridad que le daba al tener en sus manos el dominio de la prueba, en caso de existir la falta; y esa conciencia lo endureció y exacerbó. Era como si se dijera: "te tengo; ahora estás en la trampa; del engaño no puedes desembocar en efugios, sino directamente en mí, ante mí." Se sintió seguro, y pensó que podía esperar horas sin moverse de aquel sitio.

Permaneció así por espacio de algún tiempo. La gente pasaba sin preocupaciones del calibre de la de él, todos ostensiblemente desprovistos de problemas íntimos, apresurados, objetivos; tan sólo él tenía aquello que solventar. La mirada se le prendía a las dos vidrieras de la tienda china, pero interiormente maquinaba sin tregua, en su intento de forzar el recuerdo para que le diera algún punto en qué apoyar la posible aparición de su mujer en casa de Bordiguera. Recordaba gestos y sonrisas. Se recordaba a sí mismo. Se veía solo y agraviado por la complicidad amatoria de Alicia y Bordiguera; y un odio agrio y bascoso se le componía en el hígado contra aquel conversador ocurrente, de mirada melosa, de rasgos finos, que había llevado una vez a su casa. Después del primer cuarto de hora de espera ya comenzó a ganarlo una impaciencia inquieta, ansiosa, desazonada, algo así como el sentimiento de que él mismo había querido convocar la desgracia y de que ya no podría escapar ni al hecho ni a las consecuencias de haberla originado.

A las cinco y media, cuando de la casa no salía nadie, empezó a pensar, con cautela y precario alivio, que sin duda no había gente en el departamento de Bordiguera, ni siquiera Bordiguera mismo, y que quizá fuera lo racional y viril dar la prueba por pasada y desprenderse altiva y normalmente de suspicacias, ideas viles y fantasías vergonzosas. Pero en el acto pensó que ya estaba allí, y que si esperaba un poco más, más seguro estaría de lo pueril, antojadizo y vejatorio de su sinrazón.

Entonces empezó a esperar con más calma, asegurándose en la seguridad de que no saldría nadie de la casa. Cuanto más esperara, más placer. Podía estarse allí hasta las ocho o las nueve; quizás hasta viera llegar a Bordiguera a la hora de comer. Sí; tal vez hasta eso mismo fuera posible. Imbuído de una sensación de calma y seguridad, abandonó el sitio donde estaba apostado y cruzó sin prisa hasta las vidrieras de la casa china, ante la que se detuvo a mirar con simpatía interesada las piezas exhibidas. Las halló impotentes, extraordinarias, en su conjunto y en sus detalles, reveladoras de una civilización sutil y temible, en la que él no hubiera podido vivir una sola hora. Luego cruzó nuevamente hacia su apostadero; haciendo tiempo, con cierta impaciencia, trató de hallar algo que retuviera su atención en esa acera; pero no había más que la vitrina estulta de una tintorería y la monótona serie de placas profesionales adscriptas al ángulo de una puerta vieja. Se acercó a mirar una de esas placas.

Estaba en un momento dado de espaldas a la casa en cuya observación permaneciera, cuando su instinto lo llamó de golpe, haciéndolo volverse con titubeo y sobresalto: Bordiguera cruzaba hacia la calle el umbral de su casa y con él salía una mujer, una mujer delgada, vestida de claro, con zapatos claros. Los vió desde lejos y apenas tuvo tiempo de ocultarse antes de volver a observar, avanzando la cabeza con la mayor trepidación de corazón, los rasgos de la acompañante, con quien, ya en aquel minuto, Bordiguera detenía un taxímetro, subía en él, y luego de estar obstruídos por el coche oscuro una fracción de segundo, arrancaba en rápida marcha, pasando hacia la apertura de la bocacalle frente a los ojos mismos de Montuvio...

¡Dios de Dios! ¡Lo vió tan claramente! El corazón le paró de latir. Se echó hacia atrás, como quien se salva del golpe plano de un hachazo. Sintió la cara blanca y las venas blancas, sin sangre. El automóvil pasó, alejándose. Y Montuvio, con la flojedad que deja un sacudimiento, avanzó un paso libertador hacia la calle.

La persona que acababa de salir con Bordiguera, no era Alicia. ¡Gracias a Dios! No tenía nada que hacer con su mujer. Había tenido la evidencia al primer golpe de vista, en un relámpago, cuando la vió parada en la acera, y luego al deslizarse fugazmente ante él los rasgos de la que pasaba junto a Bordiguera en el interior del auto. Se trataba de un rostro escuálido, muy fino, muy blanco, cuyos rasgos no pudo fijar exactamente, y de una manera de vestir holgada y demasiado clara que daba más bien la impresión de una extranjera.

Montuvio sintió una especie de gloria, algo así como la apertura súbita de todos los vasos en la explosión de un inmediato bienestar. Lo asaltó, sin momentáneo discrimen, cierta vergüenza de sí mismo que se acusaba con felicidad, y al propio tiempo un sentimiento más extraño y más impetuoso de simpatía hacia Bordiguera, casi de gratitud. Podría haberlo abrazado, endiosado, en aquel instante. Y la mente le voló al escenario de la casa de Olivos, procurándole de nuevo la representación de una casa feliz y noble, en la que regía, como nunca, la decorosa figura de su mujer, inocente de toda sospecha y superior a la sospecha misma. Le pareció que no podría dejar de contárselo aquella misma noche, confundiendo el relato con una tácita solicitación de perdón...

El sol de la tarde, siendo verano, estaba todavía alto. Un luciente polvillo áureo ponía su toque en los filos extremos de las casas, escindiendo luminosamente la materia del espacio. La ciudad brillaba, el tránsito subía a su auge. Montuvio respiró la luz. Hubiera llamado en el acto a su casa pero su mujer andaría a esa hora no lejos de él, por parecidas calles. Pensó que le sobraba tiempo para visitar al administrador de Varas Rey. Alegre, confiado, soliviantado, tomó por una de las calles que bajaban; entró ligeramente en la diagonal. Y el ascensorista mismo le pareció un testigo y un adicto.[9]

El administrador de Varas Rey, con su potente espalda de Hércules y su boca inesperada y chica de ironista, lo acogió con más reticencia que las veces anteriores. Estaba solo, sentado, repantigado, en su oficina parecida a las quinientas oficinas del marmóreo, presuntuoso, luminoso edificio "Vea usted —comenzó diciéndole el administrador. Vea usted..."; y por séptima u octava vez, le argumentó sin variedad sus razones para no querer asegurarse, para preferir no asegurarse.

—No es justo que yo me grave ahora con una erogación más —se defendió el administrador, levantando en la disculpa sus expresivos hombros de Hércules.

—¡Pero claro! —estalló Montuvio—. Tiene toda la razón del mundo. Le encuentro toda la razón. Excúseme. No insisto.

Y la boca y el alma le reían.

—¡Toda la razón del mundo!

Se despidió, al cabo, reiterando sus perdones. Habría condecorado, también, al administrador recalcitrante, le habría pedido disculpas de rodillas por su intrusión, por su importunidad, por su insistencia; y salió tropezando con sus propias excusas.

¿Qué le importaba a él de todo eso? Le llovía el gozo. Admiraba a su mujer. Sentía los comienzos de una nueva vida. En pocos meses más la casa de Olivos sería suya. Aquella noche comería con Alicia, abriría las ventanas al fresco de verano, entraría en la casa la digna quietud de los pacificados. ¿Qué otra cosa podía desear? Bordiguera podía seguir yendo, hasta la consumación de los siglos; como que se llamaba Montuvio, jamás cruzaría por su cabeza otra sospecha.

---

9. **testigo... adicto:**   witness and an enthusiast of Montuvio's sudden elation

Dios, si somos dueños de nuestra razón ¿por qué no somos dueños de nuestros razonamientos? ¿Por qué dejamos volar nuestro pequeño espacio interior de salvajes pájaros exteriores?

Consultó la hora; eran las seis y media y no pensaba volver a la compañía. ¿Para qué? La gran tarde se ponía madura. Un oro azulado desafiaba los aires. Lo mejor era sentirse en libertad, contemplar a las gentes, detenerse ante los escaparates, dejarse vagar por entre tantos precipitados. Caminó por espacio de una hora, visitó las galerías llenas de ricos objetos en venta, leyó las cotizaciones en las casas de cambio. Observó a las mujeres que pasaban, se detuvo ante los negocios de objetos menos afines a sus gustos; pero después, experimentó un vago aburrimiento, cierta laxitud. ¿Qué podía hacer? Se acordó de la cervecería Gambrinus,[10] que tanto le gustaba, y hacia allí dirigió sus pasos.

Era una gran cervecería negra, sombría, revestida de maderas graves, con nobles jarras de Baviera y barandas y azulosos vitrales separando entre sí los pequeños reservados. No entraba la luz del día más que por una elevada lucerna. Y colgaban de la percha periódicos impresos en caracteres góticos, bárbaros, indescifrables.

Montuvio se sentó ante una de las mesas del salón, y pidió el bock acostumbrado. Lo invadió una sensación de descanso e infinita frescura. Sobre la mesa descansaba un plato con "spretzel" y un pequeño pote blanco con mostaza.

Empezó a rememorar su día, lentamente, desde el principio: la conversación con Alicia, el viaje en el ómnibus a la ciudad, la organización de sus dudas, el amargo almuerzo, la vicisitud del espionaje, la ansiedad, y por fin la sorpresa reveladora. La escena había cobrado un rápido fulgor iluminativo. En pocos segundos, se alzó y desapareció. Sin embargo, tuvo sobrado tiempo para cubrir con su mirada el aspecto de la mujer, su indumentaria, sus rasgos, tan diferentes de los de Alicia. Tuvo tiempo de ver la solicitud amatoria con que Bordiguera la acompañaba. Al pasar el auto frente a él, los dos reían: ella un poco echada hacia atrás contra la capota, Bordiguera ocurrente, alacre. La mujer llevaba un traje muy claro, blanquecino, casi crema, y un sombrero sobrio, algo requintado, un sombrero que sólo le cubría un lado de la cabeza. ¡Cómo le clavó Montuvio los ojos al paso aceleradísimo, fugaz del automóvil!

10. **Gambrinus:** legendary German king said to have invented beer

No hubiera podido recordar los rasgos de la mujer, sólo supo que no eran los de Alicia con una especie de ciencia iluminada y general, revelada, superior al conocimiento particular. Los ojos se le aferraron ansiosos a ese relámpago que pasaba: no era ella; eso bastaba. Había visto bien.

Montuvio bebió un trago del chop,[11] y en el acto se dió a pensar que podía llevar algo a su casa, esa noche: una galantina o un jamón dulce, dos cosas del gusto de Alicia. Hacía mucho tiempo que llegaba con las manos vacías; no lo había notado antes, ahora lo notaba. Todos tenemos parte en los cambios de viento que aparecen y paulatinamente alteran, ensombrecen, nuestras relaciones. Los matices de la cortesía son importantes siempre; un sentimiento que en los otros rozamos o herimos puede de pronto convertirse en filtro pugnaz de amargura, en llaga, en ácido. La huraña de Alicia se debía, quizás, a una serie de provocaciones inconscientes por parte de él, provocaciones sutiles, ensordecidas, ignotas, de esas que aparecen y se desarrollan insidiosamente con sigilo de enfermedades mortales. Paseó los ojos por el salón, estaba fresco y oscuro. Miró las barandas negras y las plantas. Una brisa mental le trajo de nuevo, a favor de su laxitud, la imagen de la mujer que vió salir con Bordiguera, la imagen del automóvil, y de la liberación causada por la escena. Paso a paso se le originó la idea de que una sola cosa era extraña. Dió vuelta a la cuestión: ¿cómo podía explicarse que no recordara, en absoluto, los rasgos precisos de la mujer? Quizás se debía, solamente, a la velocidad del automóvil, a la extrema confusión del momento, a la necesidad primordial de obtener la negación de unos rasgos antes de seguir con eficacia las líneas de otros... Lo cierto es que sólo vió un espectro que no era Alicia. Fuera de eso, todos los espectros, ¿no son parecidos? Sobre todo si llevan ropas que los definen en un sexo dado, que a su vez los separan de otros espectros. Alicia no tenía esa cara, ni un vestido así; no. Claro que todas las mujeres se pintan del mismo modo; también Alicia era rubia, como la mujer del automóvil. Pero, ¿por qué no miró él mejor los rasgos, por qué no sabía decisivamente *cómo* eran? Montuvio dejó el jarro de cristal sobre la mesa. ¿Había visto bien?

Lo aprisionó de súbito una especie de desazón o malestar, una inexplicable incomodidad mental surgida a pesar suyo. ¡Era él

11. **chop:**   bock, i.e., beer

mismo, irremediablemente, un espectáculo! ¡Miren que venirse ahora con dudas! ¿Podía preguntarse eso? Había visto con sus ojos, *con* sus ojos. No por otros, ¡por los suyos! Y aquella mujer *no era* Alicia. Otros rasgos, otro ser completamente distinto; y luego aquel vestido. Por más que Alicia tenía también un vestido blanco. Un vestido de seda blanco; sólo que guardado, hasta ahora, hasta el verano. Montuvio se burló de sí mismo. Siempre había sido fácil presa de las impresiones encontradas.[12]

Pero detrás de la burla —que era de él— le quedó la rumia —que era contra él—. Contra su voluntad, la cabeza le siguió maquinando. Alzó los ojos y vió la gente que conversaba, escasa, en la cervecería, y una mujer gorda y llana, rubia, que argumentaban con dos alemanes. Ésta tampoco se parecía a la mujer del automóvil. ¿Pero cómo era exactamente la mujer del automóvil? Se empeñó en pensarlo y ejecutó con la memoria un corto y vago esfuerzo. No podía tener presente, por más esfuerzo que hiciera, sino algo genérico, el rostro de una mujer, un rostro del género. Pero que no era Alicia, eso claro. Supongamos que el traje pudiera confundirse: las facciones eran evidentemente otras, la actitud otra. Lo que tuvo no fué una impresión, fué la evidencia. Naturalmente, la luz podía modificar, según como diera en el objeto, las peculiaridades de un rostro siendo semejante el colorido, los tonos de la tez. Pero para qué razonar, si la mujer era otra, bien otra. Una evidencia no es una impresión. La fugacidad, la celeridad de su aparición pueden trastornar, deformar una impresión; pero no pueden trastornar ni deformar la evidencia.

Llamó al mozo y pidió otro chop y permaneció con la cabeza baja, algo cansado, mucho menos contento que momentos antes. Solía darle esa especie de rabia o decepción de sí mismo, esa especie de desmoralización acerba, que había empañado muchos momentos de su vida. Casi con cólera contra sí, volvió a acoger en la cabeza una representación: el momento en que estaba apostado frente a la casa de Bordiguera y la rotundidad contundente con que diferenció de su mujer a la mujer que salía con el caballero. Se aferró a la representación concreta, pugnando por dar a su mente la positividad de una garra. Pero su cabeza no era ninguna garra, y poco a poco le fueron saliendo puntas de argumentos, malignas hipótesis,

12. **encontradas:** *contrarias*

elementos contradictores a los que no podía acotar o suprimir. Era un imbécil. ¿A qué venía la duda? ¿Podía no haber visto bien?

Pensó, dejándose llevar por una sucesión de ideas rememorativas que se superpusieron a los hechos de esa tarde, que por algo había ido a espiar allí. Era evidente —lo alarmó la palabra elegida por su razón— que Alicia se traía algo entre pecho y espalda. Y el automóvil con Bordiguera y su amiga había pasado a una velocidad que no permitía a la vista sino el más vertiginoso impacto. ¿Vertiginoso? Claro; sujeto a vértigo. ¿Podía él haber sido engañado por el vértigo? Por unos momentos permaneció moralmente agachado ante la idea y luego le pasó por la cabeza el otro motivo, la sugerencia remota e íntima de que su deseo de no reconocer a Alicia podía haberle llevado a forzar incluso la impresión visual. ¿Impresión? Pero ¿no era que la evidencia no tenía nada que ver con la impresión? Ahora resultaban lo mismo. Permaneció prácticamente atemorizado y tardó algunos minutos en reaccionar.

Con repugnancia, casi con asco, pensó que el colorido del pelo de la mujer podía tomarse, desde lejos, por el mismo de Alicia, y si traía a la memoria el traje blanco que le había visto el verano pasado, no podía honestamente dejar de abrir paso a la duda. ¿A quién no confunde una visión rápida? Una misma cara, una misma figura, ¿no puede aparecer de pronto como otra distinta, si actúan sobre ella determinadas condiciones psíquicas en el observador y alteraciones dadas en el escorzo de la imagen, en su colocación o esguince? A lo mejor, la mujer que no le pareció Alicia era la misma Alicia. ¿Por qué no? ¿Podía confiar él, de modo absoluto, en una visión relativa? ¿Podía siquiera aferrarse a una imagen que no podría reconstruir en la memoria, que *no sabía cómo era?* Y en cambio estaba viva la otra impresión, la otra intuición, la otra idea: la sombra de esa convicción interior que lo llevó a pensar en forma gradual y reiterada que existía evidentemente algo entre su mujer y Bordiguera. Pero, ¿por qué mezclaba así las evidencias? Sí, las mezclaba; no podía menos que mezclarlas, no podía resistir a ese impulso interior, y ahora las dos evidencias, la inductiva y la visual, se superponían alternativamente; y sentía, con vago terror, que poco a poco la primera dominaba sobre la segunda.

¿No sabía, en resumidas cuentas, en término cierto, de un modo claro y fehaciente, nada de la mujer que vió salir con Bordiguera?

Podía ser cualquier mujer. Incluso Alicia. Incluso cualquier otra. Cualquiera, como Alicia. "A ver —se preguntó por dentro; y se hostigaba y castigaba como a un testigo de juicio—, a ver: ¿cómo se diferenciaba, cómo era la otra?"

Permaneció subyugado ante la pregunta, pensativo, imposibilitado de responderse. Ya le iba pareciendo nítido, posible, comprobable, que lo hubiera engañado la fugacidad de la observación, y que la mujer, en efecto, bien pudiera haber sido Alicia.

Una gran agitación se posesionó de Montuvio y un golpe de razones adversas se le acumuló en el pensamiento. ¿Nuevamente había sido víctima de engaño? ¿Había sido? ¿Podía pensarse? No estaba seguro. No estaba seguro de nada. Habría dado lo indecible por retrotraer el momento en que vió salir a la mujer con Bordiguera, lo indecible por poder fijar ese momento incomprobable, de cuya veracidad no podría jurar. Sintió el latir de las ideas más antojadizas y contradictorias, como un reloj al que se le acaba de dar cuerda, y le pareció que no había piso bajo sus pies, ni cuerpo rodeando su espíritu exánime; entonces el pulso le batió también fuertemente y una ráfaga del odio anterior hacia Bordiguera y de despecho y agrura hacia su mujer, le sacudieron el alma.

Se incorporó, con desordenada violencia, volteando casi el pote de mostaza, el plato de "spretzel" y la jarra del chop que estaba sobre la mesa, y dirigiéndose al mostrador, fué torpemente a descolgar el tubo del teléfono. Marcó con ansiedad el número de su casa de Olivos, y por un momento, suspendido el pulso, esperó a que el ruido de la llamada fuera interrumpido por el tubo al ser levantado. Pero la isócrona insistencia de la llamada continuó sin la menor alteración, amenazando poder ser eterna en su repetición incontestada.

Entonces Montuvio volvió a su mesa. Le parecía que veía la escena de la tarde, la mujer saliendo de casa de Bordiguera; pero la que salía en su mente, era ahora su mujer, era su mujer, y no se alteraba por eso la impresión que guardaba de la otra. ¿Existía otra? Las imágenes se correspondían. No podía jurar que se diferenciaban. Tampoco lo contrario. ¿Era una o eran dos? Podía ser exactamente la misma cosa, no le quedaba ningún recurso probatorio, él mismo se veía en el centro de una indeterminación inamovible.

Lo asoló una desesperación fría, un tembloroso frenesí, motivado por la impotencia de decidirse entre las propuestas de su razón y los restos de su recuerdo. Ni un resto de lo que vió permanecía nítido, separado, distinto, categórico. Sabía tanto como antes de su observación frente a la casa de Bordiguera. Estaba tan *in albis*[13] como antes. Y mucho más confundido, mucho más impotentemente perdido.

Arrojó sobre la mesa un puñado de monedas. Atropelló hacia la calle. Y ahí estaba, él, el agente Celedonio Montuvio, de espaldas a las puertas del Gambrinus, sin saber qué hacer ni adónde dirigirse, con el labio inferior caído en una mueca irracional, espantado, paralizado, fulminado.

CUESTIONARIO

1. ¿Dónde iba aquella mañana Celedonio Montuvio?
2. ¿Iba enteramente feliz?
3. ¿Qué nos dice el autor acerca del carácter de la mujer de Montuvio?
4. ¿Qué acostumbraba hacer Montuvio los domingos?
5. ¿Se acuerda bien Montuvio de cuándo invitó a Valentín Bordiguera por primera vez?
6. Según Alicia, ¿cuál era el tema de sus muchas conversaciones con Bordiguera?
7. ¿Sabía Montuvio a dónde iba su mujer todas las tardes?
8. Después de almorzar en el restaurante de la diagonal, ¿a qué se dedicó Montuvio el resto de la tarde?
9. ¿Qué sensaciones y pensamientos experimentaba Montuvio al vigilar la casa de Bordiguera?
10. ¿Con quién salió Bordiguera de su casa?
11. ¿Cuál fue, en esos momentos, la reacción de Montuvio?
12. ¿A dónde se dirigió Montuvio después de caminar una hora por las calles?
13. ¿Qué empieza a pensar mientras toma su cerveza?
14. ¿Cuáles son "las dos evidencias" a que se refiere el autor?
15. ¿En qué estado encontramos al protagonista al final del cuento?

13. **in albis:** *en blanco,* i.e., perplexed

PREGUNTA GENERAL

La razón humana nos ofrece, en realidad, dos argumentos: uno, físico; el otro, mental. Comente usted su interdependencia, comparando lo que el protagonista "ve" con lo que "piensa".

HORACIO QUIROGA

Uruguay 1878–1937

HORACIO QUIROGA is recognized as one of Hispanic America's finest short-story writers. He had a strong sense of drama and unusually good psychological insights. Like Martínez Estrada—a close friend of Quiroga during the latter part of his life—he belongs to the solitary, self-devouring class of writers. The Uruguayan skillfully assimilated into his own creative process Maupassant's[1] irony, Dostoevski's[2] interest in pathological conditions of the mind, and Poe's[3] sense of horror.

Abundant biographical evidence shows how intimately fact and fiction were related in the life of Horacio Quiroga. His passion for nature, his immoderate attraction to adventure and strange inventions (e.g., his device for eliminating ants), and above all his obsession with death, are repeatedly discernible in his fiction. His father accidentally killed himself in circumstances somewhat similar to those of the incident described in Quiroga's widely anthologized story, *El hombre muerto*. In 1902 Quiroga killed a friend with a pistol he thought was unloaded. In 1915 his first wife committed suicide. In 1937 he took his own life with a strong dose of poison while awaiting a critical operation in a Buenos Aires hospital.

Nature—both human and geographic—is the tragic determinant of the lives of Quiroga's protagonists, doomed to suffering and slow

---

1. Guy de Maupassant: (1850–93), French short-story writer who excelled at psychological realism. He wrote nearly 300 stories; he went mad in 1891. 2. Feodor Mikhailovich Dostoevski: (1821–81), Russian novelist. His obsessive interest in the problems of moral and religious conscience and criminal mentality is most evident in *Notes from the Underground* (1864), *Crime and Punishment* (1866), and *The Brothers Karamazov* (1880). 3. Edgar Allan Poe: (1809–49), American critic, poet, and short-story writer whose tempestuous life and irregular habits became almost legendary. He wrote mystery stories, tales of physical horror, and strangely esthetic narratives of death.

extinction or to sudden violent destruction. The importance Quiroga attributes to predetermination and his constant curiosity about his environment make him a literary naturalist.

Quiroga is almost invariably involved in "psychology," yet he is not a psychological writer—his characters do not have an interior life separable from the world around them. The strange intensity of their experiences and adventures fuses their inner with their outer lives. The world itself is portrayed as a major unpredictable character that the protagonist cannot understand and for which he is never quite prepared. As one critic has said:

> Quiroga no hace psicología, porque descubre al hombre en existencia, inmerso en su contorno. El mundo, asimismo, es una vertiginosa ordenación que no llega a concretarse proque hay algo que eternamente la desquicia. Aparecerá una víbora o lloverá o morirá el caballo. A pesar de esta inseguridad, el hombre sigue construyendo y el mundo es, finalmente, una infinita serie de variantes de las cuales el hombre no puede desprenderse ni desentenderse.[4]

Quiroga understood more about lives than about people; his interest in the intensity of experience outweighs his interest in character development, a fact that helps explain his genius as a story writer and his failure as a novelist.

His best stories were published in the decade beginning in 1917: *Cuentos de amor, de locura y de muerte* (1917), *El salvaje* (1920), *Anaconda* (1921), *El desierto* (1924), and *Los desterrados* (1926). *La gallina degollada* is from the first of these collections, and it is one of the most powerful and distressing of his stories. With morbid fascination he describes the agonizing transformation of four beautiful children into idiots and the ensuing quarrels between their mother and father, who seek perverse satisfaction in blaming each other for their deformed offspring; the conclusion is a masterpiece of cruel irony.

Quiroga's genius is his realism, his power to create the impression of "living" what he writes about, including even the experiences of death. In that power he has seldom, if ever, had an equal in Hispanic-American literature.

---

4. Noé Jitrik, *Horacio Quiroga, Una obra de experiencia y riesgo* (Buenos Aires: Ediciones Culturales Argentinas, 1959), p. 60.

La gallina degollada

TODO EL día, sentados en el patio en un banco, estaban los cuatro hijos idiotas del matrimonio Mazzini-Ferraz. Tenían la lengua entre los labios, los ojos estúpidos, y volvían la cabeza con toda la boca abierta.

El patio era de tierra, cerrado al Oeste por un cerco de ladrillos. El banco quedaba paralelo a él, a cinco metros, y allí se mantenían inmóviles, fijos los ojos en los ladrillos. Como el sol se ocultaba tras el cerco, al declinar, los idiotas tenían fiesta.[1] La luz enceguecedora llamaba su atención al principio; poco a poco sus ojos se animaban; se reían al fin estrepitosamente, congestionados por la misma hilaridad ansiosa, mirando el sol con alegría bestial, como si fuera comida.

Otras veces, alineados en el banco, zumbaban horas enteras, imitando al tranvía eléctrico. Los ruidos fuertes sacudían asimismo su inercia, y corrían entonces, alrededor del patio, mordiéndose la lengua y mugiendo. Pero casi siempre estaban apagados en un sombrío letargo de idiotismo, y pasaban todo el día sentados en su banco, con las piernas colgantes y quietas, empapando de glutinosa saliva el pantalón.

El mayor tenía doce años y el menor ocho. En todo su aspecto sucio y desvalido se notaba la falta absoluta de cuidado maternal.

Esos cuatro idiotas, sin embargo, habían sido un día el encanto de sus padres. A los tres meses de casados, Mazzini y Berta orientaron su estrecho amor de marido y mujer, y mujer y marido, hacia un porvenir mucho más vital: un hijo. ¿Qué mayor dicha para dos enamorados que esa honrada consagración de su cariño, libertado ya del vil egoísmo de un mutuo amor sin fin ninguno y, lo que es peor para el amor mismo, sin esperanzas posibles de renovación?

Así lo sintieron Mazzini y Berta, y cuando el hijo llegó, a los catorce meses de matrimonio, creyeron cumplida su felicidad. La criatura creció, bella y radiante, hasta que tuvo año y medio. Pero

---

1. **tenían fiesta:** were filled with joy

en el vigésimo mes sacudiéronlo[2] una noche convulsiones terribles, y a la mañana siguiente no conocía más a sus padres. El médico lo examinó con esa atención profesional, que está visiblemente buscando la causa del mal en las enfermedades de los padres.

Después de algunos días los miembros paralizados de la criatura recobraron el movimiento; pero la inteligencia, el alma, aun el instinto, se habían ido del todo. Había quedado profundamente idiota, baboso, colgante, muerto para siempre sobre las rodillas de su madre.

—¡Hijo, mi hijo querido! —sollozaba ésta sobre aquella espantosa ruina de su primogénito.

El padre, desolado, acompañó al médico afuera.

—A usted se le puede decir; creo que es un caso perdido. Podrá mejorar, educarse en todo lo que le permita su idiotismo, pero no más allá.[3]

—¡Sí!... ¡Sí!... —asentía Mazzini. Pero dígame: ¿usted cree que es herencia, que...?

—En cuanto a la herencia paterna, ya le dije lo que creí cuando vi a su hijo. Respecto de la madre, hay allí un pulmón que no sopla bien. No veo nada más, pero hay un soplo un poco rudo. Hágala examinar detenidamente.

Con el alma destrozada de remordimiento, Mazzini redobló el amor a su hijo, al pequeño idiota que pagaba los excesos del abuelo.[4] Tuvo asimismo que consolar, sostener sin tregua a Berta, herida en lo más profundo por aquel fracaso de su joven maternidad.

Como es natural, el matrimonio puso todo su amor en la esperanza de otro hijo. Nació éste, y su salud y limpidez de risa reencendieron el porvenir extinguido. Pero a los dieciocho meses las convulsiones del primogénito se repetían, y al día siguiente el segundo hijo amanecía idiota.

Esta vez los padres cayeron en honda desesperación. ¡Luego su sangre, su amor estaban malditos! ¡Su amor, sobre todo! Veintiocho años él, veintidós ella, y toda su apasionada ternura no alcanzaba a crear un átomo de vida normal. Ya no pedían más belleza e inteli-

---

2. **sacudiéronlo:** *lo sacudieron* 3. **no... alla:** nothing beyond that 4. **que pagaba... abuelo:** who was paying (i.e., with his idiocy) for his grandfather's dissipation

gencia como en el primogénito; ¡pero un hijo, un hijo como todos!

Del segundo desastre brotaron nuevas llamaradas de dolorido amor, un loco anhelo de redimir de una vez para siempre la santidad de su ternura. Sobrevinieron mellizos, y punto por punto repitióse el proceso de los dos mayores.

Mas, por encima de su inmensa amargura, quedaba a Mazzini y a Berta gran compasión por sus cuatro hijos. Hubo que arrancar del limbo de la más honda animalidad, no ya sus almas, sino el instinto mismo abolido.[5] No sabían deglutir, cambiar de sitio ni aun sentarse. Aprendieron, al fin, a caminar, pero chocaban contra todo, por no darse cuenta de los obstáculos. Cuando los lavaban mugían hasta inyectarse de sangre el rostro. Animábanse sólo al comer, y cuando veían colores brillantes u oían truenos. Se reían entonces, echando afuera la lengua y ríos de baba, radiantes de frenesí bestial. Tenían, en cambio, cierta facultad imitativa; pero no se pudo obtener nada más.

Con los mellizos pareció haber concluído la aterradora descendencia. Pero pasados tres años Mazzini y Berta desearon de nuevo ardientemente otro hijo, confiando en que el largo tiempo transcurrido hubiera aplacado a la fatalidad.

No satisfacían sus esperanzas. Y en ese ardiente anhelo que se exasperaba en razón de su infructuosidad, los esposos se agriaron. Hasta ese momento cada cual había tomado sobre sí la parte que le correspondía en la miseria de sus hijos; pero la desesperanza de redención ante las cuatro bestias que habían nacido de ellos, echó afuera esa imperiosa necesidad de culpar a los otros, que es patrimonio específico de los corazones inferiores.

Iniciáronse con el cambio de pronombres: *tus* hijos. Y como a más del[6] insulto había la insidia, la atmósfera se cargaba.

—Me parece —díjole[7] una noche Mazzini, que acababa de entrar y se lavaba las manos— que podrías tener más limpios a los muchachos.

Berta continuó leyendo como si no hubiera oído.

—Es la primera vez —repuso al rato— que te veo inquietarte por el estado de tus hijos.

---

5. **Hubo... abolido:** Now it was necessary to try to salvage from that oblivion of the deepest animality, if not their souls, at least what was left of their instincts
6. **a... del:** *además del*   7. **díjole:** *le dijo*

Mazzini volvió un poco la cara a ella con una sonrisa forzada.

—De nuestros hijos, me parece.

—Bueno; de nuestros hijos. ¿Te gusta así? —alzó ella los ojos.

Esta vez Mazzini se expresó claramente:

—¿Creo que no vas a decir que yo tenga la culpa, no?

—¡Ah, no! —se sonrió Berta, muy pálida—. ¡Pero yo tampoco, supongo!... ¡No faltaba más!... —murmuró.

—¿Qué, no faltaba más?

—¡Que si alguien tiene la culpa no soy yo, entiéndelo bien! Eso es lo que te quería decir.

Su marido la miró un momento con brutal deseo de insultarla.

—¡Dejemos! —articuló al fin, secándose las manos.

—Como quieras; pero si quieres decir...

—¡Berta!

—¡Como quieras!

Este fué el primer choque, y le sucedieron otros. Pero en las inevitables reconciliaciones, sus almas se unían con doble arrebato y ansia de otro hijo.

Nació así una niña. Mazzini y Berta vivieron dos años con la angustia a flor del alma,[8] esperando siempre otro desastre. Nada acaeció, sin embargo, y los padres pusieron en su hija toda su complacencia, que la pequeña llevaba a los más extremos límites del mimo y la mala crianza.

Si aun en los últimos tiempos Berta cuidaba siempre de sus hijos, al nacer Bertita olvidóse[9] casi del todo de los otros. Su solo recuerdo la horrorizaba, como algo atroz que la hubieran obligado a cometer. A Mazzini, bien que en menor grado, pasábale[10] lo mismo.

No por eso la paz había llegado a sus almas. La menor indisposición de su hija echaba ahora afuera, con el terror de perderla, los rencores por su descendencia podrida. Habían acumulado hiel sobrado tiempo para que la víscera no quedara distendida,[11] y al menor contacto el veneno se vertía afuera. Desde el primer disgusto emponzoñado habíanse[12] perdido el respeto; y si hay algo a que el hombre se siente arrastrado con cruel fruición, es, cuando ya se

---

8. **con... alma:** with their hearts in their mouths   9. **olvidóse:** *se olvidó*
10. **pasábale:** *le pasaba*   11. **Habían... distendida:** Their inner selves (lit., their entrails) were too much strained with the long-accumulating bitterness
12. **habíanse:** *se habían*

comenzó, a humillar del todo a una persona. Antes se contenían por la mutua falta de éxito; ahora que éste había llegado, cada cual, atribuyéndolo a sí mismo, sentía mayor la infamia de los cuatro engendros que el otro habíale forzado a crear.

Con estos sentimientos, no hubo ya para los cuatro hijos mayores afecto posible. La sirvienta los vestía, les daba de comer, los acostaba, con grosera brutalidad. No los lavaban casi nunca. Pasaban casi todo el día sentados frente al cerco, abandonados de toda remota caricia.

De este modo Bertita cumplió cuatro años, y esa noche, resultado de las golosinas que sus padres eran incapaces de negarle, la criatura tuvo algún escalofrío y fiebre. Y el temor de verla morir o quedar idiota tornó a reabrir la eterna llaga.

Hacía tres horas que no hablaban, y como casi siempre, los fuertes pasos de Mazzini fueron el motivo ocasional.

—¡Mi Dios! ¿No puedes caminar más despacio? ¿Cuántas veces?...

—Bueno, es que me olvido. ¡Se acabó! No lo hago a propósito. Ella se sonrió, desdeñosa:

—¡No, no te creo tanto!

—Ni yo, jamás, te hubiera creído tanto a ti... ¡tisiquilla[13]!

—¡Qué! ¿Qué dijiste?...

—¡Nada!

—¡Sí, te oí algo! Mira: ¡No sé lo que dijiste; pero te juro que prefiero cualquier cosa a tener un padre como el que has tenido tú[14]! Mazzini se puso pálido.

—¡Al fin! —murmuró con los dientes apretados— ¡Al fin, víbora, has dicho lo que querías!

—¡Sí, víbora, sí! ¡Pero yo he tenido padres sanos, ¿oyes?, sanos! ¡Mi padre no ha muerto de delirio! ¡Yo hubiera tenido hijos como los de todo el mundo! ¡Esos son hijos tuyos, los cuatro tuyos! Mazzini explotó a su vez.

—¡Víbora tísica! ¡Eso es lo que te dije, lo que te quiero decir! ¡Pregúntale, pregúntale al médico, quién tiene la culpa de la

---

13. **tisiquilla:** diminutive of *tísica,* female victim of tuberculosis. Mazzini is insinuating that Berta's sickness has been the cause of the idiocy of their four sons. 14. **padre... tú:** Berta attributes the idiocy of their children to Mazzini's father's dissoluteness and sickness.

meningitis de tus hijos: mi padre, o tu pulmón picado, víbora!

Continuaron cada vez con mayor violencia, hasta que un gemido de Bertita, selló instantáneamente sus bocas. A la una de la mañana la ligera indigestión había desaparecido, y como pasa fatalmente con todos los matrimonios jóvenes que se han amado intensamente, una vez siquiera, la reconciliación llegó, tanto más efusiva cuanto infames fueron los agravios.

Amaneció un espléndido día, y mientras Berta se levantaba escupió sangre. Las emociones y mala noche pasada tenían, sin duda, gran culpa. Mazzini la retuvo abrazada largo rato, y ella lloró desesperadamente, pero sin que ninguno se atreviera a decir palabra.

A las diez decidieron salir, después de almorzar. Como apenas tenían tiempo, ordenaron a la sirvienta que matara una gallina.

El día radiante había arrancado a los idiotas de su banco. De modo que mientras la sirvienta degollaba en la cocina al animal, desangrándolo con parsimonia (Berta había aprendido de su madre este buen modo de conservar frescura a la carne), aquélla creyó sentir algo como respiración tras ella. Volvióse, y vió a los cuatro idiotas, con los hombros pegados uno a otro, mirando estupefactos la operación. Rojo... rojo...

—¡Señora! Los niños están aquí en la cocina.

Berta llegó; no quería que jamás pisaran allí. ¡Y ni aun en esas horas de pleno perdón, olvido y felicidad reconquistada, podía evitarse esa horrible visión! Porque, naturalmente, cuanto más intensos eran los raptos de amor a su marido e hija, más irritado era su humor con los monstruos.

—¡Que salgan, María! ¡Echélos! ¡Echélos, le digo!

Las cuatro pobres bestias, sacudidas, brutalmente empujadas, fueron a dar a su banco.

Después de almorzar salieron todos. La sirvienta fué a Buenos Aires, y el matrimonio, a pasear por las quintas. Al bajar el sol volvieron; pero Berta quiso saludar un momento a sus vecinas de enfrente. Su hija escapóse en seguida a casa.

Entretanto, los idiotas no se habían movido en todo el día de su banco. El sol había traspuesto ya el cerco, comenzaba a hundirse, y ellos continuaban mirando los ladrillos, más inertes que nunca.

De pronto, algo se interpuso entre su mirada y el cerco. Su hermana, cansada de cinco horas paternales, quería observar por su cuenta. Detenida al pie del cerco, miraba pensativa la cresta. Quería trepar, eso no ofrecía duda. Al fin decidióse por una silla sin fondo, pero aún no alcanzaba. Recurrió entonces a un cajón de kerosene, y su instinto topográfico hízole colocar vertical el mueble. Con lo cual triunfó.

Los cuatro idiotas, la mirada indiferente, vieron cómo su hermana lograba pacientemente dominar el equilibrio, y cómo en puntas de pie apoyaba la garganta sobre la cresta del cerco, entre sus manos tirantes. Viéronla mirar a todos lados y buscar apoyo con el pie para alzarse más.

Pero la mirada de los idiotas se había animado; una misma luz insistente estaba fija en sus pupilas. No apartaban los ojos de su hermana, mientras creciente sensación de gula bestial iba cambiando cada línea de sus rostros. Lentamente avanzaron hacia el cerco. La pequeña, que habiendo logrado calzar el pie, iba ya a montar a horcajadas y a caerse seguramente del otro lado, sintióse cogida de una pierna. Debajo de ella, los ocho ojos clavados en los suyos le dieron miedo.

—¡Soltáme[15]! ¡Dejáme[16]! —gritó sacudiendo la pierna—. Pero fué atraída.

—¡Mamá! ¡Ay, mamá! ¡Mamá, papá! —lloró imperiosamente. Trató aún de sujetarse del borde, pero sintióse arrancada y cayó.

—Mamá, ¡ay! Ma... —No pudo gritar más. Uno de ellos le apretó el cuello, apartando los bucles como si fueran plumas, y los otros la arrastraron de una sola pierna hasta la cocina, donde esa mañana se había desangrado a la gallina, bien sujeta, arrancándole la vida segundo por segundo.

Mazzini, en la casa de enfrente, creyó oír la voz de su hija.

—Me parece que te llama —le dijo a Berta.

Prestaron oído, inquietos, pero no oyeron más. Con todo, un momento después, se despidieron, y mientras Berta iba a dejar su sombrero, Mazzini avanzó en el patio:

—¡Bertita!

Nadie respondió.

—¡Bertita! —alzó más la voz ya alterada.

Y el silencio fué tan fúnebre para su corazón siempre aterrado, que la espalda se le heló de horrible presentimiento.

15. **Soltáme:** *Suéltame* 16. **Dejáme:** *Déjame*

—¡Mi hija, mi hija! —corrió ya desesperado hacia el fondo. Pero al pasar frente a la cocina vió en el piso un mar de sangre. Empujó violentamente la puerta entornada, y lanzó un grito de horror.

Berta, que ya se había lanzado corriendo a su vez al oír el angustioso llamado del padre, oyó el grito y respondió con otro. Pero al precipitarse en la cocina, Mazzini, lívido como la muerte, se interpuso, conteniéndola:

—¡No entres! ¡No entres!

Berta alcanzó a ver el piso inundado de sangre. Sólo pudo echar sus brazos sobre la cabeza, y hundirse a lo largo de su marido con un ronco suspiro.

CUESTIONARIO

1. ¿Qué les causaba risa a los cuatro hijos idiotas?
2. ¿Qué edad tenían?
3. ¿Cómo era el primer hijo al principio? ¿A qué edad comenzó su enfermedad?
4. ¿Resultaron iguales los demás hijos?
5. ¿Por qué se insultaban Mazzini y su mujer?
6. Con el nacimiento de Bertita, ¿llegó la paz a las almas de sus padres?
7. ¿Por qué llama Mazzini a Berta "tisiquilla"? ¿Cómo le contesta ella?
8. ¿Qué vieron los cuatro idiotas en la cocina?
9. ¿Por qué quería trepar al cerco la niña?
10. ¿Dónde la llevaron sus cuatro hermanos?

PREGUNTA GENERAL

¿Qué filosofía parece demonstrar este cuento?

JULIO CORTÁZAR

Argentina b. 1914

MUCH RECENT literature in the Americas has been literature of the absurd. Writers in this style are "realists" in so far as they faithfully portray the mental ambiguities and moral dilemmas of our time. They have discovered truth in nonsense; that is, the irrational motivations underlying man's behavior have become a new key to his character and history.

But if writers of the absurd are realists in regard to mind, they are nearly surrealists with regard to the external world. The success of their approach depends on their ability to present familiar human traits and attitudes in preposterous situations. In turn, the effectiveness of this merging of the real with the unreal depends on an author's sense of the comic and a subtle kind of satire. In literature of the absurd a writer strives to deflate man's esteem of himself by pointing out the ever widening gulf between his ideals and his conduct. The human being's brotherhood with the rest of the animal kingdom is not real, as it was for the eighteenth- and nineteenth-century naturalists, but rather hypothetical, as it has been for great satirists of many eras. When for the sake of a new literary perspective men are transformed into beasts (see, for example, Franz Kafka's *The Metamorphosis*,[1] Eugene Ionesco's *Rhinoceros*,[2] and Rafael Arévalo Martínez's *El hombre que parecía un caballo*[3]) they

1. Franz Kafka: (1883–1924), born of German-Jewish parents in Prague. Obsessed with a sense of inadequacy, he turned to writing nightmarish psychological and philosophical fiction with vivid and grotesque detail. *The Metamorphosis* is the story of a sensitive and insecure young man who turns into a giant beetle. 2. Eugène Ionesco: (b. 1912), Rumanian-born French dramatist attracted critical attention with *The Bald Soprano* (1950). His play *Rhinoceros*, first performed in 1960, deals with a young nonconformist who refuses to listen to friends who tell him to get in step with the times and turns into a rhinoceros. 3. Rafael Arévalo Martínez: (b. 1884), Guatemalan poet and novelist. *El hombre que parecía un caballo* (1914) is one of his several "psycho-zoological" stories about elephant-, tiger-, and dog-like men.

208

dramatize their shortcomings as men and expose the ineffectual moral standards by which they have tried to live.

Although he has lived mostly in Paris since 1952 and has obviously been influenced by the literatures of Europe and the United States, Julio Cortázar reveals in his works a typically Argentine melancholy and skeptical frame of mind. His novel *Los premios* (1960) is the complicated tale of an ocean voyage won as a lottery prize in Buenos Aires by the eighteen principal characters. When the mysterious and isolated crew (reminiscent of the hidden crew in Melville's *Moby Dick*[4]) is stricken with a mysterious disease, strange new relationships and conflicts develop among the passengers, who constitute a miniature society. Cortázar himself has said of *Los premios*,

> I intended the novel primarily as an exercise in style. I wanted to prove to myself that I could handle eighteen characters at the same time. Of course, its various conflicts do have a universal appeal, and that is why the book was so well received in France in 1961. You see, I'm not a modest person.[5]

Rayuela ("Hopscotch," 1963) is stylistically and structurally Cortázar's most complex undertaking to date. Full of comic and tragicomic fables of the futility of human existence and contemporary culture, *Rayuela* centers on the romantic quest of the protagonist for his beloved, a woman whose identity becomes increasingly ambiguous as the book progresses.

But it is in his several collections of short stories and fantasies— *Bestiario* (1951), *Final del juego* (1956), *Las armas secretas* (1959), and the volume from which the present selections are taken, *Historias de cronopios y famas* (1962)—that Cortázar's originality is most strikingly evident.

Simulacros is a hypothetical adventure without climax, told with the same wit and humor that characterizes all the brief pieces of *Historias de cronopios y famas*. The eccentric family's project of building a gallows in their own front yard proves an effective way of arousing their neighbors and the local authorities, and the reader

4. Herman Melville: (1819–91), American novelist who as a boy ran away to sea, later writing vividly about his experiences in *Typee* (1846), *Omoo* (1847), and *Moby Dick* (1851), the classic novel about the adventures of a whaling crew.
5. Interview with Josette Lazar in Paris, published in *The New York Times Book Review*, March 21, 1965, p. 5.

easily recognizes the onlookers' ironic disappointment when they are convinced that no one is to be hanged.

The shorter selections that follow *Simulacros* allow an intimate glimpse into the odd yet human truths of Cortázar's *cronopios, famas,* and *esperanzas.* These three species of small imaginary creatures are natural yet fantastic. They are natural because of their human impulses and reactions; they are fantastic because of their virtually indescribable physical qualities and the Alice-in-Wonderland kind of atmosphere in which they live. The *cronopios* ("*esos verdes, erizados, húmedos objetos*") are the protagonists and the most appealing of the three species; they are capricious, goodhearted, and uninhibited, unafraid of wasting toothpaste or of making a merry spectacle of themselves in public. The *famas* also do their best to be pleasant, though they are overly scrupulous about social etiquette; the *fama* plans everything he is going to do and is a believer in the orderly life. The *esperanza* is generally foolish and inclined to hysteria.

Simulacros

SOMOS UNA familia rara. En este país[1] donde las cosas se hacen por obligación o fanfarronería,[2] nos gustan las ocupaciones libres, las tareas porque sí, los simulacros que no sirven para nada.

Tenemos un defecto: nos falta originalidad. Casi todo lo que decidimos hacer está inspirado —digamos francamente, copiado— de modelos célebres. Si alguna novedad aportamos es siempre inevitable: los anacronismos o las sorpresas, los escándalos. Mi tío el mayor dice que somos como las copias en papel carbónico, idénticas al original salvo que otro color, otro papel, otra finalidad. Mi hermana la tercera[3] se compara con el ruiseñor de Andersen;[4] su romanticismo llega a la náusea.

1. **este país:** Argentina 2. **donde... fanfarronería:** where everything is done in forced obedience or as a way of showing off 3. **tercera:** third oldest 4. **Andersen:** Hans Christian Andersen (1805–75), Danish author of *Fairy Tales* (1835–72). In "The Nightingale" the Emperor of China was given a mechanical bird that sang so perfectly the royal court made it repeat one song thirty-four times.

Somos muchos y vivimos en la calle Humboldt.[5]

Hacemos cosas, pero contarlo es difícil porque falta lo más importante, la ansiedad y la expectativa de estar haciendo las cosas, las sorpresas tanto más importantes que los resultados, los fracasos en que toda la familia cae al suelo como un castillo de naipes y durante días enteros no se oyen más que deploraciones y carcajadas. Contar lo que hacemos es apenas una manera de rellenar los huecos inevitables, porque a veces estamos pobres o presos o enfermos, a veces se muere alguno o (me duele mencionarlo) alguno traiciona, renuncia, o entra en la Dirección Impositiva.[6] Pero no hay que deducir de esto que nos va mal o que somos melancólicos. Vivimos en el barrio de Pacífico, y hacemos cosas cada vez que podemos. Somos muchos que tienen ideas y ganas de llevarlas a la práctica. Por ejemplo el patíbulo, hasta hoy nadie se ha puesto de acuerdo sobre el origen de la idea, mi hermana la quinta afirma que fue de uno de mis primos carnales,[7] que son muy filósofos, pero mi tío el mayor sostiene que se le ocurrió a él después de leer una novela de capa y espada. En el fondo nos importa poco, lo único que vale es hacer cosas, y por eso las cuento casi sin ganas, nada más que para no sentir tan de cerca la lluvia de esta tarde vacía.

La casa tiene jardín delantero,[8] cosa rara en la calle Humboldt. No es más grande que un patio, pero está tres escalones más alto que la vereda, lo que le da un vistoso aspecto de plataforma, emplazamiento ideal para un patíbulo. Como la verja es de mampostería y de fierro, se puede trabajar sin que los transeúntes estén por así decirlo metidos en casa; pueden apostarse en la verja y quedarse horas, pero eso no nos molesta. "Empezaremos con la luna llena[9]", mandó mi padre. De día íbamos a buscar maderas y fierros a los corralones de la avenida Juan B. Justo, pero mis hermanas se quedaban en la sala practicando el aullido de los lobos, después que mi tía la menor sostuvo que los patíbulos atraen a los lobos y los incitan a aullar a la luna. Por cuenta de mis primos corría la provisión de clavos y herramientas; mi tío el mayor dibujaba los planos, discutía con mi madre y mi tío segundo la variedad y calidad de los instrumentos de suplicio. Recuerdo el final de la discusión: se decidieron adustamente por una plataforma bastante alta, sobre la cual se alzarían una horca y una rueda,[10] con un espacio libre destinado a dar tormento o decapitar según los casos. A mi tío el mayor le parecía mucho más pobre y mezquino que su idea original, pero las dimensiones del jardín delantero y el costo de los materiales restringen siempre las ambiciones de la familia.

Empezamos la construcción un domingo por la tarde, después de los ravioles.[11] Aunque nunca nos ha preocupado lo que puedan pensar los vecinos, era evidente que los pocos mirones suponían que íbamos a levantar una o dos piezas para agrandar la casa. El primero en sorprenderse fue don Cresta, el viejito de enfrente,[12] y vino a preguntar para qué instalábamos semejante plataforma. Mis hermanas se reunieron en un rincón del jardín y soltaron algunos aullidos de lobo. Se amontonó bastante gente, pero nosotros seguimos trabajando hasta la noche y dejamos terminada la plataforma y las dos escalerillas (para el sacerdote y el condenado, que no deben subir juntos). El lunes una parte de la familia se fue a sus respectivos empleos y ocupaciones, ya que de algo hay que morir, y los demás empezamos a levantar la horca mientras mi tío el mayor consultaba dibujos antiguos para la rueda. Su idea consistía en colocar la rueda lo más alto posible sobre una pértiga ligeramente irregular, por ejemplo un tronco de álamo bien desbastado. Para complacerlo, mi hermano el segundo y mis primos carnales se fueron con la camioneta a buscar un álamo; entre tanto mi tío el mayor y mi madre encajaban los rayos de la rueda en el cubo, y yo preparaba un suncho de fierro.[13] En esos momentos nos divertíamos enormemente porque se oía martillar en todas partes, mis hermanas aullaban en la sala, los vecinos se amontonaban en la verja cambiando impresiones, y entre el solferino y el malva del atardecer ascendía el perfil de la horca y se veía a mi tío el menor a caballo en el travesaño para fijar el gancho y preparar el nudo corredizo.

A esa altura de las cosas[14] la gente de la calle no podía dejar de darse cuenta de lo que estábamos haciendo, y un coro de protestas

10. **horca... rueda:** scaffold and a rack   11. **después... ravioles:** after lunch of ravioli   12. **viejito de enfrente:** neighbor from across the street   13. **encajaban... fierro:** inserted the wheel spokes into the hub, while I prepared the iron band   14. **A... cosas:** At that stage of the game

y amenazas nos alentó agradablemente a rematar la jornada con la erección de la rueda. Algunos desaforados habían pretendido impedir que mi hermano el segundo y mis primos entraran en casa el magnífico tronco de álamo que traían en la camioneta. Un conato de cinchada fue ganado de punta a punta por la familia en pleno que, tirando disciplinadamente del tronco, lo metió en el jardín junto con una criatura de corta edad prendida de las raíces. Mi padre en persona devolvió la criatura a sus exasperados padres, pasándola cortésmente por la verja, y mientras la atención se concentraba en estas alternativas sentimentales, mi tío el mayor, ayudado por mis primos carnales, calzaba la rueda en un extremo del tronco y procedía a erigirla. La policía llegó en momentos en que la familia, reunida en la plataforma, comentaba favorablemente el buen aspecto del patíbulo. Sólo mi hermana la tercera permanecía cerca de la puerta, y le tocó dialogar con el subcomisario en persona; no le fue difícil convencerlo de que trabajábamos dentro de nuestra propiedad, en una obra que sólo el uso podía revestir de un carácter anticonstitucional, y que las murmuraciones del vecindario eran hijas del odio y fruto de la envidia. La caída de la noche nos salvó de otras pérdidas de tiempo.

A la luz de una lámpara de carburo[15] cenamos en la plataforma, espiados por un centenar de vecinos rencorosos; jamás el lechón adobado nos pareció más exquisito, y más negro y dulce el nebiolo. Una brisa del norte balanceaba suavemente la cuerda de la horca; una o dos veces chirrió la rueda, como si ya los cuervos se hubieran posado para comer. Los mirones empezaron a irse, mascullando vagas amenazas; aferrados a la verja quedaron veinte o treinta que parecían esperar alguna cosa. Después del café apagamos la lámpara para dar paso a la luna que subía por los balaústres de la terraza, mis hermanas aullaron y mis primos y tíos recorrieron lentamente la plataforma, haciendo temblar los fundamentos con sus pasos. En el silencio que siguió, la luna vino a ponerse a la altura del nudo corredizo, y en la rueda pareció tenderse una nube de bordes plateados. Las[16] mirábamos, tan felices que era un gusto, pero los vecinos murmuraban en la verja, como al borde de una decepción.[17] Encendieron cigarrillos y se fueron yendo, unos en

15. **carburo:** kerosene 16. **Las:** referring back to *la luna*, *la rueda*, and *una nube* 17. **al... decepción:** on the verge of disappointment

piyama y otros más despacio. Quedó la calle, una pitada de vigilante a lo lejos, y el colectivo 108[18] que pasaba cada tanto; nosotros ya nos habíamos ido a dormir y soñábamos con fiestas, elefantes y vestidos de seda.

El canto de los cronopios

CUANDO LOS cronopios cantan sus canciones preferidas, se entusiasman de tal manera que con frecuencia se dejan atropellar por camiones y ciclistas, se caen por la ventana, y pierden lo que llevaban en los bolsillos y hasta la cuenta de los días.[1]

Cuando un cronopio canta, las esperanzas y los famas acuden a escucharlo aunque no comprenden mucho su arrebato y en general se muestran algo escandalizados. En medio del corro el cronopio levanta sus bracitos como si sostuviera el sol, como si el cielo fuera una bandeja y el sol la cabeza del Bautista,[2] de modo que la canción del cronopio es Salomé desnuda danzando[3] para los famas y las esperanzas que están ahí boquiabiertos y preguntándose si el señor cura, si las conveniencias.[4] Pero como en el fondo son buenos (los famas son buenos y las esperanzas bobas) acaban aplaudiendo al cronopio que se recobra sobresaltado, mira en torno y se pone también a aplaudir, pobrecito.[5]

---

18. **colectivo 108:** bus number 108   EL CANTO DE LOS CRONOPIOS   1. **hasta... días:** they even lose track of the days   2. **cabeza... Bautista:** head of John the Baptist   3. **Salomé... danzando:** In the Bible, Salome so pleased Herod with her dancing on his birthday that he granted her request, made at her mother's instigation, for the head of John the Baptist. (Matt. 14 : 6-11, Mark 6:21-28)   4. **preguntándose... conveniencias:** asking one another if the Reverend Priest, if propriety (I.e., the *esperanzas* are suggesting that the *cronopio* is indiscreet and that the priest would disapprove of his conduct.)   5. **pobrecito:** funny little thing

Haga como si estuviera en su casa

UNA ESPERANZA se hizo una casa y le puso una baldosa[1] que decía: *Bienvenidos los que llegan a este hogar.*
Un fama se hizo una casa y no le puso mayormente baldosas.[2]
Un cronopio se hizo una casa y siguiendo la costumbre puso en el porche diversas baldosas que compró o hizo fabricar. Las baldosas estaban colocadas de manera que se las pudiera leer en orden. La primera decía: *Bienvenidos los que llegan a este hogar.* La segunda decía: *La casa es chica, pero el corazón es grande.* La tercera decía: *La presencia del huésped es suave como el césped.* La cuarta decía: *Somos pobres de verdad, pero no de voluntad.* La quinta decía: *Este cartel anula todos los anteriores. Rajá,[3] perro.*

Lo particular y lo universal

UN CRONOPIO iba a lavarse los dientes junto a su balcón, y poseído de una grandísima alegría al ver el sol de la mañana y las hermosas nubes que corrían por el cielo, apretó enormemente el tubo de pasta dentífrica y la pasta empezó a salir en una larga cinta rosa. Después de cubrir su cepillo con una verdadera montaña de pasta, el cronopio se encontró con que le sobraba todavía una cantidad, entonces empezó a sacudir el tubo en la ventana y los pedazos de pasta rosa caían por el balcón a la calle donde varios famas se habían reunido a comentar las novedades municipales. Los pedazos de pasta rosa caían sobre los sombreros de los famas, mientras arriba el cronopio cantaba y se frotaba los dientes lleno de

---

1. **baldosa:** a section of tile (in this case used as a plaque)   2. **no... mayormente:** decided not to install   3. **Rajá:** Scram

contento. Los famas se indignaron ante esta increíble inconsciencia del cronopio, y decidieron nombrar una delegación para que lo imprecara inmediatamente, con lo cual la delegación formada por tres famas subió a la casa del cronopio y lo increpó, diciéndole así:

—Cronopio, has estropeado nuestros sombreros, por lo cual tendrás que pagar.

Y después, con mucha más fuerza:

—¡¡Cronopio, no deberías derrochar así la pasta dentífrica!!

Educación de príncipe

LOS CRONOPIOS no tienen casi nunca hijos, pero si los tienen pierden la cabeza y ocurren cosas extraordinarias. Por ejemplo, un cronopio tiene un hijo, y en seguida lo invade la maravilla y está seguro de que su hijo es el pararrayos de la hermosura[1] y que por sus venas corre la química completa con aquí y allá islas llenas de bellas artes y poesía y urbanismo.[2] Entonces este cronopio no puede ver a su hijo sin inclinarse profundamente ante él y decirle palabras de respetuoso homenaje.

El hijo, como es natural, lo odia minuciosamente. Cuando entra en la edad escolar, su padre lo inscribe en primero inferior[3] y el niño está contento entre otros pequeños cronopios, famas y esperanzas. Pero se va desmejorando a medida que se acerca el mediodía, porque sabe que a la salida lo estará esperando su padre, quien al verlo levantará las manos y dirá diversas cosas, a saber:

—Buenas salenas cronopio cronopio,[4] el más bueno y más crecido y más arrebolado y más prolijo y más respetuoso y más aplicado de los hijos!

Con lo cual los famas y las esperanzas júnior se retuercen de risa

---

1. **pararrayos... hermosura:** focal point (lit., lightning rod) of all beauty   2. **por... urbanismo:** through his veins flows the entire universe, with islands here and there of art, poetry, and sophistication   3. **primero inferior:** kindergarten   4. **Buenas... cronopio:** the traditional good-natured greeting (cf. *buenos días* or *buenas tardes*) of all *cronopios*

en el cordón de la vereda, y el pequeño cronopio odia empecinada-
mente a su padre y acabará siempre por hacerle una mala jugada
entre la primera comunión y el servicio militar. Pero los cronopios
no sufren demasiado con eso, porque también ellos odiaban a sus
padres, y hasta parecería que ese odio es otro nombre de la libertad
o del vasto mundo.

CUESTIONARIO

Simulacros

1. ¿Cuál es el defecto de la familia mencionado por el autor?
2. ¿Qué es lo único que realmente le importa a esta familia?
   ¿Qué plan tienen?
3. ¿Por qué se ponen las hermanas del narrador a aullar como
   lobos?
4. ¿Cómo se reaccionan los vecinos el domingo y el lunes a la
   construcción de la horca?
5. ¿De qué tiene una de las hermanas que convencer al subcomisario de la policía?
6. ¿Cómo termina la historia?

El canto de los cronopios

1. ¿Cómo se sienten los cronopios al cantar sus canciones?
2. ¿Cómo se reaccionan los famas y las esperanzas al oír el
   canto del cronopio?

Haga como si estuviera en su casa

1. ¿Qué decía la baldosa que puso la esperanza en su casa?
2. ¿Cuántas baldosas puso el cronopio, y qué decía la última?

Lo particular y lo universal

1. ¿Por qué el cronopio apretó tanto su tubo de pasta dentífrica?
2. ¿Dónde caían los pedazos de pasta?
3. ¿Cuál fue la preocupación mayor de la delegación de famas?

Educación de príncipe

1. ¿Qué idea tiene este cronopio de su hijo?
2. ¿Es la costumbre de los cronopios el tener muchos hijos?
3. ¿Qué piensa el pequeño cronopio de su padre?
4. ¿Qué consuelo tienen los cronopios que son padres?

PREGUNTA GENERAL

¿Qué diferencias y semejanzas existen entre los cronopios y los seres humanos?

PABLO NERUDA

Chile   b. 1904

"IMMENSE" IS often an extravagant word, yet we cannot hesitate to call Pablo Neruda the "immense poet of America" in the twentieth century, just as Walt Whitman was the immense poet of America in the nineteenth century. Like Whitman, Neruda gives us the "song of himself," from the erotic romanticism of *Veinte poemas de amor y una canción desesperada* (1924) to the intense personalism of *Memorial de Isla Negra* (1964):

> y entre sangre y amor cavé mis versos,
> en tierra dura establecí una rosa
> disputada entre el fuego y el rocío.
> Por eso pude caminar cantando.

From 1925 to 1935 he wrote the two volumes of *Residencia en la tierra*, a series of anxious, surrealistic visions of a disintegrating universe. This is the period of his definitive stylistic development, and though Neruda later eliminated many of the enigmas and ambiguities of *Residencia* he has preserved much of its characteristic imagery and all of its emotional intensity. As Luis Alberto Sánchez has remarked, "*Los diversos Nerudas, el romántico, el hermético y el revolucionario se funden en uno solo: el exasperado.*"[1]

Ricardo Eliecer Neftalí Reyes began publishing poetry when he was fourteen years old. Two years later he permanently adopted the penname "Pablo Neruda," which he legalized in 1948. In Neruda we have the rare combination of early maturity (at the age of twenty-one he had already published four volumes of poetry, two of which had brought him fame) and late creativity—many critics consider his most recent work to be his purest and most forceful poetry. The adjective "hermetic," so frequently assigned to his

---

1. "*Imagen poética de Pablo Neruda,*" *México en la Cultura, Novedades,* July 26, 1964.

219

poems, contrasts with his anarchic spirit and turbulent character. "Volcanic" might be a more appropriate word for *Residencia en la tierra* and *Tercera residencia* (1935–45), but it too would be deceptive, because Neruda's multiple view of each object of his poetic attention does not signify a lack of structural control. The three selections here from *Residencia* reveal a firm direction of desire, if not of logic, and a unity of sentiment that is pounded and twisted but never destroyed by a multitude of images.

Is Neruda a realist or a surrealist? Inasmuch as he is a great synthesizer of reality, drawing from its remotest confines, combining the rarest sense impressions (synesthesia, in the language of psychology), and calling up irrational associations from the dreaming mind, Neruda is a surrealist. But he has never gone so far as to accept the "automatic" writing, or direct reporting, from the subconscious stipulated by André Breton[2] in his 1924 *Manifeste* as a principle of surrealistic literature. Moreover, Neruda's continual deprecation of the values of a civilization that appears to have become sterile is an attitude the surrealist must share with the realist. At any rate, it was undoubtedly his chronic dissatisfaction that led Neruda to both an increasingly intense poetic sensibility and an increasingly militant stance on communism.[3]

Neruda's later poetry has a tendency toward "spiritual autobiography," which has given his poems more coherence and his vision of reality greater density. *Navegaciones y regresos*—from which we have taken two poems, the prologue *A mis obligaciones* and *Oda*

2. André Breton: (b. 1896), French poet, essayist, and critic, member of the dadaists, and a founder and the most staunch advocate of the surrealist movement. In 1924 he published the *Manifeste du surréalisme: Poisson soluble* and in the same year organized the review *La Révolution surréaliste*. 3. In 1945 he joined the Chilean Communist Party. Of his subsequent political activity the literary historian and critic Luis Alberto Sánchez wrote (*México en la Cultura, Novedades*, July 19, 1964): "*En 1946 le eligen senador por una provincia del norte, merced al apoyo de los partidos comunista y socialista, que dominan la región. Un violento ataque al presidente de la república, Gabriel González Videla, da motivo a un proceso por desacato, que culmina con el desaforamiento del senador, y su fuga. A raíz de ello arroja versos procaces contra el presidente y sus ministros. Convierte o trata de convertir en materia poética los odios políticos.*" The expulsion to which Sánchez refers was in 1949. With the change of regime in 1952, Neruda returned from his exile.

al piano—retains some of the surrealistic imagery of his earlier poetry. But in *Navegaciones*, as in *Cien sonetos de amor* (1959) and *Cantos ceremoniales* (1962), Neruda is the amorous coordinator of reality that he had always aspired to be, the seer of beauty in nature, misery, and love.

Unlike Octavio Paz and Antonio Machado,[4] Neruda has written little prose on the theory of poetry. But he freely discloses his esthetic ideals in many of his odes (his favorite form) and prologues in verse. In 1954 he wrote an essay on his childhood (*Infancia y poesía*) that is also the introduction to his *Obras completas*.[5] In it he recalls that in his early childhood in southern Chile a little neighbor boy left him a broken toy lamb in an opening in the fence. Neruda responded to this act of silent generosity by leaving in the same place a large pine cone. These gifts were spontaneous and mysterious: they were poetic acts. Neruda concludes,

> *No sorprenderá entonces que yo haya tratado de pagar con algo balsámico, oloroso y terrestre la fraternidad humana. Así como dejé aquella piña de pino, he dejado en la puerta de muchos desconocidos, de muchos prisioneros, de muchos perseguidos, mis palabras.*

4. Antonio Machado: (1875–1939), Spanish poet born in Seville. Under the double influence of modernism and the Generation of 1898, he early developed his own intense, deeply personal but philosophical style. Among his works are *Soledades* (1903), *Campos de Castilla* (1912), and *Nuevas canciones* (1926). 5. 2nd ed., Buenos Aires: Editorial Losada, 1962.

Establecimientos nocturnos[1]

DIFÍCILMENTE llamo a la realidad, como el perro, y también aúllo. Cómo amaría establecer el diálogo del hidalgo y el barquero, pintar la jirafa, describir los acordeones, celebrar mi musa desnuda y enroscada a mi cintura de asalto y resistencia. Así es mi cintura, mi cuerpo en general, una lucha despierta y larga, y mis riñones escuchan.

Oh, Dios, cuántas ranas habituadas a la noche, silbando y roncando con gargantas de seres humanos a los cuarenta años, y qué angosta y sideral es la curva que hasta lo más lejos me rodea! Llorarían en mi caso los cantores italianos, los doctores de astronomía ceñidos por esta alba negra, definidos hasta el corazón por esta aguda espada.

Y luego esa condensación, esa unidad de elementos de la noche, esa suposición puesta detrás de cada cosa, y ese frío tan claramente sostenido por estrellas.

Execración para tanto muerto que no mira, para tanto herido de alcohol o infelicidad, y loor al nochero,[2] al inteligente que soy yo, sobreviviente y adorador de los cielos.

---

1. **Establecimientos nocturnos:**   Neruda speaks of night as the poet's indispensable muse. In the first paragraph he tells how he wishes he could extract from reality the infinite forms of its innate poetry. The remaining three paragraphs sum up the inspirational values of night.   2. **loor al nochero:**   object of praise for the nightwatcher, i.e., for the poet

Fantasma[1]

Cómo surges de antaño, llegando,
encandilada, pálida estudiante,
a cuya voz aún piden consuelo
los meses dilatados y fijos.

Sus ojos luchaban como remeros
en el infinito muerto[2]
con esperanza de sueño y materia
de seres saliendo del mar.

De la lejanía en donde
el olor de la tierra es otro
y lo vespertino llega llorando
en forma de oscuras amapolas.[3]

En la altura de los días inmóviles
el insensible joven diurno
en tu rayo de luz se dormía
afirmado[4] como en una espada.

Mientras tanto crece a la sombra
del largo transcurso en olvido
la flor de la soledad, húmeda, extensa,
como la tierra en un largo invierno.

---

1. **Fantasma:** The *fantasma* is a young girl, *pálida estudiante*, lost to the poet, who identifies himself in the fourth stanza. Notice the regular alternation of time (present and past) from the first to the fifth stanzas. 2. **el... muerto:** *el infinito espacio* (or *mar*, in the metaphorical sense) *muerto* 3. **oscuras amapolas:** Poppies of a certain Asian variety are the source of opium and hence of dreams. 4. **afirmado:** confidently (and ever ready to awake)

Oda con un lamento

Oh niña entre las rosas, o presión de palomas,
oh presidio de peces y rosales,
tu alma es una botella llena de sal sedienta[1]
y una campana llena de uvas[2] es tu piel.

Por desgracia no tengo para darte sino uñas
o pestañas, o pianos derretidos,
o sueños que salen de mi corazón a borbotones,
polvorientos sueños que corren como jinetes negros,
sueños llenos de velocidades y desgracias.[3]

Sólo puedo quererte con besos y amapolas,
con guirnaldas mojadas por la lluvia,
mirando cenicientos caballos y perros amarillos.
Sólo puedo quererte con olas a la espalda,
entre vagos golpes de azufre y aguas ensimismadas,
nadando en contra de los cementerios que corren
en ciertos ríos[4]
con pasto mojado creciendo sobre las tristes
tumbas de yeso,

1. **alma... sedienta:** Her soul is compared to a bottle of salt that absorbs moisture (i.e., the breath of life) and the poet's attention and enthusiasm. 2. **uvas:** one of Neruda's favorite symbols, representing sensuality, gaiety, pleasure, etc. 3. **Por... desgracia:** The poet laments that he has nothing to give his lover but his physical self and the imagery of his hallucinatory dreams. In the last three lines of the stanza he compares his dreams to a volcanic eruption. These same lines led Amado Alonso to comment on Neruda's poetry in general: *Si realmente la poesía nos importa, tenemos que atender en Pablo Neruda ante todo a esa fuerza explosiva del sentimiento que estalla en volcán, para poder seguir su canción entrañable, y tenemos que aprender a ver en el mundo destruído de sus imágenes la manifestación de la intensidad de esa fuerza y de la íntima regulación y coherencia del sentimiento.* (*Poesía y estilo de Pablo Neruda,* Buenos Aires; Editorial Losada, 1940, p. 69.) 4. **cementerios... ríos:** He suggests that death is more than the end of life; it is an all-pervading element within life, which is presented as essentially a state of decomposition.

nadando a través de corazones sumergidos
y pálidas planillas de niños insepultos.

Hay mucha muerte, muchos acontecimientos
    funerarios
en mis desamparadas pasiones y desolados besos,
hay el agua que cae en mi cabeza,
mientras crece mi pelo,
un agua como el tiempo, un agua negra
    desencadenada,
con una voz nocturna, con un grito
de pájaro en la lluvia, con una interminable
sombra de ala mojada que protege mis huesos:
mientras me visto, mientras
interminablemente me miro en los espejos y en
    los vidrios,
oigo que alguien me sigue llamándome a sollozos
con una triste voz podrida por el tiempo.

Tú estás de pie sobre la tierra, llena
de dientes y relámpagos.[5]
Tú propagas los besos y matas las hormigas.[6]
Tú lloras de salud, de cebolla, de abeja,
de abecedario ardiendo.
Tú eres como una espada azul y verde
y ondulas al tocarte, como un río.

Ven a mi alma vestida de blanco, con un ramo
de ensangrentadas rosas y copas de cenizas,
ven con una manzana y un caballo,
porque allí hay una sala oscura y un candelabro
    roto,
unas sillas torcidas que esperan el invierno,
y una paloma muerta, con un número.[7]

---

5. **llena... relámpagos:**   The reference is not to *la tierra* but to the lover's scin-
tillating smile.   6. **hormigas:**   The slowly moving ant represents for Neruda
all that is negative, and is here a contrast to the lively images of the remainder
of the stanza.   7. **Ven... número:**   The final stanza describes a bridal chamber
in which all the objects mentioned represent death.

A mis obligaciones[1]

Cumpliendo con mi oficio
piedra con piedra, pluma a pluma,
pasa el invierno y deja
sitios abandonados,
habitaciones muertas:
yo trabajo y trabajo,
debo substituir
tantos olvidos,
llenar de pan[2] las tinieblas,
fundar otra vez la esperanza.

No es para mí sino el polvo,[3]
la lluvia cruel de la estación,
no me reservo nada
sino todo el espacio
y allí trabajar,
manifestar la primavera.

A todos tengo que dar algo
cada semana y cada día,
un regalo de color azul,
un pétalo frío del bosque,
y ya de mañana estoy vivo
mientras los otros se sumergen
en la pereza, en el amor,
yo estoy limpiando mi campana,
mi corazón, mis herramientas.

Tengo rocío para todos.

1. **A... obligaciones:** This poem is the prologue to the works—brief odes for the most part—that constitute *Navegaciones y regresos*. In *Oda a la envidia* (in a previous collection) Neruda recalls that as a young man "*escribí, escribí sólo/para no mirarme.*" The very different purpose stated in *A mis obligaciones* should be self-evident. 2. **pan:** *vida* 3. **polvo:** This image may be a symbol of the earth, of death, or of both.

Oda al piano

Estaba triste el piano
en el concierto,
olvidado en su frac sepulturero,[1]
y luego abrió la boca,
su boca de ballena:[2]
entró el pianista al piano
volando como un cuervo,
algo pasó como si cayera
una piedra
de plata
o una mano
a un estanque
escondido:
resbaló la dulzura
como la lluvia
sobre una campana,
cayó la luz al fondo
de una casa cerrada,
una esmeralda recorrió el abismo
y sonó el mar,
la noche,
las praderas,
la gota del rocío,
el altísimo trueno,
cantó la arquitectura de la rosa,
rodó el silencio al lecho de la aurora.

Así nació la música
del piano que moría,
subió la vestidura

---

1. **frac sepulterero:**   undertaker's frock coat (i.e., dust cover for the piano)
2. **boca de ballena:**   the lid (of a grand piano)

de la náyade[3]
del catafalco
y de su dentadura[4]
hasta que en el olvido
cayó el piano, el pianista
y el concierto,
y todo fue sonido,
torrencial elemento,
sistema puro, claro campanario.

Entonces volvió el hombre
del árbol de la música.
Bajó volando como
cuervo perdido
o caballero loco:
cerró su boca de ballena el piano
y él anduvo hacia atrás,
hacia el silencio.

CUESTIONARIO

Establecimientos nocturnos

1. ¿Con qué animal se compara el poeta? ¿Por qué?
2. ¿Con qué objeto llama el poeta a la noche "alba negra"?
3. ¿Qué ventajas específicas ofrece la noche al poeta?

Fantasma

1. ¿De quién se acuerda el poeta en este poema?
2. ¿De qué manera describe Neruda los ojos de ella?
3. ¿Tiene estructura precisa este poema?
4. ¿Cuál es el sentimiento dominante del poeta al concluir su poema?

---

3. **náyade:**   water nymph, supposed to have given perpetual life to rivers, lakes, and fountains   4. **dentadura:**   keyboard. This line and the three preceding ones tell us simply that the piano was covered and unused for a long time.

Oda con un lamento

1. ¿Parece igual la "niña entre las rosas" de esta composición a la "pálida estudiante" del poema anterior?
2. ¿Qué puede ofrecer el poeta a su amada?
3. ¿Qué elemento, evidente en muchas imágenes, determina el sentimiento y la actitud filosófica del autor en este poema?
4. ¿En qué se diferencian el estado de ánimo del poeta con el de la niña?
5. ¿Cómo termina el poema?

A mis obligaciones

1. ¿Qué obligaciones siente el poeta ahora que no sentía antes?
2. ¿Qué quiere decir al escribir que no se reserva nada "sino todo el espacio"?
3. ¿Cómo compara la actividad diaria del poeta con la de otros?
4. ¿Es poeta para unos cuantos o para todo el mundo?

Oda al piano

1. ¿Por qué estaba "triste" el piano?
2. Describa usted la música tocada por el pianista.
3. ¿Qué es lo único que quedaba cuando el piano, el pianista, y el concierto habían caído en el olvido?

PREGUNTA GENERAL

Comente usted las diferencias evidentes de estilo y pensamiento entre los poemas de *Residencia en la tierra* y los de *Navegaciones y regresos*. ¿Es Neruda el mismo tipo de poeta que Rubén Darío? Explique su parecer.

JUAN RULFO

Mexico b. 1918

BEFORE THE time of Juan Rulfo and his distinguished contemporaries in the narrative art—Augusto Roa Bastos (Paraguay), Julio Cortázar (Argentina), Carlos Fuentes (Mexico), and Mario Vargas Llosa (Peru)—Hispanic-American novels and short stories were primarily concerned with sociological and political problems. Man's livelihood on the plantation, in the jungle, or in the city slums determined the structure, characterization, and ideological message of the great majority of the narratives. Preoccupation with problems peculiar to Hispanic America gave the older generation of writers a special intensity of expression and a sense of unswerving commitment to their countries. Accordingly, writers of fiction found themselves more often than not in the vanguard of cultural nationalism— a position that accentuated their generally revolutionary spirit, but at the same time revealed their cultural isolation from contemporary writers in other parts of the world. This cultural nationalism— *criollismo*—reached its peak of intensity during the years between World War I and World War II.

But with Borges, Mallea, and the members of the younger generation, Hispanic-American fiction has joined the mainstream of world literature. Although these writers have not ignored their historical and geographic background, each of them has succeeded in transcending local problems or, as in the case of Juan Rulfo, in adapting local situations to a wider view of universal problems.

Rulfo is a painstaking stylist whose simplicity and directness of expression contrast with his complex imagery. So far his fame rests on two slim volumes—*El llano en llamas* (1953), a collection of short stories, and *Pedro Páramo* (1955), a novel—each of which has already been recognized as a classic and translated into several languages. A more extensive novel, *La cordillera*, was near completion in 1965.

Rulfo reproduces the colloquial style of the villagers and country people of his native state of Jalisco to reveal his own somber reflections on man's capacity for passion, sin, and suffering. The structure of his stories is complex not because of plot, which is usually merely skeletal, but because of the mental complexity of the protagonist or the narrator (who are often the same). This complexity is due in part to the use of "psychological" rather than chronological time, in which past action becomes present experience, and in part to the ambiguous existence of the main characters in a mental limbo halfway between what actually takes place and what they want to take place. In the case of *Pedro Páramo* these two elements lead to a third: a fusion not only of past and present and of reality and desire, but of wakefulness and dream. As the story progresses the reader discovers that all the characters are dead, but since their lives had been so fraught with unhappiness, sin, and frustrated desire, their deaths are presented to us as necessary continuations of those unresolved existences. Juan Preciado, one of Pedro Páramo's countless children, has come in search of his father to Comala, a little ghost town full of "echoes and murmurs" (*Los murmullos* was Rulfo's first idea for a title for the book) where the memory of the monstrous overlord Pedro Páramo is still vivid. Páramo (the word means "high and cold region") is not simply an evil *cacique:* he is the mythical compendium of primitive love, hate, and lust for power that exists, at least in innate form, in all of us.

The infernal atmosphere of *Pedro Páramo* is anticipated in the stories *Luvina* (where nobody lives but *"los puros viejos y los que todavía no han nacido"*) and *El hombre* in *El llano en llamas.* The structure of *Talpa* is comparatively simple, but in terms of human suffering it is one of Rulfo's most forceful creations. Like *Pedro Páramo* and several of his other stories, *Talpa* is a development of the theme of the confession and expiation of sin—not with the purpose of religious or moral teaching, but as a means of portraying the basic agonies of human existence and the idiosyncracies of human character. The narrator's repetitive descriptions of his brother Tanilo's frightful sores and lugubrious self-punishment might appear sadistic, but they are not. Rather, the ugly vision of suffering is the author's way of vivifying the two other characters' unbearable cross of guilt.

Talpa[1]

NATALIA SE metió entre los brazos de su madre y lloró largamente allí con un llanto quedito. Era un llanto aguantado por muchos días, guardado hasta ahora que regresamos a Zenzontla[2] y vio a su madre y comenzó a sentirse con ganas de consuelo.

Sin embargo, antes, entre los trabajos de tantos días difíciles, cuando tuvimos que enterrar a Tanilo en un pozo de la tierra de Talpa, sin que nadie nos ayudara, cuando ella y yo, los dos solos, juntamos nuestras fuerzas y nos pusimos a escarbar la sepultura desenterrando los terrones con nuestras manos —dándonos prisa para esconder pronto a Tanilo dentro del pozo y que no siguiera espantando ya a nadie con el olor de su aire lleno de muerte—, entonces no lloró.

Ni después, al regreso, cuando nos vinimos caminando de noche sin conocer el sosiego, andando a tientas como dormidos y pisando con pasos que parecían golpes sobre la sepultura de Tanilo. En ese entonces, Natalia parecía estar endurecida y traer el corazón apretado para no sentirlo bullir dentro de ella. Pero de sus ojos no salió ninguna lágrima.

Vino a llorar hasta aquí, arrimada a su madre; sólo para acongojarla y que supiera que sufría, acongojándonos de paso a todos, porque yo también sentí ese llanto de ella dentro de mí como si estuviera exprimiendo el trapo de nuestros pecados.

Porque la cosa es que a Tanilo Santos entre Natalia y yo lo matamos. Lo llevamos a Talpa para que se muriera. Y se murió. Sabíamos que no aguantaría tanto camino; pero, así y todo, lo llevamos empujándolo entre los dos, pensando acabar con él para siempre. Eso hicimos.

---

1. **Talpa:**   a small town west of Guadalajara and about 40 miles from the Pacific coast   2. **Zenzontla:**   a railroad junction in southern Chihuahua

La idea de ir a Talpa salió de mi hermano Tanilo. A él se le ocurrió primero que a nadie.[3] Desde hacía años que estaba pidiendo que lo llevaran. Desde hacía años. Desde aquel día en que amaneció con unas ampollas moradas repartidas en los brazos y las piernas. Cuando después las ampollas se le convirtieron en llagas por donde no salía nada de sangre y sí una cosa amarilla como goma de copal que destilaba agua espesa. Desde entonces me acuerdo muy bien que nos dijo cuánto miedo sentía de no tener ya remedio. Para eso quería ir a ver a la Virgen de Talpa; para que Ella con su mirada le curara sus llagas. Aunque sabía que Talpa estaba lejos y que tendríamos que caminar mucho debajo del sol de los días y del frío de las noches de marzo, así y todo quería ir. La Virgencita[4] le daría el remedio para aliviarse de aquellas cosas que nunca se secaban. Ella sabía hacer eso: lavar las cosas, ponerlo todo nuevo de nueva cuenta como un campo recién llovido. Ya allí, frente a Ella, se acabarían sus males; nada le dolería ni le volvería a doler más. Eso pensaba él.

Y de eso nos agarramos Natalia y yo para llevarlo.[5] Yo tenía que acompañar a Tanilo porque era mi hermano. Natalia tendría que ir también, de todos modos, porque era su mujer. Tenía que ayudarlo llevándolo del brazo, sopesándolo a la ida y tal vez a la vuelta sobre sus hombros, mientras él arrastrara su esperanza.

Yo ya sabía desde antes lo que había dentro de Natalia. Conocía algo de ella. Sabía, por ejemplo, que sus piernas redondas, duras y calientes como piedras al sol del mediodía, estaban solas desde hacía tiempo. Ya conocía yo eso. Habíamos estado juntos muchas veces; pero siempre la sombra de Tanilo nos separaba: sentíamos que sus manos ampolladas se metían entre nosotros y se llevaban a Natalia para que lo siguiera cuidando. Y así sería siempre mientras él estuviera vivo.

Yo sé ahora que Natalia está arrepentida de lo que pasó. Y yo también lo estoy; pero eso no nos salvará del remordimiento ni nos dará ninguna paz ya nunca. No podrá tranquilizarnos saber que

---

3. **primero... nadie:** *antes que a nadie*   4. **Virgencita:** term of endearment for the Virgin. *Nuestra Señora de Talpa* was declared a minor shrine (*basílica menor*) by the Bishop of Guadalajara in 1644.   5. **Y... llevarlo:** Natalia and I took advantage of that (situation) in order to escort him.

Tanilo se hubiera muerto de todos modos porque ya le tocaba,[6] y que de nada había servido ir a Talpa, tan allá tan lejos,[7] pues casi es seguro de que se hubiera muerto igual allá que aquí, o quizás tantito después aquí que allá, porque todo lo que se mortificó por el camino, y la sangre que perdió de más, y el coraje y todo, todas esas cosas juntas fueron las que lo mataron más pronto. Lo malo está en que Natalia y yo lo llevamos a empujones, cuando él ya no quería seguir, cuando sintió que era inútil seguir y nos pidió que lo regresáramos. A estirones lo levantábamos del suelo para que siuiera caminando, diciéndole que ya no podíamos volver atrás.

"Está ya más cerca Talpa que Zenzontla." Eso le decíamos. Pero entonces Talpa estaba todavía lejos; más allá de muchos días.

Lo que queríamos era que se muriera. No está por demás decir que eso era lo que queríamos desde antes de salir de Zenzontla y en cada una de las noches que pasamos en el camino de Talpa. Es algo que no podemos entender ahora; pero entonces era lo que queríamos. Me acuerdo muy bien.

Me acuerdo muy bien de esas noches. Primero nos alumbrábamos con ocotes.[8] Después dejábamos que la ceniza oscureciera la lumbrada y luego buscábamos Natalia y yo la sombra de algo para escondernos de la luz del cielo. Así nos arrimábamos a la soledad del campo, fuera de los ojos de Tanilo y desaparecidos en la noche. Y la soledad aquella nos empujaba uno al otro. A mí me ponía entre los brazos el cuerpo de Natalia y a ella eso le servía de remedio. Sentía como si descansara; se olvidaba de muchas cosas y luego se quedaba adormecida y con el cuerpo sumido en un gran alivio.

Siempre sucedía que la tierra sobre la que dormíamos estaba caliente. Y la carne de Natalia, la esposa de mi hermano Tanilo, se calentaba en seguida con el calor de la tierra. Luego aquellos dos calores juntos quemaban y lo hacían a uno despertar de su sueño. Entonces mis manos iban detrás de ella; iban y venían por encima de ese como rescoldo que era ella; primero suavemente, pero después la apretaban como si quisieran exprimirle la sangre. Así una y otra vez, noche tras noche, hasta que llegaba la madrugada y el viento frío apagaba la lumbre de nuestros cuerpos. Eso hacíamos

---

6. **porque... tocaba:**　because his time had come　7. **tan allá... lejos:**　*tan lejos*
8. **ocotes:**　very resinous pine wood used as fuel for torches

Natalia y yo a un lado del camino de Talpa, cuando llevamos a Tanilo para que la Virgen lo aliviara.

Ahora todo ha pasado. Tanilo se alivió hasta de vivir. Ya no podrá decir nada del trabajo tan grande que le costaba vivir, teniendo aquel cuerpo como emponzoñado, lleno por dentro de agua podrida que le salía por cada rajadura de sus piernas o de sus brazos. Unas llagas así de grandes,[9] que se abrían despacito,[10] muy despacito, para luego dejar salir a borbotones un aire como de cosa echada a perder que a todos nos tenía asustados.

Pero ahora que está muerto la cosa se ve de otro modo. Ahora Natalia llora por él, tal vez para que él vea, desde donde está, todo el gran remordimiento que lleva encima de su alma. Ella dice que ha sentido la cara de Tanilo estos últimos días. Era lo único que servía de él para ella; la cara de Tanilo, humedecida siempre por el sudor en que lo dejaba el esfuerzo para aguantar sus dolores. La sintió acercándose hasta su boca, escondiéndose entre sus cabellos, pidiéndole, con una voz apenitas,[11] que lo ayudara. Dice que le dijo que ya se había curado por fin; que ya no le molestaba ningún dolor. "Ya puedo estar contigo, Natalia. Ayúdame a estar contigo", dizque[12] eso le dijo.

Acabábamos de salir de Talpa, de dejarlo allí enterrado bien hondo en aquel como surco profundo que hicimos para sepultarlo.

Y Natalia se olvidó de mí desde entonces. Yo sé cómo le brillaban antes los ojos como si fueran charcos alumbrados por la luna. Pero de pronto se destiñeron, se le borró la mirada como si la hubiera revolcado en la tierra.[13] Y pareció no ver ya nada. Todo lo que existía para ella era el Tanilo de ella, que ella había cuidado mientras estuvo vivo y lo había enterrado cuando tuvo que morirse.

Tardamos veinte días en encontrar el camino real[14] de Talpa. Hasta entonces habíamos venido los tres solos. Desde allí comenzamos a juntarnos con gente que salía de todas partes; que había desembocado como nosotros en aquel camino ancho parecido a la

9. **así de grandes:** as big as that (said with a gesture, using the thumb and index finger of one hand to indicate the size)   10. **despacito:** *muy despacio*   11. **con... apenitas:** in a voice scarcely audible (*apenitas*, even less than *apenas*)   12. **dizque:** *dice que*   13. **como si la... tierra:** as if she had rubbed it (i.e., *la mirada*) into the ground   14. **camino real:** main highway

corriente de un río, que nos hacía andar a rastras, empujados por todos lados como si nos llevaran amarrados con hebras de polvo. Porque de la tierra se levantaba, con el bullir de la gente, un polvo blanco como tamo de maíz que subía muy alto y volvía a caer; pero los pies al caminar lo devolvían y lo hacían subir de nuevo; así a todas horas estaba aquel polvo por encima y debajo de nosotros. Y arriba de esta tierra estaba el cielo vacío, sin nubes, sólo el polvo; pero el polvo no da ninguna sombra.

Teníamos que esperar a la noche para descansar del sol y de aquella luz blanca del camino.

Luego los días fueron haciéndose más largos. Habíamos salido de Zenzontla a mediados de febrero, y ahora que comenzaba marzo amanecía muy pronto. Apenas si cerrábamos los ojos al oscurecer, cuando nos volvía a despertar el sol, el mismo sol que parecía acabarse de poner hacía un rato.

Nunca había sentido que fuera más lenta y violenta la vida como caminar entre un amontonadero de gente; igual que si fuéramos un hervidero de gusanos apelotonados bajo el sol, retorciéndonos entre la cerrazón del polvo que nos encerraba a todos en la misma vereda y nos llevaba como acorralados. Los ojos seguían la polvareda; daban en el polvo como si tropezaran contra algo que no se podía traspasar. Y el cielo siempre gris, como una mancha gris y pesada que nos aplastaba a todos desde arriba. Sólo a veces, cuando cruzábamos algún río, el polvo era más alto y más claro. Zambullíamos la cabeza acalenturada y renegrida en el agua verde, y por un momento de todos nosotros salía un humo azul, parecido al vapor que sale de la boca con el frío. Pero poquito después desaparecíamos otra vez entreverados en el polvo, cobijándonos unos a otros del sol, de aquel calor del sol repartido entre todos.

Algún día llegará la noche. En eso pensábamos. Llegará la noche y nos pondremos a descansar. Ahora se trata de cruzar el día, de atravesarlo como sea para correr del calor y del sol. Después nos detendremos. Después. Lo que tenemos que hacer por lo pronto es esfuerzo tras esfuerzo para ir de prisa detrás de tantos como nosotros y delante de otros muchos. De eso se trata. Ya descansaremos bien a bien cuando estemos muertos.

En eso pensábamos Natalia y yo y quizá también Tanilo, cuando íbamos por el camino real de Talpa, entre la procesión; queriendo llegar los primeros hasta la Virgen, antes que se le acabaran los milagros.

Pero Tanilo comenzó a ponerse más malo. Llegó un rato en que ya no quería seguir. La carne de sus pies se había reventado y por la reventazón aquella empezó a salírsele la sangre. Lo cuidamos hasta que se puso bueno. Pero, así y todo, ya no quería seguir:

"Me quedaré aquí sentado un día o dos y luego me volveré a Zenzontla." Eso nos dijo.

Pero Natalia y yo no quisimos. Había algo dentro de nosotros que no nos dejaba sentir ninguna lástima por ningún Tanilo. Queríamos llegar con él a Talpa, porque a esas alturas, así como estaba, todavía le sobraba vida. Por eso mientras Natalia le enjuagaba los pies con aguardiente para que se le deshincharan, le daba ánimos. Le decía que sólo la Virgen de Talpa lo curaría. Ella era la única que podía hacer que él se aliviara para siempre. Ella nada más. Había otras muchas Vírgenes; pero sólo la de Talpa era la buena. Eso le decía Natalia.

Y entonces Tanilo se ponía a llorar con lágrimas que hacían surco entre el sudor de su cara y después se maldecía por haber sido malo. Natalia le limpiaba los chorretes de lágrimas con su rebozo, y entre ella y yo le levantábamos del suelo para que caminara otro rato más, antes que llegara la noche.

Así, a tirones, fue como llegamos con él a Talpa.

Ya en los últimos días también nosotros nos sentíamos cansados. Natalia y yo sentíamos que se nos iba doblando el cuerpo entre más y más. Era como si algo nos detuviera y cargara un pesado bulto sobre nosotros. Tanilo se nos caía más seguido y teníamos que levantarlo y a veces llevarlo sobre los hombros. Tal vez de eso estábamos como estábamos: con el cuerpo flojo y lleno de flojera para caminar. Pero la gente que iba allí junto a nosotros nos hacía andar más aprisa.

Por las noches, aquel mundo desbocado se calmaba. Desperdigadas por todas partes brillaban las fogatas y en derredor de la lumbre la gente de la peregrinación rezaba el rosario, con los brazos en cruz, mirando hacia el cielo de Talpa. Y se oía cómo el viento llevaba y traía aquel rumor, revolviéndolo, hasta hacer de él un solo mugido. Poco después todo se quedaba quieto. A eso de la medianoche podía oírse que alguien cantaba muy lejos de nosotros.

Luego se cerraban los ojos y se esperaba sin dormir a que amane-
ciera.

Entramos a Talpa cantando el Alabado.[15]

Habíamos salido a mediados de febrero y llegamos a Talpa en
los últimos días de marzo, cuando ya mucha gente venía de regreso.
Todo se debió a que Tanilo se puso a hacer penitencia. En cuanto
se vio rodeado de hombres que llevaban pencas de nopal[16] colgadas
como escapulario, él también pensó en llevar las suyas. Dio en[17]
amarrarse los pies uno con otro con las mangas de su camisa para
que sus pasos se hicieran más desesperados. Después quiso llevar
una corona de espinas. Tantito después se vendó los ojos, y más
tarde, en los últimos trechos del camino, se hincó en la tierra, y así,
andando sobre los huesos de sus rodillas y con las manos cruzadas
hacia atrás, llegó a Talpa aquella cosa que era mi hermano Tanilo
Santos; aquella cosa tan llena de cataplasmas y de hilos oscuros de
sangre que dejaba en el aire, al pasar, un olor agrio como de animal
muerto.

Y cuando menos acordamos lo vimos metido entre las danzas.
Apenas si nos dimos cuenta y ya estaba allí, con la larga sonaja en
la mano, dando duros golpes en el suelo con sus pies amoratados y
descalzos. Parecía todo enfurecido, como si estuviera sacudiendo el
coraje que llevaba encima desde hacía tiempo; o como si estuviera
haciendo un último esfuerzo por conseguir vivir un poco más.

Tal vez al ver las danzas se acordó de cuando iba todos los años a
Tolimán,[18] en el novenario del Señor,[19] y bailaba la noche entera
hasta que sus huesos se aflojaban, pero sin cansarse. Tal vez de eso
se acordó y quisó revivir su antigua fuerza.

Natalia y yo lo vimos así por un momento. En seguida lo vimos
alzar los brazos y azotar su cuerpo contra el suelo, todavía con la
sonaja repicando entre sus manos salpicadas de sangre. Lo sacamos
a rastras, esperando defenderlo de los pisotones de los danzantes;
de entre la furia de aquellos pies que rodaban sobre las piedras y

---

15. **Alabado:** a hymn to God   16. **pencas de nopal:** pieces of cactus
17. **Dio en:** He insisted on   18. **Tolimán:** a small town about 100 miles
nearly due north of Mexico City   19. **novenario... Señor:** nine days devotion
and mourning for Christ

brincaban aplastando la tierra sin saber que algo se había caído en medio de ellos.

A horcajadas, como si estuviera tullido, entramos con él en la iglesia. Natalia lo arrodilló junto a ella, enfrentito de aquella figurita dorada que era la Virgen de Talpa. Y Tanilo comenzó a rezar y dejó que se le cayera una lágrima grande, salida de muy adentro, apagándole la vela que Natalia le había puesto entre sus manos. Pero no se dio cuenta de esto; la luminaria de tantas velas prendidas que allí había le cortó esa cosa con la que uno se sabe dar cuenta de lo que pasa junto a uno. Siguió rezando con su vela apagada. Rezando a gritos para oír que rezaba.

Pero no le valió. Se murió de todos modos.

"...desde nuestros corazones sale para Ella una súplica igual, envuelta en el dolor. Muchas lamentaciones revueltas con esperanza. No se ensordece su ternura ni ante los lamentos ni las lágrimas, pues Ella sufre con nosotros. Ella sabe borrar esa mancha y dejar que el corazón se haga blandito y puro para recibir su misericordia y su caridad. La Virgen nuestra, nuestra madre, que no quiere saber nada de nuestros pecados; que se echa la culpa de nuestros pecados; la que quisiera llevarnos en sus brazos para que no nos lastime la vida, está aquí junto a nosotros, aliviándonos el cansancio y las enfermedades del alma y de nuestro cuerpo ahuatado, herido y suplicante. Ella sabe que cada día nuestra fe es mejor porque está hecha de sacrificios..."

Eso decía el señor cura desde allá arriba del púlpito. Y después que dejó de hablar, la gente se soltó rezando toda al mismo tiempo, con un ruido igual al de muchas avispas espantadas por el humo.

Pero Tanilo ya no oyó lo que había dicho el señor cura. Se había quedado quieto, con la cabeza recargada en sus rodillas. Y cuando Natalia lo movió para que se levantara ya estaba muerto.

Afuera se oía el ruido de las danzas; los tambores y la chirimía;[20] el repique de las campanas. Y entonces fue cuando me dio a mí tristeza. Ver tantas cosas vivas; ver a la Virgen allí, mero[21] enfrente de nosotros dándonos su sonrisa, y ver por el otro lado a Tanilo, como si fuera un estorbo. Me dio tristeza.

Pero nosotros lo llevamos allí para que se muriera, eso es lo que no se me olvida.

20. **chirimía:** a primitive type of clarinet   21. **mero:** directly

Ahora estamos los dos en Zenzontla. Hemos vuelto sin él. Y la madre de Natalia no me ha preguntado nada; ni qué hice con mi hermano Tanilo, ni nada. Natalia se ha puesto a llorar sobre sus hombros y le ha contado de esa manera todo lo que pasó.

Y yo comienzo a sentir como si no hubiéramos llegado a ninguna parte; que estamos aquí de paso, para descansar, y que luego seguiremos caminando. No sé para dónde; pero tendremos que seguir, porque aquí estamos muy cerca del remordimiento y del recuerdo de Tanilo.

Quizá hasta empecemos a tenernos miedo uno al otro. Esa cosa de no decirnos nada desde que salimos de Talpa tal vez quiera decir eso. Tal vez los dos tenemos muy cerca el cuerpo de Tanilo, tendido en el petate[22] enrollado; lleno por dentro y por fuera de un hervidero de moscas azules que zumbaban como si fuera un gran ronquido que saliera de la boca de él; de aquella boca que no pudo cerrarse a pesar de los esfuerzos de Natalia y míos, y que parecía querer respirar todavía sin encontrar resuello. De aquel Tanilo a quien ya nada le dolía, pero que estaba como adolorido, con las manos y los pies engarruñados y los ojos muy abiertos como mirando su propia muerte. Y por aquí y por allá todas sus llagas goteando un agua amarilla, llena de aquel olor que se derramaba por todos lados y se sentía en la boca, como si se estuviera saboreando una miel espesa y amarga que se derretía en la sangre de uno a cada bocanada de aire.

Es de eso de lo que quizá nos acordemos aquí más seguido: de aquel Tanilo que nosotros enterramos en el camposanto de Talpa; al que Natalia y yo echamos tierra y piedras encima para que no lo fueran a desenterrar los animales del cerro.

---

22. **petate:** palm leaf mat, frequently used by the poor as a mattress for sleeping

CUESTIONARIO

1. ¿Por qué llora Natalia? ¿Quién la consuela?
2. ¿Qué parte ha tenido el narrador en la acción del cuento?
3. ¿Por qué motivo quería Tanilo Santos ir a Talpa?
4. ¿Qué es lo que le molesta al narrador (al hermano de Tanilo)?
5. ¿Qué efecto tiene para Natalia la muerte de Tanilo?
6. ¿Cuánto tiempo tardaron los tres en encontrar el camino real de Talpa?
7. ¿Qué dice el autor del tiempo durante la peregrinación?
8. Cuando Tanilo no quiso seguir más, ¿qué hicieron su mujer y su hermano?
9. ¿Qué hizo Tanilo en los últimos trechos del camino a Talpa? ¿Por qué se metió después a las danzas?
10. ¿En qué momento murió Tanilo? ¿Qué hicieron Natalia y el hermano con el cadaver?

PREGUNTA GENERAL

En esta historia el autor se repite bastante en la narración y en la descripción del ambiente. ¿Qué contribuye esa repetición al tema y al propósito espiritual de Rulfo?

VOCABULARY

ABBREVIATIONS

adj	adjective	*inter*	interrogative
adv	adverb	*m*	masculine
aux	auxiliary	*pl*	plural
col	colloquial	*poss*	possessive
dem	demonstrative	*pp*	past participle
f	feminine	*pron*	pronoun
fig	figurative	*reflex*	reflexive
indef	indefinite	*rel*	relative
inf	infinitive	*v*	verb

Among the words not present in this vocabulary are: identical and most near cognates, cardinal numbers, personal pronouns, and the most common prepositions such as *a, de, en, por,* etc. Genders of nouns have not been indicated for masculines ending in *o* and for feminines ending in *a, dad,* and *ión.*

abajo down
  río abajo downstream
abandonado, –da abandoned
abandonar to abandon
abarcar to embrace, encompass, reign
abarrotado, –da teeming
abatir to knock down, discourage
abatirse to swoop down, fall; to drop
abecedario ABC's
abeja bee
abierto, –ta open
abismo abyss
abnegado, –da self-denying
abolengo ancestry, inheritance
abolir to abolish; to revoke, repeal
abomado addle-brain
abonado, –da guaranteed, strengthened

abonar to improve; to fertilize
abono fertilizer
aborrascado, –da stormy
aborrecer to hate, detest
abrasar to set afire, burn
abrazado, –a embraced, clasped
abrazar to embrace; to throw one's arms around
abrazo embrace
abrigado, –da wrapped up, sheltered
abrigar to nourish, foster
abrir to open
abrumar to overwhelm
absolver to absolve, acquit
absorto, –ta entranced, absorbed
abstraer to abstract, make abstractions
abuelo grandfather, grandparent

abundar to abound
  abundar en to abound with or in
aburrimiento boredom
acá here, around here
acabar to end
acaecer to happen, occur
acalenturado, –da feverish
acariciador, –dora caressing
acariciar to caress; to cherish
acaso perhaps
  por si acaso in case
acatar to esteem, revere
acaudalado, –da well-to-do
acceder to accede, agree
acceso attack, spell
aceleradísimo, –ma hurrying
acendrar to purify, refine
acentuar to accent
aceptar to accept
acera sidewalk
acerbo, –ba sour, bitter
acercar to come near, approach
acercarse to approach, draw near
acertar to succeed, figure out correctly
aclarar to make clear
acodado, –da leaning on bent elbows
acoger to welcome, receive
acometer to attack
acometimiento assult
acomodación accommodation, arrangement
acomodar to accommodate, suit
acompañante m companion, escort
acompañar to accompany
acompasado, –da rhythmic
acongojar to grieve
aconsejar to advise, counsel
acontecer to happen
acontecido happening
acontecimiento happening, event
acoplamiento coupling
acorazado battleship, ironclad

acordarse to remember
acorde m chord, tune
acorralado, –da corraled
acostarse to go to bed
acostumbrado, –da accustomed, customary
acostumbrar to accustom
acotar to accept
acritud f acrimony, pungency
acto act
  en el acto at once
actual present, present-day
actuar to act, perform
acudir to come to; to hang around
acuerdo accord, agreement
  ponerse de acuerdo to be in agreement
aculebrado, –da coiled in a corner
acumularse to gather
acurrucado, –da huddled, crouched
acusar to accuse
achicarse to become smaller
adaptar to adapt
adarga leather shield
adecuado, –da fitting, suitable
adelantado, –da advanced, bold
adelantar to advance, move forward
adelante ahead
ademán m attitude, gesture
además moreover, besides
adentro inside, within
adherido, –da attached
adicto supporter
adicto, –ta devoted
adinerado, –da moneyed
adivinar to guess
adjudicarse to appropriate
administrar to administer
admirar to admire
adobar to stew
adolorido, –da sore, grieving
adoptar to adopt
adorador m worshiper
adorar to adore

adormecido, –da sleepy, asleep
adorar to adore, worship
adquirir to acquire
adscripto, –ta inscribed
adueñar to take possession
adusto, –ta stern, grim; scorching hot
advenimiento advent, coming
advertir to notice; to warn, point out; to advise
aéreo, –a overhead, elevated
afamado, –da famous
afán *m* anxiety; task
afectividad affection
afectivo, –va affective, emotional
afecto emotion, affection
afeitado, –da shaved
afeitar to shave
aferrado stubborn one
aferrar to catch, seize
afianzar to guarantee, strengthen
afición liking, taste
aficionado, –da fond
afilado, –da sharp; hard, angular
afinar to purify
afine in tune with
afirmar to affirm; to secure, fasten
afligir to afflict
aflojar to relax, loosen
afluencia flow
afrontar to confront, face
afuera outside
afueras *f pl* outskirts
agachar to bow
agarrar to take hold of, take advantage of
agente *m* agent
agitar to agitate
agobiado, –da weighed down, overburdened
agobiar to overburden
agolpar to throng, flock
agotado, –da exhausted
agotar to exhaust; to use up
agradecer to reward
agrandar to enlarge

agraviado, –da wronged, offended
agravio offense
agredir to attack
agregado, –da aggregate
por agregado on the whole
agregar to add, insert
agriarse to become embittered
agridulce bittersweet
agrietar to crack
agrio, –ria sour
agruparse to group, cluster
agrura sourness
agua water
agua elemental rain
aguantado, –da restrained
aguantar to endure
aguardar to wait
aguardiente *m* brandy
agudizado, –da sharpened
agudo, –da sharp
águila eagle
agujero hole
aguzar to sharpen
ahí there
ahogar to drown; to choke
ahondar to deepen, dig deeper
ahora now
ahora mismo right now
ahorcar to hang (by the neck)
ahorros *m pl* savings
ahuatado, –da prickly
ahuyentar to drive away
aindiado, –da Indian-looking
aislado, –da isolated, insulated
aislamiento isolation
ajeno, –na another's, foreign
ajustar to adapt
ala wing
alacre cheerful
álamo poplar
alargar to extend, reach
alarmado, –da alarmed
alarmar to alarm
alba dawn
alboroto uproar, riot
alcalde *m* mayor

alcance *m* reach
  al alcance de within reach of
alcancía bank
alcanzar to reach, obtain; to grasp
aldea village
aldeano, –na villager
alegrarse to rejoice
alegre gay, bright
alegría gaiety, happiness
alejar to move away
alemán, –na German
alentar to encourage; to blow
alfombra carpet
algazara uproar, tumult
algo *indef pron* something; somewhat
alguno, –na any; some
aliarse to become allied, form an
  alliance
alimentar to nourish, feed
alineado, –da aligned, lined up
alisadura polishing
aliviado, –da relieved
aliviar to soother, relieve
alivio relief
alma soul
almacén *m* store
almacenar to store
almidonado, –da starched
almohada pillow
almorzar to lunch, have lunch
almuerzo lunch
alondra lark
alotrópico, –ca allotropic, existing
  in two or more forms
alpargata sandal, espadrille
alquilar to rent
alquitrán *m* tar, pitch
alrededor de around
altanero, –ra haughty
alterado, –da agitated
alterar to become irritated; to alter
altísimo, –ma most high
altivo, –va proud, arrogant
altivez *f* haughtiness, pride

alto military parade
alto, –ta high, tall; late; noble
altura height
alucinado, –da deluded
alucinar to hallucinate, delude
aludido, –da above-mentioned
aludir to allude
alumbrado, –da luminated
alumbrar to light the way
alumno student
alzar to raise, elevate
alzarse to rise up
allá there
  más allá de beyond
allí there
amado, –da beloved
amador, –dora lover
amanazanado, –da divided into
  blocks
amanecer *m* dawn
amanecer to start the day
amante *m f* lover
amapola poppy
amar to love
amarguísimo, –ma most bitter
amargura bitterness
amarillo, –lla yellow
amarrado, –da tied up
amarrar to tie up
amasar to knead
amasijo kneading
ambages *m pl* quibbling
ambajes *see* **ambages**
ambiente *m* atmosphere
ámbito environment
ambos, –bas both
amén de aside from, besides
amenaza threat, menace
amenazado, –da threatened
amenazador, –dora threatening
amenazar to threaten
amigo, –ga friend
amistad friendship
amo master, boss, lord
amonedado, –da coined, minted

amonedar to coin, mint
amontonadero hoard
amontonar to collect, gather
amor *m* love
amoratado, –da black-and-blue
amoroso, –sa loving, amorous
amparar to protect
amparo refuge, shelter; favor
amplio, –plia full, roomy
amplitud *f* roominess
ampolla blister
ampollado, –da blistered
anastomosado, –da interjoined
ancho, –cha wide
andaluz, –luza Andalusian
andante walking, errant
andar to go, pass by; to walk
  andar en to be engaged in
andrajo rag, tatter
angélico, –ca angelic
angosto, –ta narrow
ángulo angle, corner
angustiado, –da anguished
angustioso, –sa distressed, grieved
anhelar to desire eagerly, crave
anhelo yearning
anillo ring
animalidad bestiality
animar to animate, impel
ánimo spirit; mind, thought
aniquilado, –da annihilated, destroyed
aniquilar to annihilate, destroy
anómalo, –la anomalous
anonadar to annihilate
anonador, –dora annihilating
anonimato anonymity
anotar to note
ansia longing
ansiar to long for
ansioso, –sa yearning
antaño last year, long ago
ante before, at
antemano beforehand
  de antemano beforehand

antepasados *m pl* ancestors
anterior previous; older
antes before
antifaz *m* mask
antiguo, –gua ancient
  de antiguo from days gone by
antiparras *f pl* spectacles, eyeglasses
antojadizo, –za capricious
anulación annulment
anulado, –da annihilated
anular to annul, cancel
anunciar to announce
anuncio advertisement
año year
añoranza longing
apaciguador, –dora pacifying, calming
apaciguar to appease
apagado, –da listless, dull; low
apagar to put out
apagarse to fade away
aparecer to seem, appear
aparejar to pair
aparición appearance
apartamiento separation
apartar to move away; to push away
apartarse to separate
apasionado, –da obsessed
apelotonado, –da rolled into a ball
apenas scarcely, hardly; no sooner
apéndice *m* appendage
apenitas scarcely audible
apertura opening
apetecible desirable
apilado, –da piled up
aplacar to placate, satisfy
aplaster to flatten, crush
aplaudir to applaud
aplicado, –da industrious
aplicar to apply
apoderarse (de) to take possession of

aportar to bring, provide
apostadero station, post
apostar to station
apoteosis *f* deification, glorification
apoyar to lean, support
apoyarse to depend on, stress
apoyo support, prop
aprender to learn
aprendizaje *m* apprenticeship
apresurado, –da hurried
apresurar to hurry
apretado, –da clenched; tight, close
apretar to hug; to press down; to tighten; to squeeze
apretón *m* sudden pressure
  apretón de manos handshake
aprisionar to imprison
aprovechar to make use of, take advantage of
apto, –ta apt, suitable
apuntado, –da noted
apuntar to point, aim; to note, take note of
apurar to hasten
aquel, aquella *dem adj* (*pl* aquellos, aquellas) that (*pl* those)
aqueo, –a Achaean, of northern Peloponnesus in Greece
aquietarse to quiet down
aquilatar to assay
arábigo, –ga Arabic
arañar to scratch
árbol *m* tree
arcano arcanum, elixir, mystery
arco bow, arch
arconte *m* high court in ancient Greece
arder to burn
ardid *m* trick
ardor *m* excitement, eagerness
arduo, –dua hard, arduous
arena sand
arenga harangue
arengar to harangue

argumentar to argue
aristón *m* hand organ
arma arm, weapon
armadura armor
armar to arm
armazón *m* framework
arpa harp
arrabal *m* suburb
arrancar to draw forth; to snatch, pull out
arranque *m* fit
arrastrar to drag; to drawl; to impel
arrebatar to snatch, grab; to snatch away
arrebato rapture, ecstasy
arrebolar to redden
arreglado, –da neat, orderly
arreglar to fix; to arrange
arreglo adjustment
arremolinar to crowd, mill about
arrepentido, –da repentant
arrepentimiento repentance
arrepentir to repent
arriba up
arribar to arrive
arribo arrival
arriesgado, –da bold, daring; dangerous
arriesgar to risk
arrimado, –da drawn up against
arrimar to come close together
arrobado, –da entranced
arrobar to entrance, be entranced
arrodillarse to kneel down
arrogar to claim as one's own
arrojadizo, –za for throwing
arrojar to throw, hurl
arrollado, –da routed, utterly defeated
arrollar to sweep away
arroz *m* rice
arruga wrinkle
arruinar to ruin
artesano craftsman
articular to articulate; to speak

asalariado   wage earner

asaltar   to assail, come suddenly upon

ascender   to ascend, go up

ascensor *m*   elevator

ascensorista *m f*   elevator operator

asceta   ascetic

asco   disgust

ascua   ember

asegurar   to guarantee, assure

asentir   to assent

así   so, thus

asimismo   likewise, also

asir   to seize, grasp

asistir   to attend; to go to

asolar   to raze, destroy

asomado, –da   leaning out

asombrar   to amaze; to darken

asombro   amazement, astonishment

asombroso, –sa   amazing

aspecto   aspect, face

áspero, –ra   rough, coarse

aspirar   to aspire

asqueado, –da   nauseated

astro   star, luminary

asueto   diversion

asumir   to assume

asunto   business, affair

asustar   to frighten

atado, –da   tied up

atadura   rope, bond

atañedero, –ra   pertaining

atar   to tie

atardecer *m*   late afternoon

atemorizado, –da   scared

atender   to attend, pay attention to

atenuar   to attenuate, extenuate

aterrador, –dora   frightful, dreadful

aterrar   to terrify

aterrorizado, –da   terror stricken

atestiguar   to attest, testify

atisbar   to watch, spy on

atónito, –ta   aghast, overwhelmed

atormentar   to torment

atracar   to come alongside

atractivo   attraction

atraer   to attract

atraído, –da   drawn down, captured

atrapar   to catch

atrás   backward, behind

atravesar   to go over, go across; to traverse; to go through

atrever   to dare

atrevimiento   daring, impudence

atribuir   to attribute

atril *m*   music stand

atrio   hall, patio

atropellar   to be run over; to push one's way through

atroz   atrocious

aturdir   to stun

audaz   audacious

auge *m*   acme, zenith

augusto, –ta   august, stately

aullar   to howl

aullido   howl

aún   still, yet

aunque   although, even though

aureola   halo

aurora   dawn

ausencia   absence

ausente   absent

austral   southern

auto   miracle play

autóctono, –na   native

antojarse   to seem, imagine

auto-pieza   subject and object in one

autorizar   to authorize

autosuficiente   self-sufficient

avalanzarse   to throw oneself on

avanzar   to advance

avasallador, –dora   enslaving, enveloping

ave *f*   bird

avenirse   to agree, be reconciled

avergonzado, –da   ashamed, shamed

avergonzarse   to be ashamed

averiguar   to find out

avieso, –sa evil-minded, perverse
avisar to warn
avispa wasp
ayer m and adv yesterday
ayudar to help
ayuntamiento sexual intercourse
azar m chance, accident
azotar to beat with the wings
azúcar m f sugar
azufre m sulfur
azul blue
azulado, –da bluish
azulejo blue-gray horse
azuloso, –sa bluish
azuzar to incite, stir up

baba slobber
babia mountainous region of León
    estar en babia to be absent-
    minded
Babilonia Babylon
babilónico, –ca magnificent
baboso, –sa slobbery
bachiller m bachelor (holder of
    the degree)
bahía bay
bailar to dance
bailarín m dancer
baile m dance, ball
bajar to go down
bajarse to humble oneself
bajo prep under
bajo, –ja adj low, lower, downcast
bala bullet
balancear to swing
balaústre m banister
balazo shot, bullet wound
    a balazos with bullets
balbucear to stammer, babble
balbuciente stammering
balcón m large window with bal-
    cony, balcony
balde m bucket
baldío uncultivated land, waste-
    land

baldío, –día idle, vagabond
baldosa paving tile
balsámico, –ca soothing
ballena whale
banco bench
banda band, faction
bandada flock
bandeja tray
bandera flag
bañar to bathe
bañarse to bathe, swim
bancario, –ria bank, banking
bandolerismo banditry
bandoneón m concertina
baño bath; bathing
baranda railing
barato, –ta cheap
barba chin
barbarie f barbarity, barbarism
barbarizarse to barbarize oneself,
    make oneself impure
barbudo, –da bearded
barco boat
barquero boatman
barra bar
barrer to sweep
barrio quarter
basar to base
bascoso, –sa nauseated, squeamish
bastante enough; sufficiently
bastar to suffice, be enough
bastardo hybrid, abnormality
basto rein
bastón m staff
basura trash
batalla battle
batir to beat
bautizar to baptise
bebedor m drinker
beber to drink
belleza beauty
bello, –lla beautiful
besar to kiss
beso kiss
bestia beast

bestiario bestiary, allegorical treatise on beasts and their habits
bibliógeno, –na intellectual
biblioteca library
bien *m* good
bien fully; well
  bien a bien willingly
  más bien rather, somewhat
bienestar *m* well-being
bienhumorado, –da good-humored
bienvenido, –da welcome
bifurcar to fork, branch
bilioso, –sa temperamental
billete *m* bill
bisonte *m* buffalo
blanco, –ca white
blandir to brandish
blandito, –ta exquisite
blando, –da exquisite; soft
blanquear to whiten, bleach
blanquecino, –na whitish
blasfemar to blaspheme
bloque *m* block
bobo, –ba simple, stupid
boca mouth
bocacalle *m* street intersection
bocanada swallow
bock *m* glass of beer
bochornoso, –sa sultry
boda wedding
bofetada slap in the face
bolsa pocket
bolsillo pocket
bomba bubble; bomb; pump
bombacha loose-fitting knee-length trousers
bondad kindness, goodness
bondadoso, –sa kind, good
bonito, –ta pretty
bono voucher
boquiabierto, –ta open-mouthed
borboton *m* bubbling, boiling
  a borbotones impetuously, tumultuously

borde *m* edge
borracho drunk man
borracho, –cha drunk
borrar to erase, blot out
borroso, –sa dull, fuzzy
bosque *m* forest
bota boot
  bota de potro horsehide boot
botarate *m* smart aleck
bote *m* rowboat
bracito little arm
brazo arm
breve brief
bribón *m* bum, scoundrel
brillar to shine
brincar to leap
brindar to offer, invite
brío spirit
brioso, –sa spirited
brisa breeze
broma jest, fun
brotar to spring forth
brújula compass
bruma mist
brumar to overwhelm
brusco, –ca brusque, sudden
bruto, –ta brute
  en bruto in the rough
bucle *m* curl, lock
buche *m* craw
budín *m* pudding
buen good
bueno, –na good, right
buey *m* ox
bufonesco, –ca clownish
buhardilla window
bulto bundle
bullicio brawl
bullicioso, –sa bustling
bullir *m* swarming, teeming
bullir to bubble; to teem
burdel *m* brothel
burdo, –da coarse
burla joke, mockery
burlador, –dora mocking

burlesco, –ca comic
burlón, –lona mocking
busca search
buscar to look for; to search
búsqueda search, pursuit

cabal complete, perfect
cabalístico, –ca secret
caballeresco, –ca chivalric, quixotic
caballería cavalry; chivalry
caballero gentleman, knight
  caballero andante knight
  errant
caballo horse
  a caballo astride
caber to fit
cabecera head (of a bed)
cabellos m pl hair
caber to fit, have enough room
cabeza head
cabo end
  al cabo finally, after all
cabra goat
cacique m Indian chief
cachivache m faker
cada each, every
cadavérico, –ca cadaverous
cadena chain
cadera hip
caduco, –ca worn out; transitory
caer to fall
caída fall
  caída de la noche nightfall
caja box
cajetilla fop, dandy
cajón m case, bin
calcular to calculate
cálculo reflection, conjecture
caldera caldron
calentar to heat, warm up
calibre m caliber
cálido, –da warm, hot
caliente hot
calmarse to calm down

calor m heat; warmth
calumnia slander
calumniado, –da slandered
caluroso, –sa warm, hot
calzada highway; sidewalk
calzar to wedge
calzones m pl trousers
callado, –da quiet, silent
callar to become silent
calle f street
callejón m lane
cama bed
cámara camera; chamber
  cámara lenta slow motion
cambiante changing
cambiar to change; to exchange
cambio change; exchange
  a cambio de in exchange for
  casa de cambio brokerage house
caminar to walk
camino road, way; walk
camión m bus, truck
camioneta little truck
camisa shirt
  ponerse la camisa al codo to
  roll up one's shirt sleeves
campana bell
campanario carillon
campanero bell ringer
campaña campaign
campesino countryman, farmer
campestre country
campo field, camp
camposanto cemetery
canallada baseness
canción song
candil m oil lamp
candilejas f pl footlights
canfinflero pimp
cangrejo crab
canijo, –ja puny, weak
canónigo canon, churchman
cansado, –da tired
cansancio weariness
cansarse to get tired
cantado, –da sung

cantar to sing
cántaro jug
canto song
cantor *m* singer
caña cane; reed, pipe
caoba mahogany
capa cloak, coat
capacidad size; capacity
capaz capable
capitanear to captain, lead
capítulo chapter
capota ceiling of a car
capricho whim, fancy
cara face
carbónico, −ca carbon
carbonizado, −da burned to ashes
carburo carbide
carcajada burst of laughter
cárcel *f* jail, prison
carcelero jailer, warden
cardo thistle
carecer to lack
carencia lack, need
careta mask
carga cargo, burden
cargamento load
cargado, −da burdened
cargar to load; to carry; to charge
cargo responsibility
caricia endearment
caridad charity
carie *m* decay
cariño love, affection
caritativo, −va charitably
carnal carnal; full cousin
carne *f* meat; flesh
carnestolendo, −da carnival
carpintero carpenter
carrera run, track, course; race
carreta cart
carro streetcar, trolley
carruaje *m* carriage
  carruaje de niño baby carriage
carta poster, letter
cartel *m* poster, sign, show bill
cartera wallet

cartulina light cardboard
casa house
casaca dresscoat
casado, −da married
casar to marry
casco helmet
cascotazo blow on the head
casi almost, nearly
casilla booth
  casilla ambulante push cart
  casilla de baño bath house
caso case, event
  hacer caso (de) to mind, pay
    attention to
casta caste, race, breed
castalio, −lia of the muses
casticismo purism
castigado, −da to chastise, mortify
castigar to punish
castigo punishment
catafalco catafalque, structure sup-
    porting the coffin during the
    funeral
cataplasma poultice
cátedra professorial chair
cateo sampling, prospect
catinga bad body odor
catorceno, −na fourteenth
catre *m* cot
caudal *m* volume, abun-
    dance
caudillo chief, leader
causar to cause
cautela craft, cunning
cautivar to attract
cavar to dig
cavatina melodious composition
cavilación suspicion, worry
cebolla onion
ceder to hand over, surrender; to
    yield, give up
cedro cedar
cédula government order
cegador, −dora blinding
celada helmet
celda cell; small room

celebrar to look at with pleasure; to celebrate
célebre famous
celeridad speed, swiftness
celeste celestial; sky-blue
celo heat
celosía window blind
celoso, –sa jealous
cena dinner, supper
cenar to have supper
ceniciento, –ta ashen, ash gray
ceniza ash
centavo cent
centelleante sparkling
centenar *m* hundred
centenario centennial
céntimo centime, penny
ceñido, –da encircled
cepillo brush
cerca near, nearby
cercanía proximity, nearness
cercano, –na near, close
cercenar to reduce
cerco fence, wall
cernido, –da sifted
cernirse to rise, oscillate
cerrado, –da closed
cerrar to close
cerrazón *f* closing
cerril wild, untamed
cerro hill
certamen *m* literary contest
certero, –ra well-informed
cervecería beer house, bar
cesar to stop, cease
césped *m* lawn, grass
cetrino, –na melancholy
cetro scepter
cicatrizar to heal
ciclista bicyclist
cicuta hemlock
ciego, –ga blind
cielo sky, heaven
cien hundred
ciénaga marsh, swamp

ciencia knowledge
cierto, –ta certain
cifra cipher
cima top
cimarrón, –rrona wild
cinchada cinching
cine *m* movie
cinematógrafo movie theater
cinta ribbon, strip
cinto belt
cintura waist
circo circus
cirial *m* processional candlestick
cisma schism
cisne *m* swan
ciudad city
ciudadano citizen
civilizar to civilize
clamar to clamor
clandestinidad secrecy
claro, –ra clear
claustro cloister
clavar to fix (in a position)
clavado, –da fixed, nailed
clavar to fix; to nail
clave *f* key
clavel *m* carnation
clavo nail
clima climate, region
cloaca sewer
coagulado, –da coagulated
cobijar to shelter
cobrado, –da acquired
cobrar to cover, recover
coche *m* car, coach
cochero coachman
cochino pig
cocina kitchen
codicia greed
codo elbow
coger to gather, take up
cogido, –da caught, held
cogujada crested lark
cohetes *m pl* fireworks
coincidir to coincide
cola tail

colectivo bus
colega colleague
colegio college
cólera rage
colérico, -ca angry
colgante hanging
colgar to hang, hang up
colmar to fulfill
colocación location, placement
colocado, -da positioned
colocar to place, position
colonizador *m* colonizer, colonist
colonizar to colonize
coloquio colloquy, conference
colorado, -da colored
colorido coloring
colorido, -da rouged
comandar to command
comarca region, territory
combate *m* combat, struggle
comedor *m* dining room
comentar to comment
comenzar to begin
comer to eat
comerciante *m* merchant
comercio store
cometer to commit
comida meal
comienzo beginning, start
comisario commissioner, sheriff
como *adv* as, like, as if
cómo how, why
cómodo, -da comfortable
compacto, -ta compact, close (as
a weave); unified
compadrito bully
comparar to compare
compás *m* time, measure, beat
competir to compete
complacencia pleasure
complacer to please, humor
complacido, -da complacent, satisfied, self-satisfied
complementar to complement
completar to complete
complicar to complicate, involve

componer to compose, constitute;
to settle
componerse to be composed
comprado, -da bought
comprar to buy
comprender to understand, comprehend; to comprise
comprobación proof
comprobar *m* verification
comprobar to verify
comprometer to compromise
compromiso commitment, compromise
compuesto, -ta composed
computar to compute
común common
  el común the common run
  por lo común as usual
comunicar to communicate
conato attempt, assault
concebir to conceive
conceder to grant, entrust
concentrar to concentrate
conciencia consciousness;
conscience
conciliador, -dora conciliatory
concluir to conclude, finish
concordancia agreement
concretar to thicken, boil down,
take form; to make concrete,
specify
concubinato concubinage, cohab-
itation without marriage
concurrente *m* competitor
concurrente concurrent, compet-
ing
condecorar to decorate
condena sentence, penalty
condenar to condemn
condensar to condense
condicionar to condition
condiscípulo fellow student
cóndor *m* condor, American vulture
conducido, -da led, carried
conducir to lead

conducta   conduct, behavior
  buena conducta   fortune
confeccionar   to make up
confesar   to confess
confesionario   confessional
confiado, –da   self-confident
confiar   to trust
confirmar   to confirm; to strengthen
conforme   according, in agreement
confortación   comfort
confundir   to confuse
congestionar   to congest
congraciar   to win
congregar   to congregate
conjunto   entirety
conjunto, –ta   allied, cooperative
conjuro   conjuration
connatural   inherent
conocer   to know
conocerse   to know oneself
conocimiento   knowledge, understanding; consciousness
conquistar   to conquer
consabido, –da   well-known
consagrar   to consecrate, dedicate
consciente   conscious
conseguir   to succeed; to get, obtain
conservador, –dora   conservative
conservar   to conserve; to retain; to keep
considerar   to consider
consistir   to consist
consolar   to console
constar   to be clear
constituir   to constitute
constreñido, –da   constrained
constreñir   to constrain
constrictor m   boa constrictor
construir   to construct
consuelo   consolation; joy
consultar   to consult, look at
consumación   termination
consumado, –da   consummated
consumar   to consummate

consumir   to waste away, languish; to consume, eat
contacto, –ta   contact, touch
contagiar   to infect
contaminar   to contaminate, corrupt
contar   to count; to tell
  contar en   to count on
contemplar   to contemplate
contener   to contain; to hold back
contestación   answer
contestar   to answer
continuar   to continue
contonear   to strut
contorno   outline, contour
contorsionado, –da   contorted, twisted
contra   against
  en contra de   against
contradecir   to contradict
contraer   to contract; to apply oneself
contragolpe   counterstroke
contrata   contract
contrabandista   smuggler
contracara   deceptive mask
contraverdad   countertruth, contrary
contundente   bruising, forceful
convencer   to convince
convenido, –da   arranged
conveniencias f pl   proprieties
convenir   to be suitable
conventillo   tenement house
conversar   to converse
convertir   to convert
convertirse   to be changed into
convivir   to live together
convocar   to call
conyugal   marital
copa   cup, bowl; drink
copal m   resin from certain tropical trees
copiar   to copy
cópula   copulation
coraje m   anger, spirit

coraza armor
corazón *m* heart
corbata necktie
corbatín *m* bow tie
cordero lamb
cordillera mountain range
cordón *m* cordon, line; edge
cornisa cornice
coro chorus
corona crown
coronar to crown
corralón *m* big yard
corredizo, –za slip
corredor *m* corridor, gallery; porch
corredorcito little hall
corregir to correct
correr to run; to circulate
corresponder to correspond
corrida run
corro group
corromper to corrupt
corso promenade
cortadera grass-like plant with sharp cutting leaves, abundant in the high plateau regions of South America and widely used for mats and thatching
cortar to cut, trim, clip
corte *m* break
cortés courteous, polite
cortina curtain
corto, –ta scant
cosa thing
cosecha harvest, crop
cosmogonía cosmogony, theory of the creation of the universe
costa beach
costado side
costar to cost
costarse to be difficult
costear to defray the cost of
costumbre *f* custom, habit
costumbrismo literary genre that narrates a region's customs
cotidiano, –na daily, everyday

cotización quotation
coyuntura opportunity
cráneo skull
crear to create
crecer to grow, swell
crecido, –da big, grown
creciente growing, increasing
crecimiento growth, increase
creencia belief
creer to believe
crencha hair on each side of the part
crepuscular twilight
crepúsculo twilight
creyente *m* believer
crianza manners, breeding; rearing
criar to raise, nurse; to breed; to bring up
criatura creature, child
criaturita tiny baby
crine *m* mane
criollo Creole, person of French or Spanish descent born and reared in a colonial region
criollo, –lla hundred-percent Argentine
crispado, –da nervous
criterio judgment
crítica criticism
criticar to criticize
crítico, –ca critical
cronométrico, –ca clocked, timed
crudo, –da hard
cruz *f* cross
  en cruz crosswise, in the shape of a cross
cruzado, –da crossed
cruzar to cross
cuadra unit of length of 125 meters (about 410 feet); block
cuadrado, –da square
cuadro military square; staff
cuajar to coagulate, thicken
cual as, such as
  con lo cual with which, at which

cuál (*pl* cuáles) which
cualquier whichever, whatever
cualquiera (*pl* cualesquiera)
    whichever, whatever
cuando when
cuantioso, –sa substantial
cuanto, –ta whatever
    en cuanto as soon as
    en cuanto a as to
    unos cuantos some few
cuánto, –ta how much
cuarto room
cuarto, –ta fourth, quarter
cubierto, –ta covered
cubilete *m* dicebox
cubito little bucket, sand pail
cubo hub
cubrir to cover
cuchilla hill; knife
cuello neck
cuenta account; bead
    correr por cuenta de to be
        under the administration of
    darse cuenta de to become
        aware of
    por su cuenta on one's own
        account
cuento story
cuerda rope, cord
    acabarse la cuerda to run down
cuerno horn
cuerpo body
cuervo raven
cuesta charity solicitation
    a cuestas on one's back
cueva cave
cuidado care
cuidado, –da well taken care of
cuidadoso, –sa watchful,
    concerned
cuidar to care for; to take good
    care of; to watch
    cuidarse de to care about
culminante culminating; predom-
    inant
culminar to culminate

culpa guilt, fault, blame
culpable guilty
culpar to blame, accuse
cultivo cultivation, culture
culto cult
culto, –ta cultured, cultivated
cumbre *f* peak
cumplido, –da fulfilled
cumplir to behoove, fulfill, keep
cuñada sister-in-law
cuñado brother-in-law
cúpula dome
cura priest
curar to cure, treat
curioso, –sa odd
custodiar to guard
cuyo, –ya whose

chaleco vest, waistcoat
chaquetón *m* coat
charco pool
charretera epaulet
chico, –ca small
chicote *m* whip, piece of rope
chicuelo little one
chino, –na Chinese; china
    globo chino Chinese lantern
chirimía clarinet
chirriar to creak
chiste *m* joke
chivo male goat
chocar to clash, fight; to collide
chop *m* dark beer
choque *m* clash, skirmish
chorrete *m* stream
choza hut
chúcaro, –ra savage
chupado, –da sucked dry

dama lady
damisela young lady
danza dance
danzante *m f* dancer
danzar to dance
dañar to hurt, damage

dañino, –na harmful, destructive
dar to give; to strike
  dar por to consider as
  no darse con nadie to have nothing to do with anyone
dato datum, fact
deber *m* duty
deber to owe, be owing to
deber (+ *inf*) must (+ *inf*), ought to, should (+ *inf*)
débil weak
debilidad weakness
decapitar to behead
decente clean; decent
decepcionar to disappoint
decidir to decide
decir to tell; to reveal; to say
  por así decirlo so to speak
  querer decir to mean
declamación declamation, harangue
declarar to declare
declararse to declare oneself
declinar to decline, go down; to diminish
decorado scene, scenery
decoro decorum, honor
decoroso, –sa honorable
decrépito, –ta decrepit
dedicar to dedicate
dedillo little finger
dedo finger
deducir to deduce
defender to defend
definir to define
definido, –da defined, definite
definir to define
definitivo, –va final
deformar to deform
deformarse to become deformed
deglutir to swallow
degollado, –da slaughtered
degollar to cut in the throat, slaughter
dejar to leave; to let; to get
  dejar de to stop, cease

dejarse (+ *inf*) to allow oneself to
dejo accent, drop in the voice
delantal *m* workman's apron
delante before, in front
delantero, –ra front
delatar to divulge
deleite *m* delight
delgado, –da thin, slender
deliberado, –da deliberate
deliberar to deliberate, think
delirante delirious
delirio delirium
delito crime
demandar to demand
demás rest of the
  los demás the others, the rest
demasiado too much
demiurgo demiurge, gnostic deity who created the world
demoledor, –dora destructive
demostrar to demonstrate
denodado, –da brave, daring
dentadura denture, set of teeth
dentífrico, –ca dental
  pasta dentífrica toothpaste
dentro within
  dentro de within
denudar to denude, lay bare
deparar to provide
departamento apartment
depender to depend
dependiente dependent
  dependiente a dependent on
deporte *m* sport
deprimente depressing
derecho right
derecho, –cha right, righthand
derramar to spill; to lavish, waste; to spread
derredor *m* circumference
  en derredor around
derretido, –da madly in love
derretir to enter
derribar to demolish
derrochador *m* squanderer
derrochar to squander

desacato contempt
desafiante defiant
desafiar to challenge
desafío challenge
desaforado rowdy, bully
desaforado, –da huge, colossal
desaforamiento expulsion
desagrado discomfort
desalmado, –da soulless, inhuman
desamparado, –da abandoned
desamparo abandonment
desangrar to draw the blood from
desaparecido, –da invisible
desaparecer to disappear
desarmar to disarm
desarraigado, –da uprooted
desarrollarse to take place
desarrollo unwinding;
    development
desatar to untie, break free
desatender to pay no attention to
desatinado, –da unruly, confused
desatinar to talk foolishly
desazón f displeasure
desazonado, –da annoyed
desbaratar to spoil, destroy
desbastar to polish, take off the
    rough edges
desbocado, –da flowing
descabellado, –da preposterous
descalzo, –za unshod, barefoot
descampado open place
descansar to rest
descanso peace, ease
descarnado, –da lean, bare
descaro impudence
descendencia descent
descender to descend, go down
descerrejar to shoot
descolgar to take down, pick up
descompuesto, –ta brazen
descomunal enormous
desconcertar to disconcert
desconfianza distrust
desconfiar to have no confidence

desconocer to be ignorant; to
    have nothing to do with
desconocido unknown person
desconocido, –da unknown; un-
    recognizable; dark
descorrido, –da rolled up
descoyuntar to get out of joint
describir to describe
descubrir to discover
desde from
desdén m disdain, contempt
desdeñado, –da scorned
desdeñar to scorn, disdain
desdeñoso, –sa scornful, disdainful
desdoblamiento unfolding
deseable desirable
desear to desire, wish
desechar to cast aside
desembarazar to clear
desembarazarse to free oneself
desembarazo ease, naturalness
desembarcar to disembark, go
    ashore
desembocar to flow, empty
desencadenado, –da unleashed
desencanto disenchantment
desenfreno unruliness
desengañar to disillusion
desengaño disillusionment
desentenderse to pretend igno-
    rance
desenterrar to unearth
desenvolver to unfold
desenvolvimiento development,
    result
deseo desire
desesperación despair
desestancar to open something
    stopped up; to stimulate
desfallecer to grow weak, faint
desfalleciente failing
desfallecimiento languor
desfile m parade
desgano boredom
desgarrador, –dora rending

desgarrar to rend
desgarrón *m* shred
desgracia misfortune; disgrace
  por desgracia unfortunately
desgraciado, –da unhappy, grace-
  less
desgranar to fall, drop
deshacer to wear away, go to
  pieces; to undo, set right; to put
  to flight
deshelar to melt, thaw
deshinchar to take down the
  swelling
desierto, –ta deserted, empty
designar to designate
designio design, purpose
deslastrar to remove the ballast
  from
desleal disloyal
desliar to untie
deslizar to glide, slide
deslumbrador, –dora dazzling
deslumbrar to dazzle
desmayo ebb
desmojorar to spoil
desmemoriado forgetful
desmesurado, –da disproportion-
  ate
desmoronar to wear down, immobilize
desnivel *m* different levels
desnudez *f* nudity
desnudo, –da naked, bare
desoír not to hear; to be deaf
  to
desolado, –da disconsolate
desorbitado, –da crazy
desorden *m* disorder
desordenado, –da disorderly, unruly, wild
despacio slowly
despacito very slowly
desparramar to squander, scatter
despavorido, –da terrified, frightened
despectivo, –va contemptuous

despecho spite, despair
despedazado, –da broken, ruined
despedir to get rid of, dismiss
despedirse to take leave
despejado, –da cloudless
despendio waste
desperdigado, –da scattered
despertar *m* awakening
despertar to awaken
despierto, –ta wide-awake
desplazamiento displacement;
  movement
desplegar to extend, spread out
desplomar to collapse
despojar to plunder, unclothe; to
  divest
despojo debris, rubbish
despojos *m pl* debris
desposar to marry
despreciable despicable
despreciado, –da despised,
  scorned
despreciar to despise, scorn
desprender to detach
desprendido, –da disinterested
despreocupado, –da relaxed,
  carefree
desprestigiado, –da disparaged
desprovisto, –ta devoid
después after; later
desquiciar to upset, unsettle
destacar to stand out
destemplado, –da unpleasant, dis-
  agreeable
destiñir to discolor
desterrado exile
desterrado, –da exiled
desterrar to banish, exile
destierro exile
destilar to exude
destinar to destine
destinatario recipient, addressee
destino destiny
destrozado, –da shattered
destrozar to shatter
destructor, –tora destructive

destruir to destroy
desvalido, –da helpless
desvanecer to vanish, disappear
desvanecido, –da invisible
desventura misfortune
desventurado, –da unhappy, unfortunate
desviado, –da astray, off the track
desviar to turn aside, ward off
detener to hold back, stop, detain
detenidamente thoroughly
detenido, –da lengthy
determinar to determine
detonación explosion
detrás behind
deuda debt
devocionario prayer book
devolver to return, give back; to put down
devorar to devour
día *m* day
  de día by day
diablo devil
dialéctico dialectic, language
dialéctico, –ca dialectical, logical
dialogar to talk, converse
diario, –ria daily
dibujar to draw
dibujo drawing
dictar to dictate, give
dicha happiness, luck
dicho, –cha said
dichoso, –sa happy, fortunate
diente *m* tooth
diferenciar to differ; to differentiate
difluir to flow away
difunto corpse
dignarse to condescend
digno, –na worthy
dilacerar to slash
dilapidar to squander
dilatado, –da vast, extended
dilatar to defer
diligencia errand

diluir to dilute
diminuto, –ta tiny
dinero money
dios *m* god
diosa goddess
dirigir to direct, manage
dirigirse to address oneself to; to go
discernir to discern
díscolo, –la mischievous, recalcitrant
discontinuo, –nua discontinuous
discordia discord, disagreement
discrepancia disagreement
discrimen *m* risk, hazard
disculpa excuse, apology
discurrir to invent
discutir to discuss
disfraz *m* disguise
disfrazado, –da disguised
disfrazar to disguise
disfrutar to enjoy
disgregar to disintegrate
disidencia dissidence, opposition
disimular to feign, make a pretense of
disipar to dissipate, disappear
disminución diminution
disparatado, –da absurd
disolver to dissolve
disparar to go off
disparate *m* piece of foolishness
dispare unlike
disponer to direct, order
disponerse to prepare oneself, get ready
disponible available, disposable
dispuesto, –ta ready, prepared
distendido, –da distended, relaxed
distinguir to distinguish
distinto, –ta different
distraerse to turn from
distraído, –da absent-minded, distracted
disuadir to dissuade

ditirambo lyric poetry
diurno, −na daily
divertir to amuse
dividir to divide
divinidades *m pl* pagan gods
divulgación popularization
doblegado, −da bent over, swayed
docente educational
dócil soft
doctrina teaching
dogal *m* noose
dolencia indisposition
doler to hurt, pain
dolido, −da grieved
doliente suffering, sorrowful
dolor *m* sorrow, pain; grief
dolorido, −da painful, disconsolate
doloroso, −sa pitiful, sorrowful
domador *m* horse tamer
dominante domineering
dominar to dominate
dominio domain; mastery; domi-
    nation
don *m* faculty, talent, gift
doncella maiden, virgin
donde *conj* where
dorado, −da golden
dormido, −da asleep, sleeping,
    dull, slow
dormir to sleep
dotado, −da endowed
dotar to endow
dramatizar to dramatize
dramaturgo dramatist
ductilidad easy drawing out
duda doubt
  sin duda beyond doubt
dudar to doubt
dueña madam; owner
dueño landlord, master; owner
dulce sweet
dulzaina dulcimer, musical in-
    strument
dulzaino, −na too sweet
dulzura sweetness

duradero, −ra lasting
durante during
durar to last, continue
duro, −ra hard, harsh

ebriedad inebriety
ebrio, −bria drunk
echado, −da thrown
echar to send forth, issue forth; to
    throw, emit; to throw out
echarse to stretch out
edad *f* age
edificar to build
edificio building, edifice
editar to publish
educar to educate
efectuar to take place
eficacia effectiveness
eficaz effective
efugio subterfuge
ejecutar to execute, perform
ejemplo example
ejercer to practice; to hold office
ejercicio exercise
ejercitar to practice
ejército army
elaborar to fashion
elástico, −ca elastic, supple
electivo, −va chosen
elegir to elect, choose
elevado, −da sublime
elevador *m* elevator
emanar to emanate
emancipar to emancipate, liberate
embanderar to bedeck with flags
    or banners
embarazo timidity
embarcar to embark
embaucar to deceive
embelesarse to be charmed
embeleso delight
embestir to charge, attack
emborrachar to get drunk
embotar to weaken

embriagado, –da intoxicated, enraptured

embriagar to intoxicate, enrapture

emerger to emerge

emigrar to emigrate

emisor *m* transmitter

emoliente soothing

empañado, –da misty, blurred

empañar to tarnish

empapar to soak, saturate, drench

emparentar to become related by marriage

empavesar to bedeck with flags

empecinado, –da stubborn

empellón *m* shove

empeñado, –da determined

empeñarse to insist, persist

empeño determination, obligation

empero but, however

empezar to begin

emplazamiento location, site

empleado employee

emplear to use

empleo employment, job

emprobecido, –da impoverished

emponzoñado, –da poisoned

emponzoñar to poison

emprendedor, –dora enterprising

emprender to undertake

empresa enterprise, undertaking

empujado, –da pushed, shoved

empujar to push

empuje *m* energy, enterprise

empujón *m* push

  a empujones roughly

enajenado, –da transported

enamorado lover

enamorar to enamor

enano dwarf

enardecer to inflame, excite

enardecimiento excitement

encabezado, –da drawn up

encadenado, –da chained

encadenar to chain, put in chains

encajar to clasp (as hands in an

introduction); to let go; to insert, fit

encaminar to set on the way

encandilado, –da stiff, erect

encanecido, –da gray-haired

encantamiento charm, delight

encantar to enchant

encanto delight, charm

encarar to face, come face to face

encarcelar to jail, imprison

encargarse (de) to take charge of, undertake to

encarnar to become incarnate, become embodied

encauzarse to direct

enceguecedor, –dora blinding

encender to ignite; to light (as a flame)

encendido, –da glowing, inflamed

encerrar to contain; to encircle; to enclose

encía gum

encierro retreat, confinement

encima besides, in addition; on top

  por encima de on top of

enclaustrado, –da cloistered

encoger to shrink

  encogerse de hombros to shrug one's shoulders

encogimiento shrinking

encomendar to entrust

encono rancor, ill will

encontrado, –da contrary, hostile

encontrar to find

encubrir to hide, conceal

enchapado veneer, overlay

endiosar to deify

endulzar to soften

endurecer to harden, endure

enemistad enmity

enérgico, –ca energetic

enfermedad disease, sickness

enfermizo, –sa sickly, unhealthy

enfermo sick person, patient

enfermo, –ma sick

enfrascarse to become entangled, become involved
enfrentar to confront
enfrente in front, opposite
enfurecido, –da enraged
engañado, –da appealing
engañar to deceive
engaño deceit
engarruñado, –da shriveled
engendrar to engender, beget
engendro offspring
engrosar to swell
engullir to gulp down, swallow
enhebrar to rattle off
enjuagar to rinse
enjugar to dry, wipe
enloquecido, –da driven crazy
enlutado, –da dressed in mourning
enlutar to dress in mourning
enmarañar to become confused
enmascar to mask, disguise
enmascarado, –da masked
enojar to anger
enojoso, –sa bothersome
enredar to entangle
enriquecer to enrich
enrojecer to blush
enrollado, –da unrolled
enroscado, –da coiled
ensanche *m* widening, extension
ensangrentado, –da bloody, blood-stained
ensayar to try
enseñar to teach; to show
ensimismado, –da lost in oneself
ensimismar to lose oneself, become absorbed in thought
ensombrecer to darken, cloud over
ensoñación dreaming
ensordecer to deafen
ensordecido, –da deaf
ensueño dream, daydream
entender to understand
entendimiento understanding

enterarse to find out
enternecerse to be moved to pity
entero, –ra entire, whole, complete; altogether
enterrar to bury
entonces then; and so
entornado, –da half-closed, ajar
entorpecerse to become numb
entrada entrance
entraña internal part, inside
entrañar to contain, involve
entrañas *f pl* entrails
entrar to enter, come in; to bring in
entre between, among
entrecortado, –da broken, intermittent
entrega delivery, surrender
entregar to surrender; to deliver
entregarse to devote oneself; to surrender
entrenamiento training
entresueño half dream
entretanto meanwhile
entretejer to interweave
entretenerse to amuse oneself
entreverado, –da intermingled
entreverar to intermingle
entrever to glimpse
entuerto wrong, injustice
entusiasmar to enthuse
entusiasta enthusiastic
envainar to sheathe
envenenador, –dora poisoner
enumerar to enumerate
enviar to send
envidia envy
envolver to surround
enzarzado, –da involved
epistolar epistolary, carried on by letters
epizootia epidemic
epopeya epic, epic poem
equilibrio balance, equilibrium
equipar to equip

equivaler   to be equivalent to
equívoco, –ca   equivocal, ambiguous
erguido, –da   standing up
erguir   to straighten up
erigir   to erect, elevate
erogación   charity; distribution
errante   wandering
erre   the letter *r*
esa   *see* ese
escala   scale
escalera   stairs, stairway
escalerilla   torture rack
escalinata   stone step
escalofrío   chill
escalón *m*   step
escandalizado, –da   outraged
escándalo   scandal, shameful conduct
escapar   to escape, run away
escaparate *m*   show window
escapulario   religious badge
escarbar   to dig into
escarnecidamente   mockingly
escaso, –sa   scarce, few
escena   scene; incident; stage
escenario   stage, setting; background
escénico, –ca   scenic
escenografía   scenography
escindir   to split
esclavo   slave
Escocia   Scotland
escoger   to choose, select
escolar   school, scholastic
escombros *m pl*   rubbish, debris
esconder   to hide
escondido, –da   hidden
escopeta   shotgun
escorzo   foreshortening
escribanía   clerkship
   protocolo de escribanía   red tape
escribir   to write
escrito, –ta   written
escritor *m*   writer

escritura   writing
escuadrón *m*   military squadron
escuálido, –da   emaciated
escuchado, –da   heard
escuchar   to listen
escueto, –ta   bare
escupir   to spit
ese   the letter *s*
ese, esa *dem adj* (*pl* esos, esas)   that (*pl* those)
esfera   sphere
esfuerzo   effort, spirit
esfumarse   to fade away
esguince *m*   evasion
eslabón *m*   link
eslavo, –va   Slav
esmirriado, –da   lean
eso *dem pron*   that
espacial   spatial
espacio   space
espaciosísimo   extremely spacious
espada   sword, dagger
espalda   back
   dar de espaldas   to lean against
   de espaldas   back turned toward the front
espantadizo, –za   shy
espantado, –da   frightened
espantar   to frighten
espanto   fight, terror; threat
espantoso, –sa   awful
esparcimiento   relaxation, diversion
especie *f*   species, kind
espectáculo   spectacle; scene
espectro   ghost, phantom
espejo   mirror
espera   wait, waiting; hope
   sala de espera   waiting room
esperanza   hope
esperar   to wait; to hope
espeso, –sa   thick
espía   spy
espiar   to spy, spy on
espina   spine, thorn
espionaje *m*   espionage

espíritu *m* spirit

espléndido, –da splendid, magnificent

espolear to spur, incite

esponja sponge

esposa wife

espuela spur

espuma foam

espurio, –ria spurious, false, not genuine

esqueleto skeleton

esquema scheme

esquina corner

esquivar to dodge

esta *see* este

estable steady, permanent

establecer to establish

establecimiento place of business

estacado, –da staked

estación season

estadista *m* statesman

estado state, condition

estallar to explode; to break out

estancia country place

estampar to fix

estancarse to stagnate

estandarte *m* standard, banner

estanque *m* pool, pond

estar to be; to be in

estático, –ca static

estatua statue

este *m* east

este, esta *dem adj* (*pl* estos, estas) this (*pl* these)

éste, ésta *dem pron* (*pl* éstos, éstas) this one (*pl* those ones)

estelar stellar

estera matting

estéril sterile, futile

esterilizarse to become sterile

estilizado, –da stylized

estilo style

estimular to stimulate

estímulo stimulus

estirón *m* jerk

  a estirones by tugging

estirpe *f* pedigree

esto *dem pron* this

estorbo hindrance, annoyance

estrangular to strangle, choke

estrategía strategy

estrecho, –cha narrow; close, intimate

estrella star

estrellar to shatter

estremecer to shake

estrepitoso, –sa noisy, boisterous

estribar to lean down

estropear to spoil

estruendoso, –sa uproarious, crashing

estrujado, –da crushed, pressed

estudiar to study

estudio study

estulto, –ta foolish

estupefacto, –ta stupefied

estupor *m* amazement, surprise

etapa stage

etilismo alcoholic drunkenness

euforia buoyancy

enloquecer to become bare

evitar to avoid

exacerbar to exacerbate

exaltar to exalt

examen *m* examination

examinar to examine

exánime lifeless

exasperar to exasperate

exceder to exceed

excelso, –sa sublime

exclamar to exclaim

excluído, –da exclusive

excluir to exclude

excusar to excuse

execración execration, curse

exhalar to exhale, breathe forth

exhibir to exhibit

exigencia demand

exigir to demand

existir to exist

éxito success

expansividad expansiveness
expectativa expectancy
expender to sell at retail
experimentar to experience
explicar to explain
explorar to explore
explotar to explode
exponer to expound
exponerse to expose oneself
expresar to express
exprimir to wring out
expulsado, –da expelled
expulsar to expel
extender to extend
extenuarse to tire oneself
extramuros outside the town
expediente *m* expedient
exterior outside
extinguido, –da extinguished
extraerse to be extracted
extranjero foreigner, stranger
extranjero, –ra foreign
extrañado, –da surprised
extrañar to be surprised at
extrañeza wonder
extraño, –ña foreign, strange
extravagante strange; wild
extraviar to lead astray
extremar to carry to the limit
extremo end
extremo, –ma extreme

fábrica factory
fabricar to fabricate, make, manufacture
fábula fable, story, tale
facción feature
facilidad *f pl* facilities, means
facilitar to facilitate
fachada façade
faena task, job
falansterio phalanstery, building or set of buildings occupied by a socialistic community; provincialism
fálico, –ca phallic

falsía falsity, treachery
falta lack; fault, misdeed, mistake
  hacer falta to lack
faltar to be missing, lacking; to need, be in need of
fallar to fail, miss
fallecer to die
fama fame; rumor
  es fama it is rumored
famélico, –ca famished
fanega fanega, about 1½ bushels
fanfarronería bragging, showing off
fango mud
fantasma phantom, ghost
farol *m* lantern, street lamp
fascinado, –da fascinated
fase *f* phase
fastidiado, –da bored
fastidio annoyance
fastos *m pl* annals
fatídico, –ca fateful
fatiga fatigue, hardship
fatigado, –da fatigued, worn-out
fatigar to tire, fatigue
fatigarse to get tired
fauces *f pl* narrow passage from the mouth to the pharynx
fauno faun
fe *f* faith
febril feverish
fecundar to make fruitful
fecundo, –da fecund, fruitful
fecha date
fehaciente authentic
feliz (*pl* **felices**) happy
femenil feminine
feo, –a ugly
feria agreement
feroz (*pl* **feroces**) ferocious
ferrocarril *m* railroad
  ferrocarril aéreo elevated railway
  ferrocarril de vapor steam railway
ferroprusiato ferrocyanide

festín *m* feast, banquet
fétido, -da fetid, foul
feto fetus
feudo fife
fiarse to trust
fibra fiber
ficticio, -cia fictitious
fidelidad fidelity
fiebre *f* fever
fiel faithful
fiera wild animal; fiend
fierro iron
fiesta feast, festivity
figurar to figure, depict; to imagine
fijación fixation
fijar to fasten; to establish, fix
fijo, -ja fixedly; fixed
fila row, file, rank
  ponerse en fila to line up
filiación relationship
filigrana delicacy
filo edge
filtrar to filter
filtro spring, well
fin *m* end, purpose
  al fin finally
final *m* end
finalidad end, purpose
finar to die
fingido, -da pretended
fingir to pretend
fingirse to pretend to be
finiquitar to settle, wind up
fino finesse
fino, -na fine
finura excellence, fineness
firme solid, unswerving, steady
firmeza firmness
fisionomía countenance, face
flaco, -ca thin, weak
flagelar to whip
flamante bright, brand-new
flameado, -da to flame; to wave
flamear to flutter
flanco side

flaqueza weakness
flauta flute
flecha arrow
flojedad weakness, limpness
flojera weakness
flojo, -ja limp
flor *f* (*pl* **flores**) flower
florido, -da flowery
fluir *m* flow
fluir to flow
fogata bonfire
fogonazo powder flash
fomentar to promote, encourage
fondo depth, rear, back
  en el fondo at bottom
forastero stranger
forcejear to struggle
forjar to forge, build
formar to form
formarse to form, develop
fornicar to fornicate
fornido, -da robust
fortaleza fortitude, strength
fortuito, -ta lucky
fortuna fortune
  por fortuna fortunately
forzado, -da forced
forzar to force
fósforo match
fotograbado photoengraving
fotografía photography
frac *m* dress coat
fracasar to fail; to break to pieces
fracaso failure
fragancia fragrance
francés, -cesa French
Francia France
franco, -ca frank, candid
franela flannel
franquear to cross over
franqueza frankness
frase *f* phrase, sentence
fraternidad brotherhood
frazada blanket
frenesí *m* frenzy
frenético, -ca frenetic, fanatic

freno brake, restraint; bit, bridle
frente *f* brow, face, front
  frente a in front of
fresca fresh air
  fresca rompiente breakers, surf
fresco air
fresco, –ca cool, fresh
frescura freshness, calmness
frío, –ría cold, chill
frizo frieze
frontera frontier
frotar to rub, brush
fructificar to make fruitful, fertilize
fruición fruition, gratification
frustrarse to be frustrated
fruta fruit
fruto fruit
fuchsina dye that turns bright red
  in solution
fuego fire
fuente *f* fountain
fuera out, outside
fuerte strong
fuerza force, strength
fuga flight; ardor
fugacidad evanescence
fugaz fleeting, transitory
fulgor *m* brilliance, splendor
fulgurar to flash
fulminado, –da struck suddenly
  dead
fulminar to hurl
fumar to smoke
funcionar to function
fundador *m* founder
fundamento foundation
fundar to found
fundirse to fuse
fúnebre funereal
funerario, –ria funeral
furtivo, –va furtive, stealthy, sly
fusil *m* gun, rifle
fusilar to shoot, execute

gablete *m* gable
gajo branch

galante gallant
galantina dish of cold boned meat
galería gallery
galope *m* gallop
gallina hen
gama doe
gamonal *m* tycoon, political boss
gana desire
  tener ganas de to feel like
ganado cattle
ganar to gain, win; to take over
gancho hook
garganta throat
garra claw, talon
garraspear to be hoarse
gastar to spend
gatillo trigger
gavilla gang
gemido moan, groan
gemir to groan
generalizar to generalize
genérico, –ca indefinite
género type, quality, genre
genio disposition, genius; character; temper
gente *f* people
geómano geomancer, one who di-
  vines things by means of lines
  or figures
gerente *m* manager
germano brother-German
gesticular to gesture
gesto gesture; face, appearance
gigante *m* giant
girar to rotate; to gyrate, revolve
globo globe, lampshade
glorificar to glorify
glutinoso, –sa sticky
gobernación government,
  territory
gobernador *m* governor, ruler
gobernante *m* ruler, governor
gobernar to govern
gobierno government
goce *m* enjoyment, pleasure
golosina tidbit, delicacy

golpe *m* glow
  de golpe   suddenly, all at once;
  sudden
golpear   to beat
goma   glue
gordo, –da   fat
gorra   cap
gota   drop
gotear   to drip
gótico, –ca   Gothic
gozar   to enjoy, possess
gozo   rejoicing, joy
grabar   to engrave, cut
gracia   grace
grada   step
grado   grade, degree
gran   big; great
granate *m*   garnet
grande   big, huge
grandeza   grandeur
grandísimo, –ma   extra large
grandor *m*   size
granito   little grain
grano   grain
gratis   free
grave   solemn; majestic; serious
gravear   to rest
gravitante   gravitating, settling
gravitar   to move toward each
  other
Grecia   Greece
griego, –ga   Greek
grieta   crevice
gringo   North American
gris   gray
grita   shout
gritar   to shout
grito   shout
grosero, –ra   rude, coarse
grotesco, –ca   grotesque
grueso, –sa   heavy, stout
guarangada   bad manners
guarango   incivility
guardar   to guard, keep
guarnecido   plaster
guerra   war

guiar   to guide, lead; to drive
guirnalda   garland, wreath
guisa   way
  a guisa de   in the manner of
guitarra   guitar
gula   gluttony
gusano   worm, maggot
gustar   to like
gusto   taste; pleasure
gustoso, –sa   pleasant

haber *m*   salary, wages; credit
haber   to have (*aux*); there to be
hábil   skillful, capable
habilidad   ability, skill
habitante *m*   inhabitant
habitar   to inhabit, live in
hábito   habit
habituado, –da   habituated
habla   speech
hablar   to talk, speak
hacedero, –ra   feasible
hacedor *m*   steward, manager
hacer   to make, do
  hace   ago
  hacer falta   to lack
hacerse   to become
hacia   toward
hacienda   ranch
hacha   axe
hachazo   blow of an axe
hada   fairy
  cuento de hada   fairy tale
halagar   to attract, flatter
halagos *m pl*   flattery
hálito   breath; breeze
hallar   to find
hallazgo   discovery
hamaca   hammock
  sillón de hamaca   rocking chair
hambre *f*   hunger
hambriento, –ta   hungry
harapo   rag
hasta   until; even
hastío   nausea; boredom
hazaña   deed, exploit

hebdomadario, –ria weekly
hebra thread, fiber
hechicera witch, sorceress
hechizado, –da bewitched
hecho deed, act
hectárea hectare, about 2½ acres
helada *f* frost, freeze
helar to freeze
hembra female
henchido, –da heaped
hendija crack, split
hercúleo, –lea herculean, strong
heredado, –da inherited
heredar to inherit
hereje *m f* heretic
herejía heresy
herencia heritage, heredity; inheritance
herida wound
herido wounded person
herido, –da wounded
heridor, –dora wounding, pricking
herir to injure; to strike, beat; to touch, move
hermana sister
hermanar to become brothers
hermano brother
hermético, –ca impenetrable
hermoso, –sa beautiful
hermosura beauty
herramienta tool
herrumbrar to rust
herrumbroso, –sa rusty
herridero swarm
hidalgo nobleman
hiel *f* sorrow
hierro iron
hígado liver
higo fig
higuera fig tree
hijo son, child
hilo filament; thin stream
himno hymn
hincarse to kneel down

hiperbólico, –ca exaggerated in order to impress
hiperestesia hyperesthesia, state of morbidly increased sensibility
hipógrifo mythical winged horse
hipoteca mortgage
hipotecario, –ria mortgage
hirsuto, –ta bristly
historia history, story
historiador *m* historian
hogar *m* home, household
hoja leaf
holgadamente comfortably
holgado, –da loose, full
hollar to tread upon
hombre *m* man
  hombre de color Negro
hombro shoulder
homenaje *m* homage
honda slingshot
hondo, –da deep
honra honor
honrado, –da honorable
honroso, –sa honorable
hora hour; time
horca gallows
horcajadas astride
  a horcajadas astride
horizonte *m* horizon
hormiga ant
hormiguero anthill
horrorizado, –da horrified
horrorizar to horrify
hostigar to harass
hoy *m and adv* today
  hoy por hoy up to now, at the present time
hoz *f* sickle
hueco hole
hueco, –ca hollow, pompous
huérfano orphan
huerto garden
hueso bone
huésped *m* guest
huír to flee

humareda cloud of smoke
humear to smoke; to steam
humedad dampness
humedecer to soak
humedecido, –da soaked, wet
húmedo, –da damp, wet
humilde humble
humillante humiliating
humillar to humiliate; to humble
humillarse to grovel
humo steam, fume
hundir to plunge, sink
hundirse to sink, disappear; to collapse
hurañía shyness, diffidence
hurra hurrah

ida trip
identificar to identify
idioma tongue, language
idéntico, –ca identical
idiotismo idiocy
iglesia church
ignorado, –da unknown
ignorar not to know; to ignore
ignoto, –ta unknown
igual equal, same
igualar (a) to be equal (to)
ilimitación limitlessness
iluminado, –da enlightened
iluso, –sa deluded
ilusorio, –ria illusory
ilustrar to illustrate
ilustre illustrious
imagen *f* image
imaginar to imagine
imantación magnetization
imbuir to imbue
imitar to imitate
impar odd
impartir to impart; to distribute
impasiblemente impassively
impedir to prevent
imperar to rule, reign

imperecedero, –ra imperishable, undying
imperar to prevail
imperio empire, dominion; command
imperioso, –sa imperative, imperious
impío, –pía impious
implacable implacable, not to be moved
implantar to implant
implicar to imply
implorante imploring
implorar to implore
impolítico, –ca impolite
imponente imposing
imponer to impose
importado, –da imported
importar to import; to be important
imposibilitado, –da unable
imposibilitar to make unable
impostación fraud
imprecar to imprecate, scold
impregnar to impregnate
impreso, –sa printed
imprevisible unforeseeable
imprevisto, –ta unforeseen
improvisar to improvise
impulsar to impel
impuntualidad unpunctuality, lateness
inamovible undetachable
inacabable interminable
inaudito, –ta unheard of, extraordinary
incantación chant
incapacidad incapacity, inability
incapaz incapable, incompetent
incendiado, –da burnt
incendio fire, conflagration
incesante incessant, continuous
incitación stimulation
incitar to incite
inclinar to incline, bend

inclinarse to bow
inclusive including
incomodidad discomfort
incómodo, –da uncomfortable
incomprobable unverifiable
inconexo, –xa incoherent
inconfundible unmistakable
incongruencia incongruity
inconmensurable having no common measure
inconmovible firm, lasting
inconsciencia thoughtlessness
inconsciente unaware
incontable countless
incontestado, –da unanswered
incontrastable invincible
incorporar to incorporate, embody
incorporarse to sit up
incrédulo, –la incredulous, unbelieving
increíble incredible
increpar to rebuke
incrustarse to be impressed, engraved
íncubo evil spirit thought in medieval times to have sexual intercourse with sleeping women
inculto, –ta uncultivated, uncultured
incurrir to become liable; to commit
  incurrir en to commit to, write in
indecible m unutterable
indefinido, –da indefinite, vague
indemne undamaged
indescifrable indecipherable
indicar to indicate
índice m index finger
indicio indication
indígena native
indígeno, –na indigenous, native
indignado, –da angered
indignar to anger
inducir to induce

indudable indubitable, certain
indumentaria garb
indumento clothing
inejemplar unparalleled
inerte inert; slow, sluggish
inescrutable inscrutable
inesperado, –da unexpected; unforeseen
inestabilidad instability
infaltable infallible
infame m evil
infamia infamy
infancia infancy, childhood
infante m infant; infantryman
infantil infantile; children's
infatigable indefatigable
infelicidad misfortune
infeliz m wretch, underprivileged one
inferir to infer
infiltrar to infiltrate
influjo influence
informado, –da informed
infractor m violator
infructuosidad unfruitfulness
infundir to instill
infusión introduction of a solution into a vein
ingenio talent
ingenioso, –sa ingenious
ingénito, –ta innate
ingenuo, –nua ingenuous, artless; candid, naive
inglés, –lesa English
ingreso entrance
inhábil incompetent, unfit
inhibir to inhibit
iniciar to initiate
inicuo, –cua iniquitous, sinful
injertar to graft
injerto grafting
injurioso, –sa insulting, abusive
inmaculado, –da immaculate, pure
inmerso, –sa immersed
inmóvil motionless

inmovilizar to immobilize
innoble ignoble
inope habitually without money
inquietar to disquiet, disturb
inquieto, -ta restless
inscribir to enroll
insensato fool
insensato, -ta foolish
insepulto, -ta unburied
insertar to insert
inservible useless
insidia plotting
insinuante crafty, engaging
insistir to insist
insobornable not capable of being
  bribed
insólito, -ta unusual, unaccus-
  tomed
insospechable unsuspected
inspirar to inspire
instalado, -da settled
instalar to install
instigar to instigate
instruir to instruct
instrumento tool
ínsula island
insultar to insult
integrar to integrate
integridad completeness, entirety
íntegro, -gra whole, complete
intelecto intellect
intención intention; caution
intentar to try, attempt; to intend
intento intent, purpose
interesar to interest
interior inner
internar to commit
interpolar to interpolate
interponer to interpose
interrogante questioning
interrumpido, -da interrupted
interrumpir to interrupt
intervalo interval, interruption
intervenir to intervene
intimidad intimacy
intocable untouchable

introducir to introduce
intruso intruder
intuir to intuit
inundado, -da flooded
inundar to flood
inusitado, -da unusual
inútil useless
invadir to invade
inventado, -da invented
inventar to invent
inverosímil odd, unreal
invicto, -ta unconquered
invierno winter
invitado guest
invocar to invoke
inyectarse to become congested
ir to go
  ir y venir going and coming
ira wrath
irlandés, -sa Irish
irlandesa Irish woman
ironía irony
irónico, -ca ironic
ironista *m f* ironist
irrecuperable irrecoverable
irreductible irreducible
irrisorio, -ria ridiculous
irrumpir to burst in, invade
irse to go away
isla island
isocronía regularity
isócrono, -na regular
izar to hoist, raise
izquierdo, -da left

jabón *m* soap
jaca pony
jadeante out of breath
jamás never, ever
jamón *m* ham
jardín *m* garden
jarra pitcher
jaula cage, open car
jefe *m* chief
jerarquía hierarchy
jerárquico, -ca hierarchic

jerez *m* sherry
jinete *m* rider, horseman
jirafa giraffe
jirón *m* shred
jocundo, -da jocund, gay
jornada undertaking; battle; day
jornal *m* wage
jorobado, -da hunchbacked
joven *m* youth
joya jewel
jubilarse to retire
júbilo jubilation
judas effigy of Judas Iscariot
juego game; play
juez *m* judge
jugada play
   mala jugada dirty trick
jugar to play
jugo juice
juicio judgment
juntar to join
junto, -ta united; next
      en junto all together
juntos, -tas together
jurar to swear
jurídico, -ca juridical
justificar to justify
justo, -ta just
juventud *f* youth
juzgar to judge

kiosko stand; summerhouse

laberinto labyrinth
labio lip
   labio inferior lower lip
labrador *m* farmer, peasant
labrar to work, plow
lacra fault, defect
lacustre lake
lado side; room, space
   de lado aside
ladrido bark, barking
ladrillo brick, tile

ladrón *m* thief
lago lake
lágrima tear
lámpara lamp, vacuum tube
lánguido, -da languid, dull, listless
lanza lance
lanzar to fling, hurl; to launch;
   to release
lanzón *m* short and thick dagger
largamente for a long time
largo, -ga long
   a la larga in the long run, in the
      end
   pasar de largo to pass by with-
      out stopping; to be indifferent
lascivo, -va lewd
lástima pity, shame
   qué lástima what a shame
lastimar to offend, bruise
lastre *m* ballast
lateral side
látigo whip
latinista person who understands
   Latin
latir *m* beat, throb
lavandera washwoman
lavar to wash
laxitud *f* slackness
lazo bond
lección lesson
lectura reading
leche *f* milk
lecho bed
lechón *m* pig
leer to read
legra scraping
legua league; measure of distance
   varying from about $2\frac{1}{2}$ to $4\frac{1}{2}$
   miles
lejanía distance
lejano, -na distant, remote, far
lejos far
   de lejos from a distance
   desde lejos from a distance

lengua tongue, language
lenguaje *m* language
lenocinio pandering
  casa de lenocinio whorehouse
lento, –ta slow
lepra leprosy
letargo lethargy
letra letter; handwriting
letrado lawyer; man of letters, pedant
letrado, –da lettered, learned
letrero sign, label
levadura leavening, yeast
levantado, –da sublime, proud
levantar to raise; to rouse, agitate
levantarse to get up; to lift
levita frock coat
léxico vocabulary
ley *f* law
leyenda legend
libar to suck; to taste
libertad liberty
libertador, –dora liberating
libertar to liberate, set free
libertinaje *m* libertinism
libra pound
librar to free, save
libre free
  al aire libre in the open air
librería library
libro book
licenciar to confer a degree on, discharge
lícito, –ta licit, just
licor *m* liquor
lid *f* fight, combat
lienzo curtain, canvas
ligado, –da tied, bound
ligar to tie, bind
ligero, –ra light
limbo edge, oblivion
limitar to limit
limosna alms
limpia cleaning
limpiar to clean

limpidez *f* limpidity, clarity
linaje *m* lineage; class
lindante adjoining
linón *m* lawn, fine sheer linen or cotton fabric
lira lyre
liso, –sa plain, flat
listo, –ta ready
literato literary person
liviano, –na fickle, trivial; light
lívido, –da ashy pale
lobo wolf
localizar to locate
loco, –ca mad, wild
locura madness, folly
lodo mud
lograr to produce; to get; to succeed
loma low hill
lomo back (of an animal)
Londres *m* London
loor *m* praise
lúbrico, –ca lewd, slippery
lucerna chandelier
lucidez *f* lucidity; keenness
lucha fight, struggle
luchar to fight, quarrel
lucir to display
ludibrio scorn, derision
luego then
  luego que as soon as
lugar *m* place
lúgubre gloomy
lujo luxury
lujoso, –sa ostentatious
lujuria lust; sensuality
lumbrada blaze
lumbre *f* fire
luminaria altar light
luna moon
  media luna a tango step
lupanar *m* brothel
lustro period of five years
luz *f* (*pl* **luces**) light
  cono de luz spotlight

llaga   sore, source of pain
llama   flame
llamada   bell, ring
llamar   to call
llamarada   flare-up, outburst
llamarse   to be called
llanero   plainsman
llano   plain
llano, –na   plain
llanto   weeping, crying
llanura   plain
llave f   key
llegar   to arrive, come
llenar   to fill
llenarse   to fill up
lleno, –na   full
llevar   to bear; to lead; to carry;
   to wear; to have been
llevarse   to get along
llorar   to cry
lloroso, –sa   weeping, sad; tearful
llover   to rain
llovido, –da   rained upon
lluvia   rain
lluvioso, –sa   rainy

macizo   massive; solid
machete m   large knife
madera   wood, wood panel
madre f   mother
madrigal   lyric
madrileño, –ña   of Madrid
madrugada   dawn
madurez f   maturity
maduro, –ra   mature; full, high
maestro   master, teacher
magia   magic
mágico, –ca   magical
magno, –na   great
mago   wizard
mago, –ga   magical
maíz m   corn
majestuoso, –sa   majestic
mal m   badness, evil
mal   hardly, scarcely; bad

malacate m   yoke, primitive horse-
   powered hoisting machine
maldad   evil, badness
maldecir   to curse, damn
   maldecir de   to slander, speak
   ill of
maldito, –ta   wicked, damned
malestar m   malaise, indisposition
malgastar   to waste
malhumor m   ill humor
maligno, –na   evil, unkind
malo, –la   bad
malogrado, –da   wasted
malva   pale violet
malla   close-fitting knit shirt
mampara   folding screen, little door
mampostería   rubblework
manada   flock
manatial m   source, origin
manar m   flowing forth
mancebo   youth, young man
mancha   stain
manchado, –da   stained
manchar   to stain
mandamiento   order, command,
   commandment
mandar   to dominate; to order
mando   control, regime, command
mandoble m   sword slash
manejarse   to manage, handle oneself
manejo   management
manera   way, manner
manga   sleeve
manifestación   demonstration
manifestar   to manifest, demonstrate
maniquí m (pl maniquíes)   man-
   ikin
manjar m   food, dish
mano f   hand
manta   blanket
mantener   to maintain
manumisión   formal liberation of
   a slave

manzana   apple
mañana   morning; tomorrow
maquillar   to make up, paint
maquina   machine, typewriter
maquinar   to scheme
maquinaria   machinery
mar *m*   sea
maravilla   wonder, marvel
maravillar   to amaze
maravilloso, –sa   wonderful, marvelous
marca   notch
marcar   to mark; to stamp; to dial
marmóreo, –rea   marble
marchar   to march; to go, run
marea   tide
   marea creciente   flood tide
mareado, –da   nauseated
marfil *m*   ivory
margen *f*   edge
marido   husband
marinero   sailor
marino, –na   marine, sea
mariposa   butterfly
mármol *m*   marble
martillar   to hammer, strike
martillear   to hammer
mas   but
más   more; most
masa   mass
máscara   mask, masquerade
mascullar   to mutter
mástil *m*   mast, shaft
matar   to kill
mate *m*   maté, aromatic tea
materia   matter
materno, –na   maternal
matiz *m* (*pl* matices)   shade, nuance
matizar   to adorn
matrimonio   marriage; married couple
mayor   greater; greatest; oldest
mayormente   chiefly, mainly
mecido, –da   rocked

mediado, –da   half over
   a mediados de   about the middle of
mediano, –na   medium, middling
medianoche *f*   midnight
mediante   by means of, through
medición   measurement
médico   doctor
medida   measure
   a medida que   in proportion as
medio   means; middle; half
   a medio   completely
mediodía *m*   noon
medir *m*   measurement
medir   to measure; to figure
meditar   to meditate
mejor   better; best; highest
mejorar   to get better, improve
melena   long lock of hair
melificar   to make honey from
meloso, –sa   honeyed
mellizo   twin
memorioso, –sa   retentive, memorious
mencionar   to mention
menester *m*   need
   ser menester   to be necessary
menor   minor, less; youngest
menos   least; less
menosprecio   contempt
mentado, –da   famed
mente *f*   mind
mentido, –da   false, deceptive
mentir   to lie
mentira   lie
mercaderías *f pl*   goods
mercado   market
merced a   thanks to
merecer   to deserve, merit
merma   reduction
mero, –ra   mere; directly
mes *m*   month
mesa   table
meseta   plateau
mesocracía   middleclass

mestizo   halfbreed
metamorfosear   to metamorphose
meter   to put, start; to smuggle, butt in; to insert
meterse   to throw oneself into
metido, –da   smuggled, butted in
metífico, –ca foul
mezclar   to mix, blend, mingle
mezquino, –na   tiny, meager
miedo   fear
   tener miedo   to be afraid
miel f   honey
miembro   member
mientras   while, whereas
mies f   grain
mil m and adj (pl miles)   thousand
milagro   miracle
militar   to fight
milodonte m   type of extinct mammal
milla   mile
millar m   thousand
mimar   to pamper, indulge
mimo   pampering, indulgence
mimoso, –sa   indulgent
mina   mine
minorista   retail
minucioso, –sa   minute, meticulous
minutero   minute hand
mirada   glance, look
mirar   to look; to watch, consider
mirón m   onlooker
miserable   wretched
misericordia   mercy
miseria   misery
misérrimo, –ma   most miserable
misionero   missionary
mismo, –ma adj and indef pron   same; very; itself
   a uno mismo   at the same
   por lo mismo que   at the same time
misterioso, –sa   mysterious
mitad f   middle
   a mitad de   in the middle of
mitin m (pl mitínes)   rally

mito   myth
mnemotecnia   mnemonics, art of improving the memory
modelar   to form, shape
módico, –ca   moderate
modificar   to modify
modo   method, way
   de modo que   so that
modular   to intone
mojado, –da   wet, drenched
mojar   to wet
moldura   molding
molestar   to bother
molusco   mollusk
momentáneo, –nea   momentary
monarquía   monarchy
monárquico, –ca   monarchic
mondar   to peel
moneda   money
monstruo   monster
montaña   mountain
montar   to mount, get on
monte m   mountain
montera   cloth cap
montón m   pile, heap
morado, –da   purple
morar   to dwell
morder   to bite
moribundo, –da   dying
morir   to die
moroso, –sa   slow
mortificante   mortifying
mortificar   to mortify
mosca   fly
mostaza   mustard
mostrador m   counter, bar
mostrar   to show
mota   hair tuft
mover   to move
movilidad   mobility
movimiento   motion
mozo   waiter
muchacha   girl, maiden
muchacho   boy, youth
muchachuelo   boy, kid
muchedumbre f   crowd, multitude

mucho, **-cha** much
  por mucho que no matter how much
mudo, -da dumb, mute, voiceless
mueble *m* piece of furniture
mueca grimace
muelle *m* pier
muerte *f* death
muerto corpse
muerto, -ta dead; dull
muestra face
mugido moo; roar
mugiente roaring
mugir to roar, bellow
mujer *f* woman; wife
mula mule
multiplicar to multiply
mundano, -na mundane, worldly
mundo world
muñeco puppet, doll
muralla wall
murmullo murmur
murmuración gossip
murmurante murmuring
murmurar to murmur
muro wall
musa muse
museo museum
músico musician
muslo thigh
mutis *m* exit
mutismo silence
muy very

nacer to be born
nacido, -da born
naciente nascent, coming into existence
nacimiento birth
nada nothing
nadar to swim
nadie no one, nobody
naipe *m* playing card
nariz *f* nose
narrar to narrate
natal native

nativo, -va native, natural
naturaleza nature, disposition
nauseabundo, -da nauseating
navaja folding knife, razor
navegación sea voyage
náyade *f* naiad
nebiolo a wine
necesidad necessity
necesitar to need
nefasto, -ta ominous, tragic
negar to deny
negarse to refuse
negociante *m* businessman
negocio store
negro Negro
negro, -gra black
némesis *f* retribution
neoyorkino, -na New Yorker
ni neither, nor
  ni siquiera not even
nicho niche
niebla fog, mist; haze, confusion
nimbo nimbus, halo
ningún no, not any
ninguno, -na no, not any
niña girl
niñez *f* childhood
niño child, boy
niños *m pl* children
nítido, -da bright, sharp
nocivo, -va noxious, harmful
noche *f* night
  de noche at nighttime
nochero nightwatcher
nombrar to name
nombre *m* name
nopal *m* prickly pear cactus
norma standard, rule
norte *m* north
norteamericano, -na North American (from the United States)
norteño, -ña northern
notado, -da noted
notar to note, notice
noticia information; news
novedad novelty; news

novenario nine days worship
novia sweetheart
noviazgo engagement
nubarrón *m* storm cloud
nube *f* cloud
nudo knot
nuestro, –ra *poss adj* our
nuevo, –va new; unexplored
numen *m* inspiration; deity
numeración numbering
número number
nunca never
nutrido, –da nourished
nutrir to nourish

obedecer to obey
obispo bishop
obligar to obligate, oblige
obstinar to be obstinate
obra work
obrar to perform
obscuro, –ra obscure, dark
observar to observe
obstante standing in the way
　no obstante however; nevertheless
obstruído, –da blocked, obscured
obtener to obtain, get
obús *m* gun barrel, gun shell
ocasionar to cause
ocaso sunset
ocio idleness
ocote *m* torch pine
ocultar to hide, conceal
oculto, –ta occult, hidden
ocupar to occupy
ocurrencia witticism
ocurrente *m* wit
ocurrente witty
ocurrir to occur
oda ode
odiar to hate
odio hatred
odioso, –sa hateful
oeste *m* west
ofender to offend

ofertar to offer
oficio job
ofrecer to offer
ofrenda gift
ofuscar to confuse
oído ear
oidor *m* judge
oír to hear
ojo eye
ola wave
oler to smell
olor *m* odor
oloroso, –sa fragrant
olvidado, –da forgotten
olvidar to forget
olvido forgetfulness
ombligo umbilical cord, navel
ómnibus *m* bus
onda wave
ondular to wave, undulate
onza Spanish doubloon
opalina opal
operar to operate
oponer to juxtapose; to oppose
oportuno, –na opportune
opromido, –da oppressed
optar to choose, select
opuesto, –ta opposed, against; opposite
orbe *m* orb, world
orden *m* order
ordenación order, balance
ordenar to order
ordeñar to milk
orfandad orphanage, orphanhood
orfismo Orphism
organito hand organ
organizar to organize
órgano pipe organ
orgía orgy
orgullo pride
orientar to direct, guide
origen *m* origin
originar to originate
orilla shore
orillas *f pl* outskirts

orillero outskirts
oro gold
ortografía spelling
oscurecer to darken, become dark
oscuridad darkness
oscuro, –ra dark, gloomy
  a oscuras in the dark
ostentar to show, display
ostra oyster
otear to look down upon, pursue
otorgar to grant, confer
otro, –tra another, other
oveja sheep
overo blossom-colored horse

pábulo fuel
pacer to graze
paciencia patience
pacificado, –da peaceful
pactado, –da agreed
pactar to come to an agreement
padecer to suffer, endure
padre m father; parent
  Padre Nuestro Lord's Prayer
pagar to become fond of, accustomed to; to pay
página page
país m country
paisaje m landscape
paja straw
pájaro bird
pala shovel
palabra word
  palabra de pase password
paladar m palate
pálido, –da pale
palmada hand clap
paloma dove; pigeon
palpar to touch, feel
palpitar to palpitate, beat
palúdico, –ca marshy
pampa pampa, grassy plain
pan m bread
pandilla gang
pánico, –ca panicky
pantalón m trousers

pañuelo shawl; handkerchief
papel m paper: role
  papel de escribir writing paper
par m couple
  de par en par wide open
par like, similar
  a la par que at the same time that
  de par en par wide open
parada stop
  punto de parada bus stop
paradisíaco, –ca paradisiacal
paraíso paradise
paralizado, –da paralyzed
paralizar to paralyze
parapetado, –da fortified
parar to stop
pararrayo lightning rod, focal point
parecer to seem, appear
parecido, –da similar
pared f wall
pareja couple, pair
pariente m f relative
parir to give birth to
parisiense Parisian
parodiar to parody
párpado eyelid
parra grapevine
párrafo paragraph
parricida patricidal
parsimonia moderation
párroco parish priest
parte f part
  por todas partes everywhere
participar to participate
partido party
partir to leave
pasado past
pasar to pass, happen; to go; to suffer
pase m pass
paseante m f stroller
pasear to walk (a child); to walk up and down; to promenade; to pass by

paseo boardwalk; walk, stroll
pasionaria passionflower
pasividad passiveness
pasmoso, –sa astounding
paso pass; step
  abrir paso to open the way
  dar paso a to give way to
pasta paste; binding
pastar to graze
pastel *m* pastry
pasto pasture, grass, food
pastor *m* shepherd
pata foot, leg
patear to stamp
patente evident, clear
paterno, –na paternal
patético, –ca pathetic
patíbulo scaffold, gallows
patria country
patrimonio patrimony, heritage
patrón *m* patron saint
paulatino, –na gradual
pausado, –da deliberate
pausar to pause
pauta model, standard
paz *f* peace
peca freckle
pecado sin
pecador, –dora sinner
pecar to sin, go astray
pecera fish bowl
pechada thrust or charge of a horse
pecho chest; breast; courage
  entre pecho y espalda deep in the heart
pedantesco, –ca pedantic
pedazo piece
pedir to ask, ask for; to require, demand
pedrada blow with a stone
pegado, –da stuck, set
pegajoso, –sa sticky, contagious
pegar to cling; to beat
pejerrey *m* fish considered a great delicacy from Río de la Plata

pelado, –da plucked
pelar to pluck
pelea struggle, fight
pelear to fight
peligrar to be in danger
peligro danger
peligroso, –sa dangerous
pelo hair
pelotazo blow or hit with a ball
pelotón *m* platoon
pelviano, –na pelvic
pena pain, sorrow
penacho plume, tassel
penca pulpy leaf
pendenciero wrangler
pender to hang, dangle
penetrar to penetrate; to see through
penitencia penance
penoso, –sa arduous
pensador *m* thinker
pensamiento thought
pensar to think
penumbra semidarkness, halflight
peor worse, worst
pequeñez *f* smallness
pequeño, –ña little, small
pequeñuelo baby
percance *m* misfortune
percibir to perceive
percha hook, pole
perder to lose
pérdida loss, waste
perdido, –da lost
perdonar to pardon
perdurar to last, survive
perecedero, –ra perishable
perecer to perish
peregrinación pilgrimage
peregrinar to wander
peregrino, –na wandering
perenne perennial
perentorio, –ria abrupt
pereza laziness
perezoso, –sa lazy
perfil *m* profile

perfilado, –da delicate
periódico newspaper, periodical
perjudicar to prejudice, harm
perla pearl
permanecer to stay, remain
permitido, –da permitted
permitir to permit
pero but
perplejidad perplexity
perra bitch
perro dog
persa Persian
perseguido persecuted one
perseguidor, –dora persuant
perseguir to pursue, persecute
perseverante persevering
persistir to persist
persona person, self
personaje m personage, person
personas f pl people
perspicuo, –cua clear
pertenecer to pertain, belong
pértiga pole
perturbación upset
pesadilla nightmare
pesado, –da heavy; tiresome
pesadumbre f grief, sorrow
pesar m regret
pesar to weigh
  a pesar de in spite of
  pese a in spite of
pescado fish
pescador, –dora fisher
pese see pesar
peso weight
pestaña eyelash
peste f plague
pétalo petal
petate m mat
petimetre m dude, dandy
petrificado, –da petrified
pez m (pl peces) fish
pezón m nipple, teat
picado, –da perforated, pitted;
  cracked
picar to chop up, cut up

pícaro rogue
pico peak
picota pillory
pie m foot
  de pie standing
  en puntas de pie on tiptoe
  ponerse de pie to stand up
piedra stone
piel f skin
pierna leg
pieza piece; room
pilar m pillar
pingüe abundant
pino pine
pintado, –da painted
pintar to paint
pintarse to put on make up
pintoresco, –ca picturesque
pintura paint
piña cone
piropo flirtatious remark
pirueta pirouette
pisar to tread, set foot, step
piso floor
pistola pistol, gun
pisotón m tread
pistoletazo pistol shot
pitada whistle
pitar to whistle
piyama pajamas
pizarra slate
pizarrón m blackboard
pizca bit, mite
placa plaque
placentero, –ra pleasant
placer m pleasure
placidez f placidity
planchado pressing
planchadora ironer, person who
  takes in ironing
planilla list, roll
plano plan
  de plano clearly
planta plant; floor
plañir to wail
plata silver

plátano   banana
platea   orchestra
plateado, –da   silver-colored
plática   talk, chat
playa   beach
plazo   time limit, term
plazuela   small square
plegaria   prayer
plenitud   fullness; abundance, sufficiency
pleno, –na   full
  en día pleno   in broad daylight
  en pleno   at the height of
pliegue *m*   fold
plomizo, –za   lead colored
pluma   pen; feather
plusvalía   increased value
población   population, town, village
poblado, –da   populated, inhabited
poblar   to populate, settle
pobre   poor
pobrecito, –ta   poor little thing
pobreza   poverty
poco, –ca   little, few
poder *m*   power
poder   to be able; to have strength
poderío   power
poderoso, –sa   powerful
podrido, –da   rotten, putrid
poesía   poetry, poem
polilla   moth, ravager
polímito, –ta   patchwork
política   politics
político   politician
póliza   contract
polvareda   cloud of dust
polvo   dust
polvoriento, –ta   dusty, powdery
pomo   flask
ponderar   to ponder
poner   to put on; to put, set; to place; to hitch

poniente *m*   west; setting (of the sun)
populoso, –sa   crowded
pordiosero   beggar
pormenor *m*   detail
porque   because
porqué *m*   why, reason, motive
portátil   portable
portal   porch
portentoso, –sa   extraordinary
porteño   from Buenos Aires
pórtico   gate
porvenir *m*   future, promise
posar   to perch, pose
poseer   to possess, have
poseído, –da   possessed
posesionarse   to take possession
positividad   explicitness, decisiveness
positivo, –va   real, positive
postergable   postponable
postergar   to postpone
postrado, –da   prostrate
postular   to postulate
pote *m*   pot
potencia   potential
potenciar   to harness
potente   huge; powerful
potro   colt, pony
pozo   well; hole
practicar   to practice
práctico, –ca   practiced, practical
pradera   prairie
prebendado   prebendary, ecclesiastical privilege
precario, –ria   precarious
preceder   to precede
precio   price
precipitado   hurrying person
precipitado, –da   headlong
precipitarse   to hurl oneself, throw oneself headlong
precisar   to need
preciso, –sa   precise, exact; sharply defined

preconizar to commend publicly
predominio predominance
preexistir to pre-exist
preferido, –da favorite
preferir to prefer
prefigurar to foreshadow
pregón *m* public announcement
preguntar to ask
premiar to reward
premio reward, prize
premura haste, urgency
prenda pledge, security
prender to take root
prenderse to be fastened
prendido, –da drunk; lit
preocupar to be concerned
preparar to prepare
presa claw, talon; prey
presagio omen
prescindir (de) to disregard
presentar to present
preservar to preserve
presidio citadel
presión pressure
preso prisoner
préstamo loan
prestar to give (an ear)
prestarse to lend oneself
presumir to show
pretensión presumption
pretender to pretend; to try to
pretérito, –ta past
prevaler to prevail
prevenido, –da prepared
prevenir to prepare
previo,–via previous; preliminary
primado primacy
primavera spring
primer first
primerizo beginner
primero, –ra first, original
    primero inferior kindergarten
primo cousin
    primo carnal first cousin
primogénito, –ta first born

príncipe *m* prince
principiar to begin
principio start, beginning
    al principio in the beginning
prisa hurry, haste
    darse prisa to make haste
proa prow
probar to test, try
probatorio, –ria probational
procaz (*pl* procaces) bold
proceder to proceed
procedimiento procedure
prócer lofty
procrear to procreate
procurar to yield; to manage
producir to produce
profesar to profess
proeza feat, prowess; skill
profanar to profane
profecía prophecy
profesar to profess
profundo, –da deep, profound
progenitor *m* progenitor, ancestor
prohibido, –da forbidden
prójimo fellow creature, neighbor
prolijo, –ja fastidious
prometedor, –dora promising
prometer to promise
prometido, –da promised
pronombre *m* pronoun
pronto, –ta soon, promptly
    al pronto right off
    de pronto suddenly
pronunciar to pronounce, utter
propagar to propagate
propalar to divulge, make known
propiciar to support
propicio, –cia propitious, favorable
propiedad property; propriety; ownership
propio, –pia own, itself; proper
proponer to propose
proporcionado, –da suitable
proporcionar to provide

propósito purpose
propuesta proposal
prosélito convert
prosista prose writer
prosperar to prosper
prosternar to prostrate oneself
prostíbulo brothel
prostituta prostitute
proteger to protect
proveer to provide
provenir to come
provincia province
provisión providing
proviso, al proviso right away, at once
provisto, –ta provided
  proviste de provided with
provocar to promote, provoke
próximo, –ma near
prueba test; proof
pudor *m* modesty
pudoroso, –sa modest, shy
pudrir to rot
pueblo town; nation; people
pueril frivolous; foolish
puerta door
pues well, then, why
puesto position
puesto, –ta fastened
pugnar to struggle, strive
pugnaz pugnacious, belligerent
pujante mighty, vigorous
pulmón *m* lung
pulmonar of the lungs
pulpería general store
pulpero storekeeper
pulpo octopus
pulsera bracelet
pulular to teem
punta tip, end; herd
puntería marksmanship; aim
puñado handful
puñal *m* dagger
punto point
  de todos los puntos from all directions

punto cardinal north, east, south, west
puño fist
pupila pupil (of the eye)
pureza purity
purgación purge
purgar to expiate; to check
purificador, –dora purifying
purificar to purify

que *adj* which, that
  lo que that which
  para que so that
que *adv* than
que *conj* let
que *rel pron* that, which; who
  con que whereupon, and so
  los que those who
qué *inter pron and adj* what, which
  para qué for what reason
quebrada bend, bow
quebrantar to break, break out of
quedar to turn out, be; to remain
quedito, –ta soft, gentle
quehacer *m* work, chore
quejido moan
quemado, –da dark
quemante burning
quemar to burn
querencia fondness
querer to want, wish; to love
quien *rel pron* who; he who; whom
quién *inter pron* who, whom
quienquiera anyone
quimera chimera, imaginary monster
quimérico, –ca chimerical
química chemistry
quinta villa, country estate
quinto, –ta fifth
quitar to take away: to remove
quizá maybe, perhaps
quizás maybe, perhaps

rábula pettifogger
racimo bunch, cluster of flowers

racionalizar to rationalize
racha streak
radiografía picture taken by x rays
radioso, –sa radiant
ráfaga gust, flash
raíz *f* (*pl* **raíces**) root
  de raíz completely
rajadura crack
rajar to go away
ramo branch; bouquet
rana frog
rapaz grasping, ravenous; subsisting on prey
rapsodia rhapsody
raptar to enrapture
rapto rapture
raquítico, –ca rickety, small (*fig*)
rareza peculiarity
raro, –ra strange
rasgo feature; deed
raspar to scrape, scratch, rasp
rastra drag
  a rastras dragging
rastreador *m* tracker, wilderness, guide
rastro trace, vestige
rata rat
rato while
raudal *m* torrent
rayo ray; spoke
raza race; forebear
razón *f* reason
razonable reasonable
razonamiento reasoning
razonar to reason
reabrir to reopen
reaccionar to react
reacio, –cia peevish
reacomodación readjustment, redistribution
reaglutinado, –da rebound, regrouped
realizar to realize
reanimar to revive
reanudar to renew

rebajar to underpay
rebaño flock
rebasar to pass, go beyond
rebelar to revolt, rebel
rebelde *m* rebel
rebelde rebellious
rebeldía rebelliousness
rebosante overflowing
rebotar to bend, rebound
rebozo shawl
rebusco gleaning
recaer to fall back
recalcar to stress
recalentar to warm over
recapacitar to think things over
recargado, –da bent over
receloso, –sa wary
recibir to receive; to go to meet; to admit
recién recently
recinto enclosure, area
recio, –cia harsh, strong; robust
recitar to recite
reclamar to reclaim; to claim
recobrar to recover
recoger to pick up; to gather
recomenzar to recommence
recompensa recompense, reward
reconocer to recognize
reconquistado, –da regained
reconstruir to reconstruct
recordar to remind, remember
recorrer to run across
recortar to cut out
recrear to recreate
recreo recreation; open-air restaurant
rectificar to rectify
recto, –ta straight
recuento inventory, roll-call
recuerdo memory, remembrance
recuperar to recover
recurrir to resort, have recourse
rechazar to repulse
rechazo rebound, recoil, rejection

red *f*   net, snare
redención   redemption
redentor *m*   redeemer
redentor, –tora   redeeming
redimir   to redeem, buy back
redoblar   to double
redomón *m*   unbroken horse
redonda   region
  a la redonda   around
redondo, –da   definitive
redondear   to round out
redondel *m*   circle, ring
reducir   to reduce
reelevar   to rebuild
reemplazar   to replace
reencender   to rekindle
referir   to refer
refinado   refinement
refinado, –da   refined
reflejar   to reflect, reveal
reflejo   reflection; reflex
reflexionar   to reflect
reflexivo, –va   reflective
refugiarse   to take refuge
refugio   retreat
refutar   to refute
regalo   gift
regar   to strew
regir   to govern
registrado, –da   recorded
registrar   to record
regla   order
regocijo   cheer, joy
regresar   to return
regreso   return
rehacer   to remake
rehuir   to avoid
reinar   to reign, prevail
reiniciar   to begin again
reino   kingdom
reinstalar   to reinstate
reír   to laugh
reiterado, –da   repeated
reiterar   to repeat
reja   bar, grating
rejatorio, –ria   vexatious

relacionado, –da   related
relacionar   to relate
relamerse   to slick oneself up
relamido   primness
relámpago   flash of lightning
relato   story
reloj *m*   clock
reluciente   shining
rellenar   to fill up
remar   to row
rematar   to finish, put the finishing
  touch on
rememoración   remembering
rememorar   to recall
rememorativo, –va   recollective
remero   oarsman
remetida   conflict
remo   oar
remordimiento   remorse
renacer   to be born again
renacimiento   renaissance
rencor *m*   rancor, spite
rencoroso, –sa   rancorous, spiteful
rendija   crack, slit
rendir   to render, give; to exhaust
renegar   to abandon
renegrido, –da   blackened
renovar *m*   renovation, renewal
renunciar   to renounce, resign,
  give up
repantigado, –da   sprawled out
repantigar   to sprawl out
reparar   to stop; to repair
  reparar en   to notice, pay atten-
    tion to
repartir   to distribute
reparto   cast
repechar   to climb
repente *m*   sudden movement
  de repente   suddenly
repentino, –na   sudden,
  unexpected
repertorio   repertory, stack
repetir   to repeat
repicar   to ring, peal
repique *m*   ringing

replegar to fall back
repleto, -ta full, loaded
réplica answer
replicar to answer back
reposar to rest
reposición recovery
reposo rest
represalia retaliation
representante *m* representative
representar to represent; to perform
reprimir to repress
reprobar to reject
reproducir to reproduce
repudio repudiation
repugnado, -da revolting, repugnant
requerir to require
requintado, -da forward
resaltar to stand out
resbalar to slide, slip
rescatar to redeem
rescoldo ember
resentido, -da resentful
resentir to be resentful
reservado booth
reservar to reserve
resignado, -da resigned
resignar to resign
resignarse to resign oneself
resistir to resist
resolver to resolve, solve; to decide
resonar to resound, echo
respaldo back
respecto respect
  respecto a with respect to
respeto respect
respetuoso, -sa respectful
respirar to breathe
resplandecer to shine
resplandor *m* brilliance, resplendence
responder to respond, answer
respuesta response, reply
restallar to crack, crackle
restituir to restore

resto rest, remainder
restringir to restrict
resucitar to resurrect
resuelto, -ta determined, resolute; decided
resuello breath
resultado result
resultar to turn out, result
resumen *m* summary
resumido, -da summary
resumir to sum up
retar to challenge
retardar to slow down, decelerate
retardo delay
retener to keep
reticencia reticence, evasiveness
retirar to retrieve, withdraw
retiro retirement, retreat
retomar to begin again, continue with
retorcer to twist
retórica rhetoric
retorno return
retratarse to sit for a portrait
retroceder to back away
retrotraer to date back
retumbar to resound, rumble
reunir to assemble
revancha revenge
revelador, -dora revealing
revelar to reveal
revelarse to reveal oneself
revenir to come back
reventado, -da burst, broken open
reventazón *f* bursting
rever to revise, review
revestido, -da faced, surfaced
revestir to take on
revolcar to rub
revolotear to flutter
revolverse to turn around
  revolverse contra to turn against
revuelto, -ta disordered, changeable; scrambled
rey *m* king

rezar   to pray
ribera   bank
rico, –ca   rich
rienda   rein
riente   laughing
riesgo   risk
rígido, –da   stiff
rincón *m*   corner
riñones *m pl*   loins
río   river
riqueza   wealth, richness
risa   laugh, laughter
risita   little smile
risueño, –ña   smiling, pleasant (*fig*)
rítmico, –ca   rhythmic
rito   rite
rivalidad   rivalry
robar   to rob, steal
robo   robbery, theft
roce *m*   rubbing; contact
rocío   dew; drizzle, sprinkling
rodar   to roll, roll down, roll along
rodear   to surround
rodilla   knee
   de rodillas   on one's knees
roer   to gnaw away at
rogar   to beg
roído, –da   gnawed away
rojizo, –za   reddish
rojo, –ja   red
rollo   pillar
rombo   lozenge
romper   to break
   romper en   to break into
rompiente *m*   reef
rompiente   breaking
roncar   to croak
ronco, –ca   hoarse
rondalla   serenader
ronquido   snore
ropa   clothing
   ropa hecha   ready-made clothes
   ropa interior   underclothing, underwear
rosa   rose
rosal *m*   rosebush

rosario   rosary
roso, –sa   red
rostro   face
roto, –ta   broken
rotundidad   rotundity, fullness
rotundo, –da   peremptory, challenging; full
rozar   to scrape, graze; to be on close terms with
rubio, –bia   blond, fair
rubor *m*   flush
rudeza   rudeness
rudimentario   rudimentary
rudo, –da   rough, rude
rueca   distaff
rueda   wheel, torture rack
ruego   request, entreaty
ruido   noise, sound
ruina   ruin
ruiseñor *m*   nightingale
rumbo   direction, course, bearing
   rumbos   four points (north, east, south, west)
rumia   rumination, thought
rumor *m*   murmur
ruptura   rupture, break
ruta   route

sabedor, –dora   informed
saber   to know
sabio, –bia   wise
sable *m*   saber, cutlass
sabor *m*   taste
saborear   to taste
sacar   to take out, remove; to draw out
sacerdote *m*   priest
saciedad   satiation
sacrificar   to sacrifice
sacristán *m*   sexton
sacudido, –da   jerked
sacudir   to throw off; to shake
saeta   arrow, dart
sacudimiento   jolt
sagrado, –da   sacred
sainete *m*   zest

sal *f*   salt
sala   living room, parlor
saladero   salting house
salida   way out; going out, excursion
salir   to leave; to go out; to come out
salita   little room
salón *m*   saloon (as an inn or restaurant); bar
salpicado, –da   spattered
saltar   to jump, skip, leap
salto   leap, jump
salud *f*   health
saludable   healthful
saludar   to salute; to bow
salvador *m*   savior
salvaje *m*   savage
salvaje   savage, wild
salvar   to go over, cover; to save
salvo   save, except for
  a salvo de   safe from
sandalia   sandal
sangre *f*   blood
sangriento, –ta   bloody
sanguíneo, –nea   sanguine, ardent, hopeful
sano, –na   healthful
santidad   sanctity
santiguarse   to make the sign of the cross
santo, –ta   saint, saintly; holy; simple
santonina   santonica, flower from which an intestinal drug is made
saquear   to sack
sátiro   satyr, demigod with the tail and ears of a horse
satisfacer   to satisfy
satisfecho, –cha   satisfied
saturar   to saturate
savia   sap
sazón *f*   season, time
  a la sazón   at that time
secar   to dry, dry up
seco, –ca   dry

sed *f*   thirst, drought
seda   silk
sediciente   self-styled
sediento, –ta   thirsty, dry; eager
seducir   to seduce
seductor *m*   seducer
segar   to mow down, reap
seguida   succession
  en seguida   at once
seguir   to follow; to continue
según   according to
segundo   second
segundo, –da   second
seguridad   assurance, confidence
seguro   security; insurance
seguro, –ra   sure, secure
seleccionar   to select
selva   jungle
sellar   to seal, close
semana   week
sembrado, –da   sown
sembrar   to sow, spread
semejante *m*   fellow, fellow man
semejante   similar; such
semejanza   likeness, resemblance
  a semejanza de   like, as
semejar   to resemble, be like
sementera   fertile land, seed bed
semilla   seed
sencillo, –lla   simple
senda   path
sendero   path
sendos, –das   one each
seno   breast, bosom; internal area of an object (*fig*); womb
sensatez *f*   good sense
sensible   perceptible, sensible
sentado, –da   seated
sentar   to sit, seat
sentarse   to sit down
sentido   sense; direction
sentimiento   sentiment, feeling
sentir   to feel, sense; to regret, be sorry
sentirse   to feel oneself
seña   sign, token

señal *f* sign
señalar to point at; to determine
señor *m* sir, lord; gentleman
separar to separate
sepultado, **–da** buried
sepultar to bury
sepultura grave
sepulturero gravedigger, undertaker
sequía drought
ser *m* being, essence
ser to be
serpentina coiled confetti,
streamer
serpiente *f* serpent
servidor *m* servant
servil servile, slavish
servir to serve
servirse to help oneself
seso brain
seudoestructura pseudostructure
severo, **–ra** strict, stern
sexo sex
sexto, **–ta** sixth
si if
sí *reflex pron* itself; themselves
silbido hiss
sideral sidereal, starry
sidra cider
siempre always
sietemesino, **–na** born in seven
months, puny fellow
sigilo concealment, reserve
sigiloso, **–sa** silent, reserved, quiet
siglo century
significado meaning
significado, **–da** known,
well-known
significar to signify, mean; to
make known
signo sign; fate, destiny
siguiente following
sílaba syllable
silbar to whistle
silueta silhouette
silla chair

sillón *m* easy chair
sillón de hamaca rocking chair
sima chasm
simbolizar to symbolize
simpatía sympathy, liking, con-
geniality
simulacro semblance, pretense
simular to pretend
sin without
sin embargo nevertheless
sin que without
síncopa syncopation
singularizar to distinguish
siniestro, **–tra** sinister
sino but
sinónimo, **–ma** synonymous
sinrazón *f* unreason
sinuoso, **–sa** winding
siquiera at least; even
ni siquiera not even
sirvienta servant
situarse to take a position
soberbia pride, arrogance
soberbio, **–bia** proud, arrogant
sobrado, **–da** more than enough
sobrar to be more than enough;
to be left over, remain
sobre *m* envelope
sobre *prep* upon, over; onto; on;
above
sobrenaturalmente super-
naturally
sobreponerse to win over
sobresaltado, **–da** startled
sobresaltarse to be startled, frightened
sobresalto start, fight; surprise
sobrevenir to happen
sobreviviente *m* survivor
sobrino nephew
sobrio, **–bria** moderate, temper-
ate; sober, shading
socorrer to help
socorro help, aid
soez mean, crude
sofocado, **–da** choking

sofocante suffocating, stifling
sofocar to choke
sojuzgador *m* conqueror
sol *m* sun
solar *m* noble lineage; ancestral mansion
soldadesca soldiery, undisciplined troops
soldado soldier
soldar to weld
soleado, –da sunny
soledad loneliness; lonely place, wasteland; aloneness
soler to be accustomed to
solferino, –na reddish-purple
solicitar to seek, solicit; to ask for
solícito, –ta solicitous; affectionate
solidaridad solidarity
soliviado, –da lifted up
soliviantado, –da stirred up, aroused
solo, –la alone; sole; single
a solas alone
sólo *adv* only
soltar to let loose, let go; to unfasten
soltarse to get loose
soltera unmarried woman
soltería celibacy
soltero bachelor
solventar to settle, solve
sollozar to sob
sollozo sob
a sollozos sobbing
sombra darkness; shade, shadow
sombrero hat
sombrero de capa high hat
sombrío, –ría somber, gloomy
someter to submit; to surrender
sonaja tambourine
sonar to sound
sonido sound
sonoro, –ra clear
sonreír to smile
sonriente smiling
sonrisa smile

soñador *m* dreamer
soñador, –dora dreamy
soñar to dream
sopesar to carry
sopetón *m* box
de sopetón suddenly
soplar to blow; to inflate
soplo breath
soportar to bear, hold up; to support
sorbete *m* sherbet
sórdido, –da sordid
sordo deaf person
sordo, –da silent, mute
sorprendente extraordinary
sorprender to surprise
sorprendido, –da surprised
sorpresa surprise
sosiego quiet
sospechar to suspect
sostener to support, sustain; to maintain
sostenido, –da sharp
sotana cassock, priest's robes
sótano cellar
spretzel *m* pretzel
su *poss adj* its
suave gentle; suave, smooth
subalterno, –na subordinate
subcomisario subcommissioner
súbdito subject
subir to go up, rise; to lift up
súbito, –ta sudden
de súbito suddenly
en súbito suddenly
sublevante rebellious
substituir to substitute
subsuelo subsoil
subterráneo underground place
subterráneo, –nea subterranean
subvenir to provide
subyugado, –da subjugated, enslaved
sucedáneo substitute
suceder to succeed, happen; to follow

sucedido happening, event
sucesivo, –va successive
suceso event, happening
sucio, –cia dirty
sudor *m* sweat
sueldo salary
suelo ground, floor
suelto, –ta free, loose
sueño sleep; dream
suerte *f* luck, fortune; sort, kind
suficiente enough
sufrimiento suffering
sufrir to suffer
sugerencia suggestion
sugerir to suggest
sujetar to subject; to hold
sujetarse to adhere
suma sum; summary
sumario, –ria summary
sumergir to submerge
suministrar to provide
sumir to sink
suncho hoop
suntuoso, –sa sumptuous
superar to overcome
superhombre *m* superman
superior higher
superponer to superimpose
supérstite *m f* survivor
supervivencia survival
supletorio, –ria supplementary
súplica suppliance
suplicante suppliant
suplicio torture
suponer to suppose, assume
suprimir to suppress, eliminate
supuesto, –ta supposed
  por supuesto of course, naturally
sur *m* south
surco groove, ditch
surgido, –da sprung forth
surgir to appear, arise, spring up
susceptibilidad touchiness
suscitar to provoke
suspender to suspend

suspicacia suspicion
suspirar to sigh
suspiro sigh
sustento sustenance, food
sustituir to replace
susurrar to whisper
sutil subtle

taberna tavern
tabla list
tablilla small board
tácito, –ta tacit, silent
taciturno, –na taciturn, silent
taconeo clicking of the heels
tajar to cut
tajo cut
tal such, such a
  con tal que provided that
  tal vez perhaps
talar to lay waste
tallado, –da carved
taller *m* shop, factory
tamaño size
también also, too
tambor *m* drum
tamo fuzz
tampoco neither, not either
tan so
tanteo comparison, careful consideration; trial and error
tanto, –ta so much, so many; as much; so often
  en tanto in the meantime
  entre tanto in the meantime
  a tanto por at so much (in commercial transaction)
taparse to conceal oneself, cover oneself
tararear to hum
tarde *f* afternoon
tardío, –día late, delayed
tarea task
taxímetro taxi
taza cup
té *m* tea
teatral theatrical

teatro   theater
  dar teatro a   to ballyhoo
techo   roof
tejer   to weave
tela   cloth, fabric
telaraña   cobweb
telegrafiar   to telegraph
telón *m*   curtain
tema   theme
temblar   to shake, tremble
temer   to fear
temeroso, −sa   fearful
temible   dreadful, fearful
temido, −da   feared, dreaded
temoroso, −sa   fearful
tempestad   storm, tempest
tempestuoso, −sa   stormy
temporalidad   temporality, state of being, temporary
tenaz   tenacious
tender   to extend, reach out
tenderse   to stretch out
tenduchín *m*   poor tiny store
tener   to hold; to have
  no tener nada que ver con   to have nothing to do with
teniente *m*   lieutenant
tentación   temptation
tentar   to tempt; to touch
tentativa   attempt
tenue   faint, soft, light
teología   theology
tercer   third
tercero, −ra   third
terciopelo   velvet
térmico, −ca   thermal
terminante   final
terminar   to end, finish
terminarse   to terminate, end
término   limit, boundary; end; term; manner
  primer término   foreground
  segundo término   middle distance
ternura   tenderness, love
terraza   terrace

terrenal   earthly
terreno   land, terrain
terrestre   terrestrial
terrón *m*   lump, clod
tesoro   treasure
testigo   witness
tétrico, −ca   dark, gloomy
tez *f*   complexion
tía   aunt
tibio, −bia   tepid
tiempo   time; weather
  a tiempo   at times
tienda   tent; shop
  tienda de campaña   tent, army tent
tienta   probe
  andar a tientas   to grope, feel one's way
tierno, −na   tender; tearful
tierra   earth; land; dirt
tílbury *m*   gig, two-wheeled topless carriage
timbre *m*   bell
tinglado   temporary location
tiniebla   darkness
tinieblas *f pl*   darkness
tinto, −ta   red
tintorería   dry cleaner
tío   uncle
tipo   guy, fellow
tirador, −dora   thrower
tiranía   tyranny
tiranizar   to tyrannize
tirano   tyrant
tirante   strained, tense
tirar   to pull; to knock down
tirón *m*   jerk, tug
tísico, −ca   consumptive
tisiquillo, −lla   little consumptive
títere *m*   marionette
titubeo   staggering
titularse   to call oneself
tocado   hairdo
tocar   to play; to ring; to touch; to be the lot of; to have one's time be up

todavía still, yet
todo, –da all
todopoderoso, –sa all-powerful, almighty
tomar to take; to drink
tomo volume
tonante thundering
tontería nonsense
tonto, –ta stupid
toque *m* sound, beat; touch
torbellino whirlwind
torcido, –da twisted, bent
tormenta storm
tormento torment, torture
torno turn; rise
  en torno around
toro bull
torpe heavy, dull
torpeza awkwardness, stupidity
torre *f* tower
tórtola turtledove
tortura torture
tos *f* cough, coughing
totémico, –ca totemic, symbolic of a blood relationship
trabajador *m* worker, laborer
trabajador, –dora working
trabajar to work
trabajo work, labor
traer to bring
traficar to trade, traffic
tráfico trade
tragar to swallow
trago swallow
traición treason
traicionar to betray
traje *m* swimming suit; clothing, suit
tramo stretch, level
trampa trap
trancar to bar
trance *m* critical moment; trance
  en trance de at the point of
tranquilizar to calm, calm down
transcendente transcendent; penetrating

transcurrir *m* course of time
transcurrir to pass, elapse
transcurso course of time
transeúnte *m f* passerby
transformar to transform
tránsito transfer, passage; traffic
transplantar to transplant
transportar to transport, carry
tranvía streetcar, trolley
trapo curtain; cleaning rag
tras after, behind
trascender to go into
traspasar to cross over, transgress
trasplantado, –da transplanted
trasportar to transport
trastornado, –da agitated
trastornar to upset, overturn
tratar to try
  tratar a uno de to address someone as
trato agreement
través *m* bend
  a través de through, across
travesaño crosspiece
travesear to jump around
travesía crossing
trayecto journey
trazado design, appearance
trazar to plan
trecho stretch of time, while; stretch
tregua respite, rest
trémulo, –la quivering
tren *m* train
treno dirge
trenzador *m* weaver
trepar to climb
triángulo triangle
  triángulo rectángulo right triangle
tributo tribute, contribution
trigueño, –ña olive-skinned
trinchera military trench, entrenchment
trinidad trinity
tripartito, –ta threefold

triste   sad
tristeza   sadness
triturar   to abuse, mistreat
triunfal   triumphal
triunfar   to triumph
triunfo   triumph
trocarse   to change, change seats
trofeo   trophy
tronco   trunk
tronchar   to rend
tropero   cowboy
tropezar   to stumble
trozo   bit, fragment
trueno   thunderclap
tubo   receiver
tul *m*   tulle, thin fine net
tullido, –da   crippled
tumba   grave, tomb
tundear   to beat
turbado, –da   upset
turbar   to disturb
turbio, –bia   troubled
tuyo, –ya   yours, your

último, –ma   last
ultramar *m*   country overseas
ultramarino, –na   overseas
umbral *m*   threshold
unánime   unanimous
unicidad   uniqueness
único, –ca   only, one
  lo único   the only thing
unido, –da   united, connected
uniforme   identical, uniform
unir   to join
universitario, –ria   pertaining to a
  university
untuoso, –sa   greasy
uña   fingernail
urbanismo   sophistication
urbano, –na   urban; urbane
urbe *f*   big city
urgir   to be urgent
usanza   custom
usar   to use
uso   use, usage

útil   useful
utilería   stage properties
uva   grape

vaca   cow
vaciadero   heap
vaciar   to empty
vacilante   hesitant
vacilar   to hesitate
vacío   void, sky
vacío, –cía   lacking, empty
vagar   to roam
vago, –ga   wandering; vague
vaho   steam
vaina   sheath, scabbard
valer   to be worth; to count
valeroso, –sa   brave
valido, –da   valued, esteemed
valiente   fine, excellent
valija   valise, suitcase
  hacer la valija   to pack one's
  suitcase
valor *m*   courage, valor; value
válvula   valve
valle *m*   valley
vanagloria   vainglory, boasting
vanidoso, –sa   conceited, vain
vano, –na   vain
vapor *m*   steamer, steamboat;
  steam
vara   unit of measure, about 32
  inches
variar   to vary
vario, –ria   various, varied
varón *m*   man
vasallo   vassal
vaso   glass
vástago   shoot
vasto, –ta   vast
vecina   neighbor
vecindario   neighborhood
vecino   neighbor; citizen
vecino, –na   neighboring
vedar   to forbid
vejez *f*   old age
vejiga   bladder, bagpipe

vela   sail, sailboat; candle
velar   to stay awake
veleidad   caprice
velocidad   speed
velorio   wake
veloz (*pl* veloces)   rapid
vena   vein
venal   corrupt
vencedor, —dora   conqueror
vencer   to vanquish, conquer
vencido, —da   vanquished, conquered, overcome
venda   blindfold
vendar   to blindfold
vender   to sell
venderse   to sell oneself
vendimia   rich profit; vintage
venduta   shop
veneciano, —na   Venetian
veneno   venom, poison
venenoso, —sa   poisonous
venerado, —da   venerable
venezolano, —na   Venezuelan
venganza   vengeance
vengarse   to take revenge
vengativo, —va   vengeful, vindictive
venidero, —ra   coming, future
venir   to come
   ir y venir   coming and going
venta   sale
   en venta   for sale
ventana   window
ver   to see
veracidad   veracity
veranear   to summer
verano   summer
   lugar de verano   summer resort
veras *f pl*   truth
   de veras   in truth, really
verbo   verb, word
verdad   truth
   es verdad que   it is true that
verdadero, —ra   true
verde   green

verdor *m*   verdure, youth
verdoso, —sa   greenish
vereda   sidewalk; path
vergonzoso, —sa   embarrassing
vergüenza   shame
vericueto   rough uneven ground
verja   fence
verleniano, —na   of Verlaine
vernáculo, —la   vernacular, native
verso   rhyme; line (of poetry); verse
verter *m*   pouring
verter   to flow, empty
vertiginoso, —sa   dizzy; vertiginous
vértigo   dizziness
vertimiento   flowing
vespertino   evening sermon
vestido   dress; clothing
vestido, —da   dressed
   vestido de   dressed
vestidura   clothing, vestment
vestigio   vestiga, remnant
vestimenta   vestment, clothes
vestir   to clothe, dress
vestuario   wardrobe
veta   vein; streak
veteado, —da   striped, veined
vez *f* (*pl* veces)   time
   a la vez   at the same time
   en vez de   instead of
   tal vez   perhaps
vía   road, route
viable   viable, feasible
viajar   to travel
viajero   traveler
viandante *m*   vagabond
víbora   viper
vibrante de   vibrating with
vibrar   to vibrate
viciado, —da   foul
viciar   to vitiate, adulterate
vicisitud *f*   vicissitude, change of fortune
victoriano, —na   Victorian
vid *f*   grapevine

vida life
vidriera glass window, shop window
vidrio glass, window pane
viejito little old man
viejo old man
viejo, –ja old
viento wind
vientre *m* womb; belly
vigesimo, –ma twentieth
vigésimocuarto, –ta twenty-fourth
vigilancia vigilance
vigilante *m* watchman
vigilar to guard, watch
vigilia wakening hour; wakefulness
vigorizador, –dora invigorating
vil vile, base
vinculación connection, continuation
vínculo bond
vincha Indian headband
vino wine
violar to violate
violentar to do violence to
viril virile, manly, man
virreinato viceroyalty
virulento, –ta virulent, venomous
víscera viscera, inner organs
viscoso, –sa viscous
visillo window shade
visitante *m* visitor
visitar to visit
vislumbrar to glimpse
víspera eve
vista view
vistazo glance
visto *pp of* **ver**
vistoso, –sa showy, flashy
vital vigorous
vítor *m* triumphal pageant
vitral *m* stained-glass window
vitrina shop window
vivencia experience
viviente living

vivir to live
vivísimo, –ma most brilliant, bright
vivo, –va live
vocerío uproar
vociferar to announce boastfully, shout
vocinglero, –ra loudmouthed
volar to fly
volcar to dump
voltear to upset, tumble; to throw
volumen *m* volume, book
voluntad will
volver to return; to give back; to turn
volverse to become
  volverse loco to go crazy
vorágine *f* whirlpool
voto vow, votive offering
voz *f* (*pl* **voces**) voice
vuelo flight
vuelta return
  a la vuelta on returning
  a la vuelta de at the end of
  dar vuelta to circle, run circles

ya already, now
yendo *gerund of* **ir**
yerro error, mistake
yeso plaster

zafar to loosen
zaga rear
  a la zaga behind
zaguán *m* vestibule
zambullir to duck
zapar to excavate, mine
zapato shoe
zarpa claw
zarpar to set sail
zend *m* middle Eastern language
zorrillesco, –ca pertaining to José Zorrilla
zumbar to buzz, hum
zumbido buzz, hum